朝鮮小字整板本《素問》（下）

主編◎錢超塵
副主編◎王育林 劉陽

《黄帝内經》版本通鑒 第二輯

北京科学技术出版社

《黄帝内經》版本通鑒·第二輯

朝鮮小字整板本《素問》（下）

解題　劉陽

補註釋文黄帝内經素問卷之七

○病能論篇第四十六 新挍正云按全元起本在第五卷

黄帝問曰人病胃脘癰者診當何如岐伯對曰診此者當候胃脈其脈當沈細沈細者氣逆胃者水穀之海其血盛氣壯今反脈沈細者是逆常平也○新挍正云按甲乙經沈細作沈濇太素作沈細逆者人迎甚盛甚盛則熱沈細為寒寒氣格陽故人迎脈盛人迎者陽明之脈故盛則熱也人迎謂結喉旁脈動應手者人迎者胃脈也胃脈循喉嚨而入缺盆故云人迎者胃脈也逆而盛則熱聚於胃口而不行故胃脘為癰也血氣壯盛而熱內薄之兩氣合熱故結為癰也

帝曰善人有卧而有所不安者何也岐伯曰藏有所傷及精有所之寄則安故人不能懸其病也五藏有所傷損及之求[illegible]精氣有所之寄扶其下則臥安以傷及於藏故人不能懸其病處于空中也○新挍正云按甲乙經精有所之寄則安作精有所倚則臥不安太素作精有所倚則不安

帝曰人之不得偃臥者何

也謂不得仰臥也岐伯曰肺者藏之蓋也居高布葉四藏下之故言肺者藏之蓋也肺氣盛則脈大脈大則不得偃臥肺氣盛滿偃臥則氣促喘奔故不得偃臥也論在奇恒陰陽中奇恒陰陽上古經篇名世本闕帝曰有病厥者診右脈沉而緊左脈浮而遲不然病主安在不然言不沉也新校正云按甲乙經不然作不知岐伯曰冬診之右脈固當沉緊此應四時左脈浮而遲此逆四時在左當主病在腎頗關在肺當腰痛也以冬左脈浮而遲浮為肺脈故言頗關在肺也腰者腎之府故腎受病則腰中痛也帝曰何以言之岐伯曰少陰脈貫腎絡肺今得肺脈腎為之病故腎為腰痛之病也左脈浮遲非肺來見以左腎不足而脈不能沉故得肺脈腎為病也帝曰善有病頸癰者或石治之或鍼灸治之而皆已其真安在言所攻則異所愈則同故問其真法何所在也岐伯曰此同名異等者也言雖同曰頸癰然其皮中別異不一等也故下云夫癰氣之息者宜以鍼

開除去之夫氣盛血聚者宜石而寫之此所謂同病異治也息瘜也死肉也石砭石也可以破大癰出膿今以鈹針代之帝曰有病怒狂者新校正云按太素怒狂作善怒此病安生岐伯曰生於陽也帝曰陽何以使人狂怒不慮禍故謂之狂岐伯曰陽氣者因暴折而難決故善怒也病名曰陽厥言陽氣被折鬱不散也此人多怒亦曾因暴折而心不疏暢故爾如是者皆陽逆躁極所生故病名陽厥帝曰何以知之岐伯曰陽明者常動巨陽少陽不動不動而動大疾此其候也言[illegible]頸之脈休[illegible]不止也陽明常動者動於結喉旁是謂人迎氣舍之分[illegible]若以少陽之動動於曲頰下是謂天窓天牖之分[illegible]者巨陽之動動於項兩旁大筋前陷者中是謂天柱天容之分位也不應常動而反動甚者動當病也○新校正云詳王注以天窓為少陽之分位天容為太陽之分位按甲乙經天窓乃手太陽脈氣所發天容乃手少陽脈氣所發一位交互當以甲乙經為正也帝曰治之奈何岐伯曰奪其食即已夫食入於陰長氣於陽故奪其食即已食少則氣衰故節去其食即病自止

○新校正云按甲乙經鐵作落太素同也使之服以生鐵洛為飲新校正云按甲乙經鐵洛作鐵落為飲作為後飯夫生鐵洛者下氣疾也之[illegible][illegible]以傳文誤也鐵洛味辛微溫平主治下氣方俗或呼為鐵漿非是生鐵液也帝曰善有病身熱解墮汗出如浴惡風少氣此為何病岐伯曰病名曰酒風飲酒中風者也風論曰飲酒中風則為漏風是以名漏風也夫極飲者陽氣盛而腠理疏玄府開發陽盛則筋痿弱故身體解墮皆也腠理踈則風內攻玄府發則氣外泄故汗出如浴也風氣外薄膚腠理開汗多內虛癉熱熏肺故惡風少氣也因而病故曰酒風麋音眉銜[illegible]丹反帝曰治之奈何岐伯曰以澤瀉朮各十分麋銜五分合以三指撮為後飯朮味苦溫平主治大風止汗麋銜味苦平主治風濕筋痿澤瀉味甘寒平主治風濕益氣由此功用方故先之[illegible][illegible][illegible]先謂之後飯所謂深之細者其中手如鍼也摩之切之聚者堅也博者大也上經者言氣之通天也下經者言病之變化也金匱者決死生也揆度者切度之也奇恆者言奇病也

所謂奇者使奇病不得以四時死也恒者得以四時死也（新校正云：按楊上善云：得病傳之王於勝時而死，此為恒也。生喜怒令病次傳者，此為奇。）所謂揆者方切求之也言切求其脈理也度者得其病處以四時度之也（凡言所謂者，皆釋未了義，今此所謂尋前後經文，悉不與此篇義相接，似今數句少成文義者，終是別釋經文，世本既闕第七二篇，應彼闕經錯簡文也，古文斷裂，繆續於此。）

○奇病論篇第四十七（新校正云：按全元起本在第五卷。）

黃帝問曰人有重身九月而瘖此為何也（重身，謂身中有身，則懷妊者也。瘖，謂不得言語也。妊娠九月，足少陰脈養胎，約氣斷則瘖不能言也。）岐伯對曰胞之絡脈絕也（絕，謂脈斷絕而不通流而不，然其非天真之氣斷絕也。）帝曰何以言之岐伯曰胞絡者繫於腎少陰之脈貫腎繫舌本故不能言（少陰，腎脈也。氣不營養，已舌不能言。）帝曰治之柰何岐伯曰無治也當十月復（十月胎去，胞絡復通，腎脈上營，故復舊而言也。）刺法曰無損不足益有餘

以成其疹疹謂久病反法而治則胎死不去遂成久固之疹病然後調之新校正云按甲
乙經及太素無此四字全元起注云所謂不治者其身九月而瘖身重不得為治須十月滿生後復如常也
然後調之則此四字本全元起注文誤書於此當刪去之所謂無損不足者身羸瘦
無用鑱石也任娠九月筋骨瘦勞力少身重又拒於穀故身形羸瘦不可以鑱石傷也鑱鋤銜反
無益其有餘者腹中有形而泄之泄之則精出而病獨
擅中故曰疹成也胎約胞絡腎氣不通因而泄之腎精隨出精液內竭胎則不全胎死腹中
著而不去由此獨擅故疹成焉帝曰病脇下滿氣逆二三歲不已是為
何病岐伯曰病名曰息積此不妨於食不可灸刺積為
導引服藥藥不能獨治也腹中無形脇下逆滿頻歲不愈息且形之氣逆息難故名
息積也氣不在胃故不妨於食也灸之則火熱內爍氣化為風刺之則必寫其經轉成虛敗故不可灸刺是可
積為導引使氣流行久以藥攻內消瘀稸則可矣若獨憑其藥而不積為導引則藥亦不能獨治之也帝
曰人有身體髀股胻皆腫環齊而痛是為何病岐伯曰

病名曰伏梁

以衝脈病故名曰伏梁然衝脈者與足少陰之絡起於腎下出於氣街循陰股內廉斜入膕中循骭骨內廉並足少陰經下入內踝之後入足下其上行者出臍下同身寸之三寸關元之分俠臍直上循腹各行會於咽喉故身體髀皆腫繞臍而痛名曰伏梁環謂圓繞如環也

此風根也其氣溢於大腸而著於肓肓之原在臍下故環臍而痛也

大腸廣腸也經說大腸當言迴腸也何者靈樞經曰迴腸當臍右環回周葉積而下廣腸附脊以受迴腸左環葉積上下辟大八寸此則是迴腸非應言大腸也然大腸迴腸俱與肺合從合而命故通曰大腸也

不可動之動之為水溺濇之病也

以衝脈起於腎下出於氣街其上行者起於胞中上出臍下關元之分故動之則為水而溺濇也動謂齊其毒藥而擊動之使其大下也此一問答之義與腹中論同以為奇病故重出於此

帝曰人有尺脈數甚筋急而見此為何病

筋急謂掌後尺中兩筋急也脈要精微論曰尺外以候腎尺裏以候腹中今尺脈數急脈數為熱熱當筋緩反尺中筋急而見腹中筋當急故問為病乎靈樞經曰熱即筋緩寒則筋急

岐伯曰此所謂疹筋是人腹必急白色黑色見則病甚

腹急謂俠臍腎筋俱急以尺裏候腹

中故見尺中散急則必腹中拘急矣色見謂見於面部也夫相五色者白為寒黑為寒故二色見病彌甚也
帝曰人有病頭痛以數歲不已此安得之名為何病頭痛
之疾不當踰月數年不愈故推而問之岐伯曰當有所犯大寒內至骨髓
髓者以腦為主腦逆故令頭痛齒亦痛夫腦為髓主齒是骨餘腦逆反
寒骨亦寒入故令頭痛齒亦痛病名曰厥逆帝曰善全注人先生於腦緣有腦則有骨髓
齒者骨之本也帝曰有病口甘者病名為何何以得之岐伯曰
此五氣之溢也名曰脾癉癉謂熱也脾熱則四藏同稟故五氣上溢也生因脾熱故
曰脾癉夫五味入口藏於胃脾為之行其精氣津液在脾
故令人口甘也脾熱內滲津液在脾胃穀化餘精氣隨溢口通脾氣故口甘津液在脾是脾之
渴此肥美之所發也新校正云按太素發作致此人必數食甘美而
多肥也肥者令人內熱甘者令人中滿故其氣上溢轉
為消渴食肥則腠理密陽氣不得外泄故肥令人內熱甘者性氣和緩而發散逆故甘令人中滿然內熱

則陽氣炎上炎上則欲飲而嗌乾中滿則陳氣有有餘則脾氣上溢故曰其氣上溢轉為消渴也陰陽應象大論曰辛甘發散為陽靈樞經曰甘多食之令人悶悗心中滿以生之○新校正云按甲乙經消渴作消癉

治之以蘭除陳氣也蘭謂蘭草也神農曰蘭草味辛熱平利水道辟不祥胸中痰澼也除謂去也陳謂久也言蘭除陳久甘肥不化之氣者以辛能發散故也藏氣法時論曰辛者散也○新校正云按本草蘭性平承言熱

帝曰有病口苦取陽陵泉口苦者病名為何何以得之岐伯曰病名曰膽癉亦謂熱也膽汁味苦故口苦○新校正云按全元起本及太素無口苦取陽陵泉六字詳前後文勢疑此為誤

夫肝者中之將也取決於膽咽為之使靈蘭秘典論曰肝者將軍之官謀慮出焉膽者中正之官決斷出焉肝與膽合氣性相通故諸謀慮取決於膽咽膽相應故咽為使焉○新校正云按甲乙經曰膽者中精之府五藏取決於膽咽為之使疑此文誤

此人者數謀慮不決故膽虛氣上溢而口為之苦治之以膽募俞胸腹曰募背脊曰俞膽募在乳下二肋外期門下同身寸之五分俞在脊第十椎下兩傍相去各同身寸之一寸半治在陰陽十二官相使中治言

具於彼篇今經已亡

帝曰：有癃者，一日數十溲，此不足也。身熱如炭，頸膺如格，人迎躁盛，喘息氣逆，此有餘也。是陽氣太盛於外陰氣不足故有餘也〇新校正云詳此十五字舊作文寫按甲乙經太素並無此文再詳乃是全元起注後人誤書於此今作注書

太陰脈細微如髮者，此不足也。其病安在？名為何病？癃小便不得也溲小便也頸膺如格言頸與胸膺如相格拒不順應也人迎躁盛謂結喉兩傍脈動盛滿急數非常躁速也胃脈也太陰脈細微如髮者謂手大指後同身寸之一寸骨高脈動處肺脈也此正手太陰脈氣之所流可以候五藏也

岐伯曰：病在太陰，其盛在胃，頗在肺，病名曰厥，死不治。病癃數溲身熱如炭頸膺如格息氣逆者皆手太陰脈當洪大而數今太陰脈反微細如髮者是病與脈相反也何以致之肺氣逆陵於胃而為是上使人迎躁盛也故曰其盛在胃也以其喘息氣逆故云頗亦在肺也病因氣逆證不相應故病名曰厥死亦當然也

此所謂得五有餘二不足也。帝曰：何謂五有餘二不足？岐伯曰：所謂五有餘者，五病之氣有餘也；二不足者，亦病

氣之不足也今外得五有餘內得二不足此其身不表不裏亦正死明矣〔外五有餘者一身熱如炭二頸膺如格三人迎躁盛四喘息五氣逆也內二不足者一病癃一日數十溲二大陰脈微細如髮夫如是者謂其病在表則內有二不足謂其病在裏則外有五有餘表裏既不可憑補瀉固難為法故曰此其身不表不裏亦正死明矣〕帝曰人生而有病巔疾者病名曰何安所得之〔夫百病者皆生於風雨寒暑陰陽喜怒也然始生有形未犯邪氣已有巔疾豈邪氣素傷耶故問之巔謂上巔則頭首也〕岐伯曰病名為胎病此得之在母腹中時其母有所大驚氣上而不下精氣并居故令子發為巔疾也〔精氣謂陽之精氣也〕帝曰有病痝然如有水狀切其脈大緊身無痛者形不瘦不能食食少名為何病〔痝然謂面目浮起而色雜也大緊謂如弓弦也大即為氣緊即為寒寒氣內薄而反無痛與衆別異常故問之也〕岐伯曰病生在腎名為腎風〔脈如弓弦大而且緊勞氣內蓄寒復內爭勞氣薄寒故化為風風勝於腎故曰腎風〕腎風而不能食善驚驚已

※1 痝

※2 胎

※3 標

※4 ※5

心氣痿者死（腎水受風邪火痿弱火水俱困故必死）帝曰善

○大奇論篇第四十八（新校正云按全元起本在第九卷）

肝滿腎滿肺滿皆實即為腫（滿謂脈氣滿實也腫謂癰腫也藏氣滿乃如是）肺之雍喘而兩胠滿（肺藏氣而外主息其脈支別者從肺系橫出腋下故喘而兩胠滿新校正云詳肝雍肺雍腎雍甲乙經俱作痓）肝雍兩胠滿臥則驚不得小便（肝之脈循股陰入髦中環陰器抵少腹上貫肝膈布脇肋故胠滿不得小便也肝主驚駭故臥則驚）腎雍腳下至少腹滿（新校正云按甲乙經腳下作胠下當作胠不得言腳下至少腹也）脛有大小髀胻大跛易偏枯（衝脈者經脈之海與少陰之絡俱起於腎下出於氣街循陰股內廉斜入膕中循胻骨內廉並少陰之經下入內踝之後入足下其上行者出齊下同身寸之三寸故如是者血氣變易為偏枯也）心脈滿大癇瘛筋攣（心脈滿大則肝氣下流熱氣內薄筋乾血涸故癇瘛而筋攣）肝脈小急癇瘛筋攣（肝養筋內藏血肝氣受寒故癇瘛而筋攣脈小急者寒也）肝脈騖暴有所驚駭（騖謂馳騖言其迅急也陽氣內薄故發為驚也）脈不至若

瘖不治自已肝氣若厥厥則脈不通厥退則脈復通又其脈布脇肋循喉嚨之後故脈不至若瘖不治亦自已腎脈小急肝脈小急心脈小急不鼓皆為瘕小急為寒甚不鼓則血不流血不流而寒薄故血內凝而為瘕也腎肝并沉為石水肝脈入陰內貫少腹腎脈貫脊中絡膀胱兩藏并藏氣寒精血自腎下絡於胞氣寒不行化故堅而結然腎主水冬寒本水宗升膀胱象水而沉沒故并而沉名為石水○新校正云詳腎肝并沉至下并小弦欲驚全元起本在厥論中王氏移於此并浮為風水脈浮為風下焦主水風薄於下故名風水并虛為死腎為五藏之根肝為發生之主二者不足是生主俱微故死并小弦欲驚脈小弦為肝腎俱不足故令腎脈大急沉肝脈大急沉皆為疝疝皆寒氣結聚所為也[illegible]實脈急寒痛氣實填寒聚故為瘕痛為疝心脈搏滑急為心疝肺脈沉搏為肺疝皆寒薄於藏故也三陽急為瘕三陰急為疝太陽受寒血凝為瘕太陰受寒氣聚為疝二陰急為癇厥二陽急為驚二陰少陰也二陽陽明也○新校正云詳三陽急為瘕至此全元起本在厥論王氏移於此脾脈外鼓沉為腸澼久自

已外鼓謂鼓動於臂外也肝脈小緩為腸澼易治肝脈小緩為者乘邪故易治
腎脈小搏沉為腸澼下血小為陰氣不足搏為陽氣乘之熱在下焦故下血也
溫身熱者死血溫身熱是陰氣喪敗故死心肝澼亦下血肝藏血心養血故澼
皆下血也二藏同病者可治心火肝木木火相生故可治之其脈小沉澀為
腸澼心肝脈小而沉濇者澼也其身熱者死熱見七日死腸澼下血而身熱者
是火氣內絕去心而歸於外也故死火成數七故七日死胃脈沉鼓濇胃外鼓大心
脈小堅急皆鬲偏枯外鼓謂不當尺寸而鼓擊於臂外側也男子發左女
子發右陽主左陰主右故尒陰陽應象大論曰左右者陰陽之道路也其義也不瘖舌轉
可治三十日起偏枯之病瘖不能言腎與胞脈內絕也胞脈繫於腎腎之脈從腎上貫肝膈入
肺中循喉嚨俠舌本故氣內絕則瘖不能言也其從者瘖三歲起從謂男子發左女子發右
也病順左右而瘖不能言三歲治之乃能言年不滿二十者三歲死以其五藏始定
血氣方剛藏始定則易傷氣方剛則甚費易傷甚費故三歲死脈至而搏血衄身熱者

死血衄爲虛脈不應搏今反脈搏是氣極乃然故死脈來懸鉤浮爲常脈以其爲血衄者之常脈也脈至如喘名曰暴厥喘謂卒來盛急去而便衰如人之喘狀也暴厥者不知與人言所謂暴厥之候如此脈至如數使人暴驚數爲熱熱則內動肝心故驚三四日自已數爲心脈木被火干病非肝生不與神合故三日後四日自除所以爾者木生數三也脈至浮合如浮波之合後至者凌前速疾而動無常候也浮合如數一息十至以上是經氣予不足也微見九十日死脈至如火薪然是心精之予奪也草乾而死新然之火燄燄瞥不定其形而便絕也燄弋念反脈至如散葉是肝氣予虛也木葉落而死如散葉之隨風不常其狀○新校正云按甲乙經散葉作叢棘脈至如省客省客者脈塞而鼓是腎氣予不足也懸去棗華而死脈塞而鼓謂鼓不行旋復去也懸謂如懸物動而絕去也脈至如丸泥是胃精予不足也榆莢落而死如珠之轉是謂丸泥脈至如橫格是膽氣予不足也禾熟而

死脉長而堅如横之在皆下也脉至如弦縷是胞精予不足也病善
言下霜而死不言可治胞之脉繫於腎腎之脉俠舌本令氣不足者則瘖不能言今反
善言是真氣内絶去腎外繫於舌也故死脉至如交漆交漆者左右傍至也
微見三十日死左右傍至言如歷漆之交左右交○新校正云按甲乙經交漆作交棘脉
至如涌泉浮鼓肌中太陽氣予不足也少氣味韭英而
死如水泉之動但出而不入脉至如頹土之狀按之不得是肌氣予
不足也五色先見黑白壘發死頹土之狀謂浮之大而大按之則無○新
挍正云按甲乙經頹土作委土脉至如懸雍懸雍者浮揣切之益大是
十二俞之予不足也水凝而死如顏中之懸雍也○新挍正云按全元起本懸
雍作懸離元起注云懸離者言脉與肉不相得脉至如偃刀偃刀者浮之小
急按之堅大急五藏菀熟寒熱獨并於腎也如此其人
不得坐立春而死菀積也熟熱也脉至如丸滑不直手不直手

按之不可得也是大腸氣予不足也棗葉生而死脈
至如華者令人善恐不欲坐臥行立常聽是小腸氣予
不足也季秋而死脈至如華謂似華虛弱不可正取也小腸之脈上入耳中故常聽也
○脈解篇第四十九新校正云按全元起本在第九卷
太陽所謂腫腰脽痛者正月太陽寅寅太陽也脽謂臀肉也正月三陽生主建寅三陽謂之太陽故曰寅太陽也
正月陽氣出在上而陰氣盛
陽未得自次也正月雖三陽生而天氣尚寒以其尚寒故曰陰氣盛陽未得自次次謂立王之次也
故腫腰脽痛也以其脈抵腰中入貫臀過髀樞故爾病偏虛為跛者正
月陽氣凍解地氣而出也所謂偏虛者冬寒頗有不足
者故偏虛為跛也以其脈循股內後廉合膕中下循腨過外踝之後循京骨至小指外側故也○新校正詳王氏其脈循股內味非按甲乙經太陽流注不到股內股內乃髀外之誤當云髀外後廉所
謂強上引背者陽氣大上而爭故強上也強上謂頸項禁強也甚則

內經上　九

引背矣所以尒者以其脈從膂出別下項背故也所謂耳鳴者陽氣萬物盛上而躍故耳鳴也以其脈支別者從巔至耳上角故尒所謂甚則狂巔疾者陽盡在上而陰氣從下下虛上實故狂巔疾也以其脈上額交巔上入絡腦還出其支別者從巔至耳上角故狂巔疾也頂上曰巔所謂浮為聾者皆在氣也亦以其脈至耳故也所謂入中為瘖者陽盛已衰故為瘖也陽氣盛入中而薄於胞腎則胞絡腎絡氣不通故瘖也胞之脈繫於腎腎之脈俠舌本故瘖不能言內奪而厥則為瘖俳此腎虛也俳廢也腎之脈與衝脈並出於氣街循陰股內廉斜入膕中循府骨內廉及內踝之後入足下故腎氣內奪而不順則舌瘖足廢故云此腎虛也○新校正云詳王注云腎之脈與衝脈並出於甲乙經是腎之絡非腎之脈兒王注淒論并奇衞論大奇論注去青之絡則此脈字當為絡少陰不至者厥也少陰腎脈也若腎氣內脫則少陰脈不至也少陰之脈不至則太陰之氣逆上而行也少陽所謂心脇痛者言少陽盛也盛者心之所表也心氣逆則少陽盛心氣宜木外鑠肺金故盛者心之所表也九月陽氣盡而

陰氣盛故心脇痛也足少陽脈循脇裏出氣街心主脈循胸出脇故令火墓於戌故九月陽氣盡而陰氣盛也所謂不可反側者陰氣藏物也物藏則不動故不可反側也所謂甚則躍者躍謂跳躍也九月萬物盡衰草木畢落而墮則氣去陽而之陰氣盛而陽之下長故謂躍亦以其脈循髀陽出膝外廉下入外輔之前直下抵絕骨之端下出外踝之前循足跗故氣盛則令人跳躍也陽明所謂洒洒振寒者陽明者午也五月盛陽之陰也陽盛以明故云午也五月夏至一陰氣上陽氣降下故云盛陽之陰也陽盛而陰氣加之故洒洒振寒也陽氣下陰氣升故云陽盛而陰氣加之也所謂脛腫而股不收者是五月盛陽之陰也陽者衰於五月而一陰氣上與陽始爭故脛腫而股不收也以其脈下髀抵伏兔下入膝臏中下循脛外廉下足跗入中指內間又其支別者下膝三寸而別以下入中指外間故令所謂上喘而為水者陰氣下而復上上則邪客於藏府間故為水也

辟也新胃也足太陰脉從足走腹足陽明脉從頭走足今陰氣微下而太陰上行故云陰氣下而復上也復上則所下之邪氣下散客於脾胃之間化為水也所謂胸痛少氣者水氣在藏府也水者陰氣也陰氣在中故胸痛少氣也水停於下則氣鬱於上氣鬱於上則肺滿故胸痛少氣也所謂甚則厥惡人與火聞木音則惕然而驚者陽氣與陰氣相薄水火相惡故惕然而驚也所謂欲獨閉戶牖而處者陰陽相薄也陽盡而陰盛故欲獨閉戶牖而居辟宜按介所謂病至則欲乘高而歌棄衣而走者陰陽復爭而外并於陽故使之棄衣而走也新校正云詳所謂甚則厥至此與前陽明脉解論相類所謂客孫脉則頭痛鼻鼽腹腫者陽明并於上上者則其孫絡太陰也故頭痛鼻鼽腹腫也太陰所謂病脹者太陰子也十一月萬物氣皆藏於中故曰病脹陰氣太盛太陰始於子故云子也以其脉入腹屬脾絡胃故病脹也所

謂上走心為噫者，陰盛而上走於陽明，陽明絡屬心，故曰上走心為噫也。（按靈樞經說足陽明流注並無至心者，太陰脈說云其支別者復從胃別上鬲注心中，未憑以此絡為陽明絡也。○新校正云：詳王氏以足陽明流注並無至心者，按甲乙經陽明之正上通於心，循咽出於口，宜其經言陽明絡屬心為噫，王氏安得謂之無？）所謂食則嘔者，物盛滿而上溢，故嘔也。（以其脈屬脾絡胃，上鬲俠咽，故出。）所謂得後與氣則快然如衰者，十一月陰氣下衰，而陽氣且出，故曰得後與氣則快然如衰也。少陰所謂腰痛者，少陰者腎也，十月萬物陽氣皆傷，故腰痛也。（少陰者腎脈也，腰為腎府，故腰痛也。）所謂嘔欬上氣喘者，陰氣在下，陽氣在上，諸陽氣浮，無所依從，故嘔欬上氣喘也。（以其脈從腎上貫肝鬲，入肺中，故病如是。）所謂色色（新校正云：詳色色字疑誤。）不能久立久坐，起則目䀮䀮無所見者，萬物陰陽不定未有主也。秋氣始至，微霜始下，而方殺萬物，陰陽內奪故目䀮䀮無所見也所謂少氣善怒者陽氣不治陽氣不治則陽氣不得出肝氣當治而未得故善怒善怒者名曰煎厥所謂恐如人將捕之者秋氣萬物未有畢去陰氣少陽氣入陰陽相薄故恐也所謂惡聞食臭者胃無氣故惡聞食臭也所謂面黑如地色者秋氣內奪故變於色也所謂欬則有血者陽脈傷也陽氣未盛於上而脈滿滿則欬故血見於鼻也厥陰所謂癩疝婦人少腹腫者厥陰者辰也三月陽中之陰邪在中故曰癩疝少腹腫也以其脈循陰股入髦中環陰器抵少腹故尒所謂腰脊痛不可以俛仰者三月一振榮華萬物一俛而不仰也所謂癩癃疝膚脹者曰陰亦盛而脈脹不通故曰癩癃疝也所謂甚則嗌乾熱中者陰陽相薄而熱故嗌乾也

此一篇殊與前後經文不相連接，別釋經脉發病之源，與靈樞經流注略同，所指殊異。◎新校正云：詳此篇亦詳多甲乙經是動所生之病相要，少有異義，大槩則不殊矣。

◯刺要論篇第五十

新校正云：按全元起本在第六卷刺齊篇中。

黃帝問曰：願聞刺要。岐伯對曰：病有浮沉，刺有淺深，各至其理，無過其道。道，謂氣所行之道也。過之則內傷，不及則生外壅，壅則邪從之。過之內傷，以大深也；不及外壅，以妄益他分之氣也；氣益而外壅，故邪氣隨虛從之也。淺深不得，反為大賊，內動五藏，後生大病。賊謂私害，動謂動氣。然不及則外壅，過之則內傷，既且外壅內傷，是為大病之階漸介，故曰後生大病也。故曰：病有在毫毛腠理者，有在皮膚者，有在肌肉者，有在脉者，有在筋者，有在骨者，有在髓者。毛之長者曰毫，皮之文理曰腠理，然二者皆皮之可見者。是故刺毫毛腠理無傷皮，皮傷則內動肺，肺動則秋病溫瘧，泝泝然寒慄。鍼經曰：凡刺有五，以應五藏，一曰半刺，半刺者，淺內而疾發鍼，令鍼傷參如披髮狀以取皮氣此肺之應也然此其淺以應其肺腠理毫毛由應更淺當取髮根淺深之半亦肺之合也王於秋氣故肺動則秋病溫瘧泝泝然寒慄也泝音素

刺皮無傷肉，肉傷則內動脾，脾動則七十二日四季之月病腹脹煩不嗜食。脾之合肉寄王四季又其脈從股內前廉入腹屬脾絡胃上鬲俠咽連舌本散舌下其支別者復從胃別上鬲注心中故傷肉則痛脾脾動則四季之月病腹脹煩而不嗜食也七十二日四季之月者謂三月六月九月十二月各十二日後土寄王十八日也

刺肉無傷脈，脈傷則內動心，心動則夏病心痛。心之合脈王於夏氣真心少陰之脈起於心中出屬心系心包心主之脈起於胸中出屬心包平人氣象論曰藏真通於心故脈傷則動心心動則夏病心痛

刺脈無傷筋，筋傷則內動肝，肝動則春病熱而筋弛。肝之合筋王於春氣針經日熱則筋緩故筋傷則動肝肝動則春病熱而筋弛緩弛猶縱緩也弛施是反

刺筋無傷骨，骨傷則內動腎，腎動則冬病脹腰痛。腎之合骨王於冬氣要為腎府故骨傷則動腎腎動則冬病腰痛也腎之脈直行者從腎上貫肝鬲故脹也

刺骨無傷髓，髓傷則銷鑠胻酸體

解㑊然不去矣髓者骨之充針經曰髓海不足則腦轉耳鳴胻酸眩冒故髓傷則腦髓銷鑠胻酸髓解㑊寒不去也銷鑠謂髓腦銷鑠解㑊謂強不強弱不弱熱不熱寒不寒解解㑊㑊然不可名之也腦髓銷鑠骨空之所致也鑠詩若反胻音[illegible]

○刺齊論篇第五十一新校正云按全元起本在第六卷

黃帝問曰願聞刺淺深之分謂皮肉筋脉骨之分位也岐伯對曰刺骨者無傷筋刺筋者無傷肉刺肉者無傷脉刺脉者無傷皮刺皮者無傷肉刺肉者無傷筋刺筋者無傷骨帝曰余未知其所謂願聞其解岐伯曰刺骨無傷筋者鍼至筋而去不及骨也刺筋無傷肉者至肉而去不及筋也刺肉無傷脉者至脉而去不及肉也刺脉無傷皮者至皮而去不及脉也是皆謂遣邪也然筋有寒邪肉有風邪脉有熱邪皮有熱邪則如是遣之所謂邪者皆言其非順正氣而相干犯也○新校正云詳此謂刺淺不至所當刺之處也下文則誡其大

深也所謂刺皮無傷肉者病在皮中鍼入皮中無傷肉也刺肉無傷筋者過肉中筋也刺筋無傷骨者過筋中骨也此謂之反也此則鍼過分太深也○新校正云按全元起云刺如此者是謂傷此皆過也損其血氣是謂逆也邪必因而入也

○刺禁論篇第五十二新校正云按全元起本在第六卷

黃帝問曰願聞禁數岐伯對曰藏有要害不可不察肝生於左肝象木王於春春陽發生故生於左也肺藏於右肺象金王於秋秋陰收殺故藏於右也○新校正云按楊上善云肝為少陽陽長之始故曰生肺為少陰陰藏之初故曰藏心部於表陽氣主外心象火也腎治於裏陰氣主內腎象水也○新校正云按楊上善云心為五藏部主故得稱部腎間動氣內治五藏故曰治脾謂之使營動不已糟粕水穀故使者也胃為之市水穀所歸五味皆出如市雜故為市也鬲肓之上中有父母鬲肓之上氣海居中氣者生之原生者命之主故氣海為人之父母也○新校正云按楊上善云心下鬲上為肓心為陽父也肺為

母也肺主於氣心主於血共榮衛於身故為父母 七節之傍中有小心 小心謂眞心神靈之宮室〇新校正云按大素小心作志心揚上善云脊有三七一十一節腎在下七節之傍腎神曰志五藏之靈皆名為神神之所以任得名為志者心之神也 從之有福逆之有咎 從謂隨順也八者人之所以生形之所以成故順之則福延逆之則咎至 刺中心一日死其動為噫 心在氣為噫 刺中肝五日死其動為語 肝在氣為語〇新校正云按全元起本并甲乙經語作欠元起云腎傷則欠子母相感也王氏改欠作語 刺中腎六日死其動為嚏 腎在氣為嚏〇新校正云按全元起本及甲乙經六日作三日 刺中肺三日死其動為欬 肺在氣為欬 刺中脾十日死其動為吞 脾在氣為吞〇新校正云按全元起本乃甲乙經十日作十五日刺中五藏與診要經終論并四時刺逆從論相重此敘五藏相次之法以所生為次甲乙經以心肺肝脾腎為次是以剋為次全元起本舊文則錯亂無次矣 刺中膽一日半死其動為嘔 膽氣勇熱為逆〇新校正云按診要經終論刺中膽下又云刺中膽者為傷中其病雖愈不過一歲死 刺跗上中大脈血出不止死 跗為足跗大脈動而不止

者則胃之大經也胃為水穀之海然血出不止則胃氣將傾海竭氣亡故死刺面中溜脈不
幸為盲面中溜脈者手太陽任脈之交會手太陽脈自顴而斜行至目內眥任脈自鼻鼽兩傍上行至
瞳子下故刺面中溜脈不幸為盲刺頭中腦戶入腦立死腦戶穴名出在枕骨上通
於腦中然腦為髓之海真氣之所聚針入腦則真氣泄故立死刺舌下中脈太過血出
不止為瘖舌下脈脾之脈也脾脈者俠咽連舌本散舌下血出不止則脾氣不能營運於舌故瘖不
能言語刺足下布絡中脈血不出為腫布絡謂當內踝前足下空處布散之
絡正當然谷穴分也絡中脈則衝脈也衝脈者並少陰之經下入內踝之後入足下也然刺之而血不出則腎
脈與衝脈氣并歸於然谷之中故為腫刺郄中大脈令人仆脫色尋此經郄中主
名委中諸流注經委中穴正同應郄中者以經穴為名委中處所為名亦猶寸口脈口氣口皆同一處尒然郄
中大脈者足太陽經脈也足太陽之脈起於目內眥合手太陽手太陽脈自目內眥斜絡於顴足太陽脈上頭
下項又循於足故刺之過禁則令人仆倒而面色如脫去出刺氣街中脈血不出為
腫鼠僕氣街之中臍胃脈也臍之脈循腸裏出氣街胃之脈俠臍入氣街中其支別者起胃下口循腹

三氣街中而合令刺之而血不出則血脈氣并聚於中故內結為腫如伏鼠之形也氣街在腹下俠齊兩傍相去四寸鼠僕上一寸動脈應手也○新校正云按鼠僕一作鼷氣府論注氣街在齊下橫骨兩端鼠鼷上一寸也刺脊間中髓為傴傴謂傴僂身踡屈也脊間謂脊骨節間也刺中髓則骨精氣泄故傴僂也刺乳上中乳房為腫根蝕乳之上下皆足陽明之脈也乳房之中乳液滲泄胸中氣血皆外湊之然刺中乳房則氣血交湊故為天腫中有膿根內蝕肌膚化為膿水而久故不愈也刺缺盆中內陷氣泄令人喘欬逆五藏者肺為之蓋缺盆為之道肺藏氣而主息又在氣為欬刺缺盆中內陷則肺氣外泄故令人喘欬逆也刺手魚腹內陷為腫手魚腹內肺脈所流故刺之內陷則為腫也○新校正云按甲乙經肺脈手流當作留字無刺大醉令人氣亂脈數過度故因氣亂象也○新校正云按靈樞經氣亂當作脈亂無刺大怒令人氣逆怒者氣逆故刺之益甚無刺大勞人經氣越也無刺新飽人氣盛滿也無刺大饑人氣不足也無刺大渴人血脈乾也無刺大驚人神蕩越而氣不治也○新校正云詳無刺大醉至此七條與靈樞經相出入靈樞經云新內無刺已刺無內大

怒無刺已刺無怒大勞無刺已刺無勞大醉無刺已刺無醉大飽無刺已刺無飽大飢無刺已刺無飢大渴無刺已刺無渴大驚大恐必定其氣乃刺之也

刺陰股中大脈血出不止死 陰股之中脾之脈也脾者中央土孤藏以灌四傍今血出不止脾氣將竭故死○新校正云按刺陰股中大脈條皇甫士安移在前刺跗上中大脈下冊續自後至刺未隨條與前條相間也

刺客主人內陷中脈為內漏為聾 客主人穴名也今名上關在耳前上廉起骨開口有空手少陽足陽明脈交會於中陷脈言刺太深也刺太深則交脈破決故為耳內之漏脈內漏則氣不營故聾○新校正云詳客主人穴與氣穴論注同按甲乙經及氣府論注云手足少陽足陽明三脈之會疑此脫足少陽一脈也

刺膝髕出液為跛 膝為筋府筋會於中液出筋乾故跛【髕】音牝

刺臂太陰脈出血多立死 臂太陰者肺脈也肺者主行榮衛陰陽治節由之血出多則榮衛絕故立死

刺足少陰脈重虛出血為舌難以言 足少陰腎脈也足少陰脈貫腎絡肺繫舌本故重虛出血則舌難言也

刺膺中陷中肺為喘逆仰息 肺氣上泄逆所致也

刺肘中內陷氣歸之為不屈伸 肘中謂肘屈折之中尺澤穴中也刺過陷脈惡氣歸之氣固關

齊旁下匝下卯也刺陰股下三寸內陷令人遺溺股下三寸腎之絡也衝脈與少陰之絡皆起於腎下出於氣街并循於陰股其上行者出胞中故刺陷脈則令人遺溺也刺掖下脇間內陷令人欬掖下肺脈也肺之脈從肺系橫出掖下真心藏脈直行者從心系却上掖下刺陷脈則心肺俱動故欬也刺少腹中膀胱溺出令人少腹滿胞氣外泄穀氣歸之故少腹滿也少腹謂齊下也刺腨腸內陷為腫腨腸之中足太陽脈也太陽氣泄故為腫刺匡上陷骨中脈為漏為盲匡目匡也骨中謂目匡骨中也脈目之係肝之脈也刺內陷則眼係絕故為目漏目盲刺關節中液出不得屈伸諸筋者皆屬於節津液滲潤之液出則筋膜乾故不得屈伸也新校正云按全元起本在第六卷

○刺志論篇第五十三

黃帝問曰願聞虛實之要岐伯對曰氣實形實氣虛形虛此其常也反此者病陰陽應象大論曰形歸氣由是故虛實同焉反謂不相合應失常平之候也形氣相反故病生氣謂脉氣形謂身形也穀盛氣盛穀虛氣虛此其

常也反此者病靈樞經曰營氣之道內穀為實穀入於胃氣傳與肺精專者上行經隧由是故穀氣虛實占必同焉候不相應則為病也〇新校正云按甲乙經實作寶脈實血實脈虛血虛此其常也反此者病脈者血之府故虛實同焉反不相應則為病也帝曰如何而反岐伯曰氣虛身熱此謂反也氣虛為陽氣不足陽氣不足當身寒反身熱者脈氣當盛脈不盛而身熱證不相符故謂反也〇新校正云按甲乙經云氣盛身寒氣虛身熱此謂反也當補此四字穀入多而氣少此謂反也胃之所出者穀氣而布於經脈也穀入於胃脈道乃散今穀入多而氣少者是胃氣不散故謂反也穀不入而氣多此謂反也胃氣外散肺并之也脈盛血少此謂反也脈少血多此謂反也經脈行氣絡脈受血經氣入絡絡受經氣候不相合故皆反常也氣盛身寒得之傷寒氣虛身熱得之傷暑傷謂觸冒也寒傷形故氣盛身寒熱傷氣故氣虛身熱穀入多而氣少者得之有所脫血濕居下也脫血則血虛血虛則氣盛內鬱化成津液流入下焦故云濕居下也穀入少而氣多者邪在胃及與肺也

胃氣不足肺氣下流於胃中故邪在胃然肺氣入胃則肺氣不自守氣不自守則邪氣從之故云邪在胃與肺也脉小血多者飲中熱也飲謂留飲也飲留脾胃之中則脾氣溢脾氣溢則發熱中脉大血少者脉有風氣水漿不入此之謂也風氣盛滿則水漿不入於脉夫實者氣入也虛者氣出也入為陽出為陰陰生於內故出陽生於外故入氣實者熱也氣虛者寒也陽盛而陰內拒故熱陰盛而陽外微故寒入實者左手開鍼空也入虛者左手閉鍼空也言用鍼之補寫也右手持鍼左手捻穴故實者右手開鍼空以寫之虛者左手閉鍼空以補之也捻音涅

○鍼解篇第五十四

新校正云按全元起本在第六卷

黃帝問曰願聞九鍼之解虛實之道岐伯對曰刺虛則實之者鍼下熱也氣實乃熱也滿而泄之者鍼下寒也氣虛乃寒也菀陳則除之者出惡血也菀積也陳久也除去也言絡脉之中血積而久者針刺而除去之也邪盛則虛之者出鍼勿按邪者不正之目非本

經氣是則謂邪非言惡毒猶邪之所勝也出鍼勿按穴俞且閉故得經虛邪氣發泄也徐而疾則實者徐出鍼而疾按之疾而徐則虛者疾出鍼而徐按之徐出謂鍼經氣已久乃出之疾按謂鍼出穴已速按之則真氣不泄經脈氣全故徐而疾乃實也疾出鍼謂鍼入穴已至於經脈即疾出之徐按謂鍼出穴已徐緩按之則邪氣得泄精氣復閉故疾而徐乃虛也言實與虛者寒溫氣多少也寒溫謂經脈陰陽之氣也若無若有者疾不可知也言其實脉不可即而去正夫不可即知故若無慧然神悟故若有亡察後與先者知病先後也知病先後乃補寫之為虛與實者工勿失其法鍼經曰經氣已至慎守勿失此之謂也○新校上云按甲乙經云若有若亡為虛與實若得若失者離其法也妄為補寫離亂大經誤補實者轉令若得誤寫虛者轉令若失故曰若得若失也經曰無實實無虛虛此其謂也○新校正云詳此篇首至此與太素九鍼解篇經同而解異二經互相發明也虛實之要九鍼最妙者為其各有所宜也熱在頭身宜鑱鍼肉分氣滿宜員鍼脉虛少宜鍉鍼瀉熱出血發泄固病宜鋒鍼破癰腫出膿血宜鈹鍼調陰陽去暴痺宜員利鍼治

綜中痛痺宜當鍼痺深居骨解腰脊節腠之間皆二各鍼疏風舍於骨解皮膚之間宜大鍼此之謂格有子
宜古○新校正云按罚本鍼一作鍼音氏補寫之時者與氣開闔相合也
氣當時刻謂之開已過未至謂之闔時刻者然水下一刻人氣在太陽水下二刻人氣在少陽水下三刻人氣
在陽明水下四刻人氣在陰分水下不已氣行不已如是則當刻者謂之開過刻及未至者謂之闔也鍼經曰
謹候其氣之所在而刺之是謂逢時此所謂補寫之時也○新校正云詳自篇首至此文出靈樞經素問解之
互相發明也甲乙經補寫之時以鍼為之者此脫此四字九鍼之名各不同形者鍼
窮其所當補寫也各不同形謂長短鋒穎不等窮其補寫謂各隨其疾而用之也○新校正
云按九鍼之形今具甲乙經刺實須其虛者留鍼陰氣隆至乃去鍼
也刺虛須其實者陽氣隆至鍼下熱乃去鍼也言要以氣至而
有効也經氣已至慎守勿失者勿變更也變謂變易更謂改更皆變法也
言得氣至宜謹守無變其法反招損也淺深在志者知病之內外也志一為意
志意皆行鍼之用也近遠如一者深淺其候等也言氣聚近遠不同然其測候皆

以氣至而有效也如臨深淵者不敢墮也言候氣補寫如臨深淵不敢墮慢失補寫之法也手如握虎者欲其壯也壯謂持針堅定也針經曰持針之道堅者爲寶則其義也○新校正云按甲乙經寶字作實神無營於衆物者靜志觀病人無左右視也目絕妄視心專一務則用之必中無惑也○新校正詳從刺實須其虛至此文見寶命全形論此又爲之解亦互相發明也義無邪下者欲端以正也正指直刺針無左右必正其神者欲瞻病人目制其神令氣易行也檢彼精神令無散越則氣爲神使中外易調也所謂三里者下膝三寸也所謂跗之者舉膝分易見也新校正云按全元起本跗之作低胻太素作跗之按骨空論跗之疑作跗上三里穴名正在膝下三寸胻外兩筋肉分間極重按之則足跗上動脈止矣故曰舉膝分易見巨虛者蹻足胻獨陷者巨虛穴名也蹻謂舉也取巨虛下廉當舉足取之則胻外兩筋之間陷下也下廉者陷下者也欲知下廉穴者胻外兩筋之間獨陷下者則其處也帝曰余聞九鍼上應天地四時陰陽願聞其方令可傳於後世以

為常也岐伯曰夫一天二地三人四時五音六律七星八風九野身形亦應之鍼各有所宜故曰九鍼（新校正云詳此文與靈樞經相出入）人皮應天（覆蓋於物天之象也）人肉應地（柔厚安靜地之象也）人脉應人（盛衰變易人之象也）人筋應時（堅固貞定時之象也）人聲應音（備五音故）人陰陽合氣應律（交會氣通相生無替則律之象○新校正云按別本氣一作度）人齒面目應星（人面應七星者所謂面有七孔應之也○新校正云詳此注乃全元起之辭也）人出入氣應風（動出往來風之象也）人九竅三百六十五絡應野（身形之分野之象也）故一鍼皮二鍼肉三鍼脉四鍼筋五鍼骨六鍼調陰陽七鍼益精八鍼除風九鍼通九竅除三百六十五節氣此之謂各有所主也（一鑱鍼二員鍼三鍉鍼四鋒鍼五鈹鍼六員利鍼七毫鍼八長鍼九大鍼○新校正云按別本鍼一作鈹）人心意應八風（動靜不形風之象也）人氣應天（運行不息天之象也）人髮齒耳目五聲應五音六律（髮齒生長耳目

清通五聲應同故應王音及六律也人陰陽脉血氣應地人陰陽有交會生成脉血氣有虛盈盛衰故應地也人肝目應之九肝氣通目木生數三三而三之則應之九也九竅三百六十五新校正云按全元起本無此七字人一以觀動靜天二以候五色七星應之以候髮毋澤五音一以候宮商角徵羽六律有餘不足應之二地一以候高下有餘九野一節俞應之以候閉節三人變一分人候齒泄多血少十分角之變五分以候緩急六分不足三分寒關節第九分四時人寒溫燥濕四時一應之以候相反一四方各作解此一百二十四字蠹簡爛文義理殘缺莫可尋究而上古書故且載之以佇後之具本也○新校正云詳王氏云一百二十四字今有一百二十三字又亡一字

○長刺節論篇第五十五新校正云按全元起本在第三卷

刺家不診聽病者言在頭頭疾痛為藏鍼之藏猶深也言深刺之

說下文曰○新校正云按全元起本云為針之無藏字刺至骨病已上無傷骨肉及皮皮者道也皮者針之道故刺骨無傷骨肉及皮也陰刺入一傍四處治寒熱頭有寒熱則用陰刺法治之陰刺謂卒刺之如此數也○新校正云按別本卒刺一作平刺按甲乙經陽刺者正內一傍內四陰刺者左右卒刺之此陰刺疑是陽刺深專者刺大藏寒熱病氣深專攻中者當刺五藏以拒之迫藏刺背背俞也迫近也藏近於藏則刺背五藏之俞也刺之迫藏藏會言刺近於藏者何也以是藏氣之會發也腹中寒熱去而止言刺背俞者無問其數要以寒熱去乃止針與刺之要發鍼而淺出血若與諸俞刺之則如此治腐腫者刺腐上視癰小大深淺刺腐腫謂腫中肉腐敗為膿血者癰小者淺刺之癰大者深刺之○新校正云按全元起本及甲乙經腐作癰刺大者多血小者深之必端內鍼為故正癰之大者多出血癰之小者但直針之而已○新校正云按甲乙經云刺大者多而深之必端內針為故正也此文云小者深之疑此誤病在少腹有積刺皮骺以下至少腹而止刺俠脊兩傍四椎間

刺兩髂髎季脇肋間導腹中氣熱下已少腹積謂寒熱之氣結積也皮
骺謂齊下同身寸之五寸横約文審刺而勿過深之刺禁論曰刺少腹中膀胱溺出令人少腹滿由此故不可
深之矣俠脊四推之間據經無俞恐當云五推間五推之下兩傍正心之俞心應少腹故當言之間也髂謂腰
骨髎一為髁字形相近之誤也髁謂居髎腰側穴也季脇肋間當是刺季脇之間京門穴也○新校正云按釋
音皮髓作皮骺是骺誤作髓也及徧尋舊經中無骺字只有皮骺骨端也皮骺者盡謂齊下横骨之端也全元起
本作皮髓元起注云齊傍埵起也亦未為得骺口亞反[illegible]尤扶反病在少腹腹痛不得
大小便病名曰疝得之寒刺少腹兩股間刺腰髁骨間
刺而多之盡炅病已厥陰之脉環陰器抵少腹衝脉與少陰之絡皆起於腎下出於氣街
循陰股其後行者自少腹以下骨中央女子入繫廷孔其絡循陰器合篡間繞篡後別繞臀至少陰與巨陽中
絡者合少陰上股内後廉貫脊屬腎其男子循莖下至篡與女子等故刺少腹及兩股間又刺腰髁骨間也[illegible]
髁骨者腰房俠脊平立陷者中按之有骨處也疝為[illegible]生故多刺之少腹盡熱乃止針炅熱也○新校正云按[illegible]
別本篡一作纂又初患反病在筋筋攣節痛不可以行名曰筋痺

※2 ※1

筋上爲故刺分肉間不可中骨也分謂肉分間有筋維絡處也刺筋無傷骨故不可中骨也病起筋炅病已止筋寒痹生故得筋熱病已乃止病在肌膚肌膚盡痛名曰肌痹傷於寒濕刺大分小分多發鍼而深之以熱爲故大分謂大肉之分小分謂小肉之分無傷筋骨傷筋骨癰發若變針經曰病淺針深內傷良肉皮膚爲癰又曰針大深則邪氣反沉病益甚傷筋骨則針大深故癰發若變也諸分盡熱病已止熱可消寒故病已則止病在骨骨重不可舉骨髓酸痛寒氣至名曰骨痹深者刺無傷脈肉爲故其道大分小分骨熱病已止骨痹刺無傷脈肉者何自刺其氣通肉之大小分中也病在諸陽脈且寒且熱諸分且寒且熱名曰狂氣狂氣也刺之虛脈視分盡熱病已止病初發歲一發不治月一發不治月四五發名曰癲病刺諸分諸脈其無寒者以鍼調之病已止新校正云按甲乙經云刺諸分其脈尤寒以針補之病風且寒且熱

二十一

※1 故則

※2

※3

炅汗出一日數過先刺諸分理絡脉汗出且寒且熱三日一刺百日而已病大風骨節重鬚眉墮名曰大風刺肌肉爲故汗出百日泄衛氣之怫熱刺骨髓汗出百日泄榮氣之怫熱凡二百日鬚眉生而止鍼怫熱屏退陰氣内復故多汗出鬚眉生也

補註釋文黄帝内經素問卷之七

※3

補註釋文黃帝内經素問卷之八

○皮部論篇第五十六 新校正云按全元起本在第二卷

黃帝問曰余聞皮有分部脉有經紀筋有結絡骨有度量其所生病各異別其分部左右上下陰陽所在病之始終願聞其道岐伯對曰欲知皮部以經脉爲紀者諸經皆然 循經脉行止所主則皮部可知諸經謂十二經脉也十二經脉皆同 陽明之陽名曰害蜚 蜚生也害殺氣也殺氣行則生化弭故曰害蜚 蜚音扶沸反 上下同法視其部中有浮絡者皆陽明之絡也 上謂手陽明 謂足陽明也 下 其色多青則痛多黑則痺黃赤則熱多白則寒五色皆見則寒熱也絡盛則入客於經陽主外陰主内 陽謂陽絡陰謂陰絡此通言之凡手足身分所見經絡皆然 少陽之陽名曰樞持 樞謂樞要持謂執持 上下同法視其部中有浮絡者皆少陽之絡也絡盛則入客於

經故在陽者主内在陰者主出以滲於内諸經皆然太陽之陽名曰關樞關司外動以靜爲事樞之運則氣和平也上下同法視其部中有浮絡者皆太陽之絡也絡盛則入客於經少陰之陰名曰樞儒儒順也守要而順陰陽開闔之用○新校正云按甲乙經儒作檽上下同法視其部中有浮絡者皆少陰之絡也絡盛則入客於經其入經也從陽部注於經其出者從陰内注於骨心主之陰名曰害肩心主脉入腋下氣不和則妨害肩腋之動運上下同法視其部中有浮絡者皆心主之絡也絡盛則入客於經太陰之陰名曰關蟄關閉蟄類順行藏○新校正云按甲乙經蟄作執上下同法視其部中有浮絡者皆太陰之絡也絡盛則入客於經部皆謂本經絡之所部分浮謂浮見也凡十二經絡脉者皮之部也列陰陽位部主於皮故曰皮之部也是故百病之始生也必先於皮毛

中之則腠理開開則入客於絡脈留而不去傳入於經留而不去傳入於府廩於腸胃廩積也聚也邪之始入於皮也泝然起毫毛開腠理泝然恐懼也起謂毛起豎也腠理皆謂皮空及文理也其入於絡也則絡脈盛色變盛謂盛滿變謂易其常也其入客於經也則感虛乃陷下經虛邪入故曰感虛脈虛氣少故陷下也其留於筋骨之間寒多則筋攣骨痛熱多則筋弛骨消肉爍䐃破毛直而敗攣急也弛緩也消爍也針經曰寒則筋急熱則筋縱寒勝為痛熱勝為氣消䐃者肉之標故肉消則䐃破毛直而敗也音䐃殞反帝曰夫子言皮之十二部其生病皆何如歧伯曰皮者脈之部也脈氣流行各有陰陽氣隨經所過而部主之故云脈之部邪客於皮則腠理開開則邪入客於絡脈絡脈滿則注於經脈經脈滿則入舍於府藏也故皮者有分部不與而生大病也脈在皮中各有部分脈受邪氣隨則病生非由皮氣而能生也○新校正云按甲乙經不

與作不愈全元起本作不與元起云言不與經脈和調則邪傳於外雅流入於內必生大病也帝曰善

○經絡論篇第五十七新校正云按全元起本在皮部論末王氏分篇

黄帝問曰夫絡脉之見也其五色各異青黄赤白黑不同其故何也岐伯對曰經有常色而絡無常變也經行氣故色見常應於時絡主血故受邪則變而不一矣帝曰經之常色何如岐伯曰心赤肺白肝青脾黄腎黑皆亦應其經脉之色也帝曰絡之陰陽亦應其經乎岐伯曰陰絡之色應其經陽絡之色變無常隨四時而行也順四時氣化之行也寒多則凝泣凝泣則青黑熱多則淖澤淖澤則黄赤此皆常色謂之無病五色具見者謂之寒熱淖濕也澤潤液也謂微濕潤也帝曰善

○氣穴論篇第五十八新校正云按全元起本在第二卷

黄帝問曰余聞氣穴三百六十五以應一歲未知其所

※

※

願卒聞之。岐伯稽首再拜對曰：窘乎哉問也！其非聖帝，孰能窮其道焉！因請溢意，盡言其處。孰誰也帝捧手逡巡而卻曰：夫子之開余道也，目未見其處，耳未聞其數，而目以明，耳以聰矣。目以明耳以聰言心意通明迎如意也岐伯曰：此所謂聖人易語，良馬易御也。帝曰：余非聖人之易語也。世言真數開人意，今余所訪問者真數，發蒙解惑，未足以論也。問氣穴真數庶將解彼深脉之疑惑未足以論述深微之意也然余願聞夫子溢志盡言其處，令解其意，請藏之金匱，不敢復出。言其處謂穴俞處所岐伯再拜而起曰：臣請言之。背與心相控而痛，所治天突與十椎及上紀。天突在頸結喉下同身寸之四寸中央宛宛中陰維任脈之會低針取之刺曰入同身寸之一寸留七呼若灸者可灸三壯按今甲乙經經脈流注孔穴圖經當脊十椎下並無穴目恐是七椎也此則督脈氣所主之上紀之要穴勿下誤○新校正云按甲乙經云天突在結喉下五寸上紀者胃脘也謂中脘也脘者胃募也在上脘下同身寸之一寸居心蔽骨與臍之中手太陽少陽足陽明三脈所生任脈氣所發也刺可入同身寸之一寸二分若灸者可灸七壯〇新校正云按甲乙經云任脈之會也必察反下紀者關元也關元者小腸募也在臍下同身寸之三寸足三陰任脈之會刺可入同身寸之二寸留七呼若灸者可灸七壯背胸邪繫陰陽左右如此其病前後痛濇胸脇痛而不得息不得臥上氣短氣偏痛新校正云按別本偏一作滿脈滿起斜出尻脈絡胸脇支心貫鬲上肩加天突斜下肩交十椎下尋此支絡脈流注病形證悉是督脈支絡自尾骶出各上行斜絡脇支心貫鬲上加天突斜之肩而下交於十椎〇新校正云詳自背與心相控而痛至此疑是骨空論文簡脫誤於此藏俞五十穴藏謂五藏肝心脾肺腎非兼四形藏也俞謂井滎俞經合非背俞也然非滎俞經合者肝之井者大敦也滎行間也俞太衝也經中封也合曲泉也大敦在足大指端去爪甲角如韭葉及三毛之中足厥陰脈之所注也刺可入同身寸之三分留十呼若灸者可灸三壯行間在足大指之間脈動應手陷者中足厥陰之所流也〇新校正云按甲乙經[illegible]留作流[illegible]所流注作留〇刺可入同身寸之三分

留十呼若灸者可灸三壯大衝在足大指本節後同身寸之二寸陷者中○新校正云按刺腰痛注云本節後內陷同身寸之二寸陷者中動脈應手足厥陰脈之所注也刺可入同身寸之三分留十呼若灸者可灸三壯中封在足內踝前同身寸之一寸半○新校正云按甲乙經云一寸○陷者中仰足而取之伸足乃得之足厥陰脈之所行也刺可入同身寸之四分留七呼若灸者可灸三壯曲泉在膝內輔骨下大筋上小筋下陷者中屈膝而得之足厥陰脈之所入也刺可入同身寸之六分留十呼若灸者可灸三壯心包之經者中衝也滎勞宮也兪大陵也經間使也合曲澤也中衝在手中指之端去爪甲角如韭葉陷者中手心主脈之所出也刺可入同身寸之一分留三呼若灸者可灸一壯勞宮在掌中央動脈手心主脈之所流也刺可入同身寸之三分留六呼若灸者可灸三壯大陵在掌後骨兩筋間陷者中手心主脈之所注也刺可入同身寸之六分留七呼若灸者可灸三壯間使在掌後同身寸之三寸兩筋間陷者中手心主脈之所行也刺可入同身寸之六分留三呼若灸者可灸七壯○新校正云按甲乙經云灸三壯○曲澤在肘內廉下陷者中屈肘而得之手心主脈之所入也刺可入同身寸之三分留七呼若灸者可灸三壯脾之井者隱白也滎大都也兪太白也經商丘也合陰陵泉也隱白在足大指之端內側去爪甲角如韭葉足太陰脈之所出也刺可入同身寸之一分留三呼

岀灸者可灸三壯大都在足大指本節後陷者中足太
陰脉之所流也刺可入同身寸之三分留七呼若灸者
可灸三壯太白在足內側核骨下陷者中足太陰脉之
所注也刺可入同身寸之三分留七呼若灸者可灸三
壯商丘在足內踝下微前陷者中足太陰脉之所行也
刺可入同身寸之四分留七呼若灸者可灸三壯陰陵
泉在膝下內側輔骨下陷者中伸足乃得之足太陰脉
之所入也刺可入同身寸之五分留七呼若灸者可灸
三壯肺之井者少商也滎魚際也俞大淵也經經渠也
合尺澤也少商在手大指之端內側去爪甲角如韭葉
手太陰脉之所出也刺可入同身寸之一分留一呼若
灸者可灸三壯○新校正云按甲乙經作三壯○魚際
在手大指本節後內側散脉手太陰脉之所流也刺可
入同身寸之二分留三呼若灸者可灸三壯大淵在掌
後陷者中手太陰脉之所注也刺可入同身寸之二分
留二呼若灸者可灸三壯經渠在寸口陷者中手太陰
脉之所行也刺可入同身寸之三分留三呼不可灸〻傷
人神明尺澤在肘中約上動脉手太陰脉之所入也刺
可入同身寸之三分留三呼若灸者可灸三壯腎之井
者湧泉也滎然谷也俞大谿也經復溜也○新校正云
按甲乙經溜作留餘溜字並同○合陰谷也涌泉在足
心陷者中屈足捲指宛宛中足少陰脉之所出也刺可
入同身寸之三分留二呼若灸者可灸三壯然谷在足
內踝前起大骨下陷者中足少陰脉之所流也刺可入

同身寸之三分，留三呼，若灸者可灸三壯。刺此多見血令人立飢欲食。太谿在足内踝後跟骨上動脈陷者中，足少陰脈之所注也，刺可入同身寸之三分，留七呼，若灸者可灸三壯。復溜在足内踝上同身寸之二寸陷者中○新校正云按刺腰痛篇注云在内踝後上二寸動脈○足少陰脈之所行也，刺可入同身寸之三分，留三呼，若灸者可灸五壯。陰谷在膝下内輔骨之後大筋之下小筋之上，按之應手，屈膝而得之，足少陰脈之所入也，刺可入同身寸之四分，若灸者可灸三壯。凡是五藏之俞，藏各五穴，則二十五俞，以左右脈具而言之，則五十穴。

府俞七十二穴

府謂六府，非兼九形府也。俞亦謂井滎俞原經合，非背俞也。肝之府膽，膽之井者竅陰也，滎俠谿也，俞臨泣也，原丘墟也，經陽輔也，合陽陵泉也。竅陰在足小指次指之端，去爪甲角如韭葉，足少陽脈之所出也，刺可入同身寸之一分，留一呼○新校正云按甲乙經作三呼○若灸者可灸三壯。俠谿在足小指次指岐骨間本節前陷者中，足少陽脈之所流也，刺可入同身寸之三分，留三呼，若灸者可灸三壯。臨泣在足小指次指本節後間陷者中，去俠谿同身寸之一寸半，足少陽脈之所注也，刺可入同身寸之三分○新校正云按甲乙經作二分○留五呼，若灸者可灸三壯。丘墟在足外踝下如前陷者中，去臨泣同身寸之三寸，足少陽脈之所過也，刺可入同身寸之五分，留七呼，若灸者可灸三壯。陽輔在足外踝上○新校正云發甲乙經云外踝上四寸輔骨前絕骨之端如前同身寸之三分所去丘虛同身寸之七寸足少陽脉之所行也刺可入同身寸之五分留七呼若灸者可灸三壯陽陵泉在膝下同身寸之一寸胕外廉陷者中足少陽脉之所入也刺可入同身寸之六分留十呼若灸者可灸三壯脾之府胃胃之非者厲兑也滎內庭也俞陷谷也原衝陽也經解谿也合三里也厲兑在足大指次指之端去爪甲角如韭葉足陽明脉之所出也刺可入同身寸之一分留一呼若灸者可灸一壯內庭在足大指次指外間陷者中足陽明脉之所溜也刺可入同身寸之三分留十呼○新校正云按甲乙經云作二十呼○若灸者可灸三壯陷谷在足大指次指外間本節後陷者中去內庭同身寸之二寸足陽明脉之所注也刺可入同身寸之五分留七呼若灸者可灸三壯衝陽在足胕上同身寸之五寸骨間動脉上去陷谷同身寸之三寸足陽明脉之所過也刺可入同身寸之三分留十呼若灸者可灸三壯解谿在衝陽後同身寸之二寸半○新校正云按甲乙經作一寸半刺瘧注作三寸半素問二注不同當從甲乙經之說○腕上陷者中足陽明脉之所行也刺可入同身寸之五分留五呼若灸者可灸三壯三里在膝下同身寸之三寸胻骨外廉兩筋肉分間足陽明脉之所入也刺可入同身寸之一寸留七呼若灸者可灸三壯肺之府大腸大腸之非者商陽也滎二間也俞三間也原合谷也經陽谿也合曲池也商陽

在手大指次指內側去爪甲角如韭葉手陽明脈之所出也刺可入同身寸之一分留一呼若灸者可灸三壯二間在手大指次指本節前內側陷者中手陽明脈之所流也刺可入同身寸之三分留六呼若灸者可灸三壯三間在手大指次指本節內側陷者中手陽明脈之所注也刺可入同身寸之三分留三呼若灸者可灸三壯合谷在手大指次指岐骨之間手陽明脈之所過也刺可入同身寸之三分留六呼若灸者可灸三壯陽谿在腕中上側兩筋間陷者中手陽明脈之所行也刺可入同身寸之三分留七呼若灸者可灸三壯曲池在肘外輔屈肘兩骨之中手陽明脈之所入也以手拱胸取之刺可入同身寸之五分留七呼若灸者可灸三壯心之府小腸小腸之井者少澤也滎前谷也俞後谿也原腕骨也經陽谷也合少海也少澤在手小指之端云爪甲下同身寸之一分陷者中手大陽脈之所出也刺可入同身寸之一分留二呼若灸者可灸一壯前谷在手小指外側本節前陷者中手大陽脈之所流也刺可入同身寸之一分留三呼若灸者可灸三壯後谿在手小指外側本節後陷者中手大陽脈之所注也刺可入同身寸之一分留二呼若灸者可灸一壯腕骨在手外側腕前起骨下陷者中手大陽脈之所過也刺可入同身寸之二分留三呼若灸者可灸三壯陽谷在手外側腕中號骨之下陷者中手太陽脈之所行也刺可入同身寸之二分留三呼○新校正云按甲乙經作二呼○若

灸者可灸三壯少海在肘內大骨外去肘端同身寸之
五分陷者中屈肘乃得之手大陽脈之所入也刺可入
同身寸之二分留七呼若灸者可灸王壯心包之齊三焦
三焦之井者闕衝也榮液門也俞中渚也原陽池也經
支溝也合天井也闕衝在手小指次指之端去爪甲角
如韭葉手少陽脈之所出也刺可入同身寸之一分留
三呼若灸者可灸三壯液門在手小指次指間陷者中
手少陽脈之所流也刺可入同身寸之二分留二呼若
灸者可灸三壯中渚在手小指次指本節後間陷者中
手少陽脈之所注也刺可入同身寸之二分留三呼若
灸者可灸三壯陽池在手表腕上陷者中手少陽脈之
所過也刺可入同身寸之二分留六呼若灸者可灸三
壯支溝在腕後同身寸之三寸兩骨之間陷者中手少
陽脈之所行也刺可入同身寸之二分留七呼若灸者
可灸三壯天井在肘外六骨之後同身寸之一寸兩筋
間陷者中屈肘得之手少陽脈之所入也刺可入同身
寸之一寸留七呼若灸者可灸三壯腎之府膀胱膀胱
之井者至陰也榮通谷也俞束骨也原京骨也經崑崙
也合委中也至陰在足小指外側去爪甲角如韭葉足
大陽脈之所出也刺可入同身寸之一分留五呼若灸
者可灸三壯通谷在小指外側本節前陷者中大陽脈
之所流也刺可入同身寸之二分留五呼若灸者可灸
三壯束骨在足小指外側本節後赤白肉際陷者中足
六陽脈之所注也刺可入同身寸之三分留三呼若灸

刺可灸三壯京骨在足外側大骨下赤白肉際陷者中按而得之足太陽脈之所過也刺可入同身寸之三分留七呼若灸者可灸三壯崑崙在足外踝後跟骨上陷者中細脈動應手足太陽脈之所行也刺可入同身寸之五分留十呼若灸者可灸三壯委中在膕中央約文中動脈○新校正云詳委中穴與甲乙經及刺瘧篇注痺論注同又骨空論云在膝解之後曲腳之中背面取之又熱穴論注刺熱篇注云在足膝後屈處○足太陽脈之所入也刺可入同身寸之五分留七呼若灸者可灸三壯此是六府之俞府各六穴則云十六俞以左右麻俱而言之則七十二穴

熱俞五十九穴，水俞五十七穴，並具水熱論中○新校正云按熱俞又見刺熱篇注

頭上五行行五，五五二十五穴，此亦熱俞之五十九穴也

中脂兩傍各五，凡十穴，謂五藏之背俞也肺俞在第三椎下兩傍心俞在第五椎下兩傍肝俞在第九椎下兩傍脾俞在第十一椎下兩傍腎俞在第十四椎下兩傍此五藏俞者各俠脊相去同身寸之一寸半並足太陽脈之會刺可入同身寸之三分肝俞留六呼餘並留七呼若灸者可灸三壯俠脊數之則下穴也

大椎上兩傍各一，凡二穴，今甲乙經經脈流注孔穴圖經所不載未詳何穴也○新校正云按大杼上傍無穴大杼下傍穴名大杼疑有誤王氏云未詳

目瞳子

※

浮白二穴瞳子髎在目外去眥同身寸之五分手大陽手足少陽三脈之會刺可入同身寸之三分
若灸者可灸三壯浮白在耳後入髮際同身寸之一寸足大陽少陽二脈之會刺可入同身寸之三分若灸者
可灸三壯左右言之各二為四也兩髀厭分中二穴謂環跳穴也在髀樞後足少陽大陽
二脈之會刺可入同身寸之一寸留二呼若灸者可灸三壯○新校正云按王氏云在髀樞後按甲乙經云在
髀樞中後當作中灸三壯甲乙經作五壯犢鼻二穴在膝臏下胻上俠解大筋中足陽明脈氣所發
刺可入同身寸之六分若灸者可灸三壯耳中多所聞二穴聽宮穴也在耳中珠子大如赤
小豆手足少陽手大陽三脈之會刺可入同身寸之一分若灸者可灸三壯○新校正云按甲乙經云刺可入
三分眉本二穴攢竹穴也在眉頭陷者中足大陽脈氣所發刺可入同身寸之三分留六呼若灸者
可灸三壯完骨二穴在耳後入髮際同身寸之四分足大陽少陽之會刺可入同身寸之三分留七
呼若灸者可灸三壯○新校正云刺可入三分灸七壯項中央一穴風府穴也在項上入髮際
同身寸之一寸大筋內宛宛中督脈陽維二經之會疾言其肉立起言休其肉立下刺可入同身寸之四分留
三呼灸之不幸使人瘖枕骨二穴竅陰穴也在完骨上枕骨下搖動應手足大陽少陽之會刺可

※

入同身寸之三分若灸者可灸三壯○新校正云按甲乙經云刺可入四分灸可五壯

上關二穴鍼經所謂刺之則呿不能欠者也在耳前上廉起骨開口有空手少陽足陽明之會刺可入同身寸之三分留七呼若灸者可灸三壯刺深令人耳無所聞

大迎二穴在曲頷前同身寸之一寸三分骨陷中動脈足陽明脈氣所發刺可入同身寸之三分留七呼若灸者可灸三壯

下關二穴鍼經所謂刺之則欠不能呿者也在上關下耳前動脈下廉合口有空張口而閉足陽明少陽二脈之會刺可入同身寸之三分留七呼若灸者可灸三壯耳中有乾擿之不得灸也○新校正云按甲乙經擿之作擿抵[illegible]擿擿[illegible]丘[illegible]反

天柱二穴在挾項後髮際大筋外廉陷者中足太陽脈氣所發刺可入同身寸之二分留六呼若灸者可灸三壯

巨虛上下廉四穴上廉足陽明與大腸合也在膝犢鼻下骭外廉同身寸之六寸足陽明脈氣所發刺可入同身寸之八分若灸者可灸三壯下廉足陽明與小腸合也在上廉下同身寸之三寸足陽明脈氣所發刺可入同身寸之三分若灸者可灸三壯○新校正云按甲乙經并刺[illegible][illegible][illegible][illegible][illegible]穴在上廉在三里下三寸此云犢鼻下六寸者並三里在犢鼻下三寸上廉又在三里下三寸故云六寸也

曲牙二穴頰車穴也在耳下曲頰端陷者中開口有空足陽明脈氣所發刺可入同身寸之三分若

灸者可灸三壯天突一穴已前擇也天府二穴在腋下同身寸之三寸臂臑內廉動脈手太陰脈氣所發禁不可灸刺可入同身寸之四分留三呼如到反天牖二穴在頸筋間缺盆上天容後天柱前完骨下髮際上手少陽脈氣所發刺可入同身寸之一寸留七呼灸者可灸三壯扶突二穴在頸當曲頰下同身寸之一寸人迎後手陽明脈氣所發仰而取之刺可入同身寸之四分若灸者可灸三壯天窗二穴在曲頰下扶突後動脈應手陷者中手太陽脈氣所發刺可入同身寸之六分若灸者可灸三壯肩解二穴謂肩井也在肩上陷解中缺盆上大骨前手足少陽陽維之會刺可入同身寸之五分若灸者可灸三壯〇新校正云按甲乙經灸五壯關元一穴新校正云詳此已前釋舊當篇重註今去之委陽二穴三焦下輔俞也在膕中外廉兩筋間此足太陽之別絡刺可入同身寸之七分留五呼若灸者可灸三壯屈伸而取之肩貞二穴在肩曲胛下兩骨解間肩髃後陷者中手太陽脈氣所發刺可入同身寸之八分若灸者可灸三壯瘖門一穴在項髮際宛宛中入係舌本督脈陽維二經之會仰頭取之刺可入同身寸之四分不可灸灸之令人瘖〇新校正云按氣府注云去風府一寸齊一穴齊中也禁不可刺刺之使人齊中惡瘍潰矢出者死不可治若灸者可灸三壯胸俞

十二穴謂俞府彧中神藏靈墟神封步廊左右則十二穴也俞府在巨骨下俠任脈兩傍橫去任脈各同身寸之二寸陷者中下五穴遞相去同身寸之一寸六分陷者中並足少陰脈氣所發仰而取之刺可入同身寸之四分若灸者可灸五壯

背俞二穴大杼穴也在脊第一椎下兩傍相去各同身寸之一寸半陷者中督脈別絡手足太陽三脈氣之會刺可入同身寸之三分留七呼若灸者可灸七壯

膺俞十二穴謂雲門中府周榮胸鄉天谿食竇左右則十二穴也○新校正云按甲乙經作周榮胸鄉○雲門在巨骨下挾任脈傍橫去任脈各同身寸之六寸○新校正云按水熱穴注作陷中俠兩傍與此文雖異處所無別陷者中動脈應手雲門中府相去同身寸之一寸餘五穴遞相去同身寸之一寸六分陷者中並手太陰脈氣所發雲門食竇舉臂取之餘並仰而取之雲門刺可入同身寸之七分大深令人逆息中府刺可入同身寸之三分留五呼餘刺可入同身寸之四分若灸者可灸五壯○新校正云詳王氏以此十二穴并手太陰按甲乙經雲門乃手太陰中府乃手足太陰之會周榮已下乃足太陰非十二穴並手太陰也

分肉二穴在足外踝上絕骨之端同身寸之三分筋肉分間陽維脈氣所發刺可入同身寸之三分留七呼若灸者可灸三壯○新校正云按甲乙經無分肉穴詳處所疑是陽輔在足外踝上輔骨前絕骨端如前三分所又校刺腰

本注作掾骨之端如後三分刺入五分留十呼與此注小異

踝上橫二穴內踝上者交信穴也交信去內踝上同身寸之二寸少陰前大陰後筋骨間是陰蹻之郄刺可入同身寸之四分留五呼若灸者可灸三壯外踝上附陽穴也附陽去外踝上同身寸之三寸大陽前少陽後筋骨間陽蹻之郄刺可入同身寸之六分留七呼若灸者可灸三壯○新校正云按甲乙經附陽作付陽

陰陽蹻四穴陰蹻穴在足內踝下是謂照海陰蹻所生刺可入同身寸之四分留六呼若灸者可灸三壯陽蹻穴是謂申脉陽蹻所生在外踝下陷者中○新校正云按刺腰痛篇注作在外踝下五分繆刺論注云外踝下半寸○容爪甲刺可入同身寸之三分留七呼若灸者可灸三壯○新校正云按甲乙經留七呼作六呼刺腰痛篇注作十半

水俞在諸分分謂肉之分理間治水取之

熱俞在氣穴寫熱則取之

寒熱俞在兩骸厭中二穴骸厭謂膝外俠膝之骨厭中也

大禁二十五在天府下五寸謂五里穴也亦以謂之大禁者謂其禁不可刺也鍼經曰迎之五里中道而止五至而已五往而藏之氣盡矣故五五二十五而竭其俞矣盡謂此也又曰五里者尺澤之後五里與此文同

凡三百六十五穴鍼之所由行也新校正云詳自藏俞五十至此并重複共得三百六十穴通

大奕十椎上紀下紀共三百六十三穴除重複實有三百一十三穴帝曰余已知氣穴之
處遊針之居願聞孫絡谿谷亦有所應乎孫絡小絡也謂絡之支別
者岐伯曰孫絡三百六十五穴會亦以應一歲以溢奇
邪以通榮衛榮衛稽留衛散榮溢氣竭血著外為發熱
內為少氣疾寫無怠以通榮衛見而寫之無問所會榮積
衛留內外相薄者見其血絡當即寫之亦無問其脈之俞會帝曰願聞谿谷之會也
岐伯曰肉之大會為谷肉之小會為谿肉分之間谿谷
之會以行榮衛以會大氣新校正云按甲乙經作以舍大氣邪溢氣壅
脈熱肉敗榮衛不行必將為膿內銷骨髓外破大膕熱過
故致是留於節湊必將為敗若留於骨節之間津液所湊之處則骨節之間髓液皆潰
為膿故必致爛筋骨而不得屈伸矣積寒留舍榮衛不居卷肉縮筋新校正云
按全元起本作寒肉縮筋肋肘不得神內為骨痺外為不仁命曰不

是大寒留於谿谷也邪氣盛甚眞氣不榮髓溢内消故為是也不足謂陽氣不足也寒邪外薄久積淹留陽不外勝内消筋髓故曰不足大寒留於谿谷之中也谿谷三百六十五穴會亦應一歲其小痺淫溢循脉往來微鍼所及與法相同若小寒之氣流行淹留隨脉往來者痺痛用針調者與常法相同令帝乃辟左右而起再拜曰今日發蒙解惑藏之金匱不敢復出乃藏之金蘭之室署曰氣穴所在岐伯曰孫絡之脉别經者其血盛而當寫者亦三百六十五脉並注於絡傳注十二絡脉非獨十四絡脉也十四絡者謂十二經絡兼任脉督脉之絡也脾之大絡起自於脾故不并言之也内解寫於中者十脉解謂骨解之中經絡也雖則别行然所受邪亦還注寫於五藏之脉左右各五故十脉也

○氣府論篇第五十九新校正云按全元起本在第二卷

足太陽脉氣所發者七十八穴兼氣浮薄相通者言之昔言九十三穴非七十

八穴也正經脈會發者七十八穴浮薄相通者一十五穴則其數也兩眉頭各一謂攢竹穴也所
在刺灸分壯與氣穴同穴入髮至項三寸半傍五相去三寸謂大杼風門各
二穴也所在刺灸分壯與氣穴同法○新校正云按別亦云入髮至項三寸又注云寸同身寸也諸寸同法與
此注全別此注謂大杼風門各二穴所在灸刺分壯與此氣穴同法今氣穴篇中無風門穴而注言與注同法
此注之非可見此非王氏之誤誤在發入辭此八髮至項三寸半傍五相去三寸蓋是誤下文浮氣之在皮中
三行行五之穴故王郭不解擅直云寸爲同身寸也但少項設作項刺半字耳所以言入髮至頂皆自入髮頂
會穴至頂百會凡三寸自百會後至頂大三等數云八髮至頂三寸傍五者爲兼中行傍兼有五行也相去
三寸者盡謂自百會頂中數左右前後各三寸有五行行五共二十五穴也後人誤將傍爲項或爲穴叅風門
此甚誤也況大杼在第一推下兩傍風門穴在第三推下上云髮際非上三寸半也其誤甚明醫書端其
浮氣在皮中者凡五行行五、五五二十五浮氣謂氣浮行通之可以
去熱者也三行謂頭上自髮際中同身寸之二寸後至頂之後者也二十五者其中行則顖會前頂百會後頂
吞間五際熱氣也次夾傍兩行則五處承光通天絡却玉枕各五穴經氣也入次傍兩行則臨泣目窗正營承

靈樞空谷五足少陽氣也兩傍開行各五則二十□項中行五則二十五也其次兩分并與承熱穴同法

中大筋兩傍各一謂天柱二穴也在項刺灸分壯與氣穴同法風府兩傍各

一謂風池二穴也刺灸分壯與氣穴同法○新校正云按甲乙經風池足少陽陽維之會非太陽之所發也

言風府兩傍乃天柱穴之分位此亦□□中太經而兩傍穴也此注刺出風池之二穴於九十三難未見

前天府風門乃此風池六穴也俠背以下至尻尾二十一節十五間各

一十五間各一者今中誥孔穴圖經所存者十三穴左右共二十六謂附分魄戶神堂譩譆膈關魂門陽綱

意舍胃倉肓門志室胞肓秩邊十三也附分在第二椎下附項內廉兩傍各相去俠脊同身寸之三寸足太陽

之會刺可入同身寸之八分若灸者可灸五壯魄戶在第三椎下兩傍上直附分足太陽脈氣所發下十二穴

並同正坐取之刺可入同身寸之五分若灸者如附分法神堂在第五椎下兩傍上直魄戶刺可入同身寸之

三分灸同附分法譩譆在第六椎下兩傍上直神堂○新校正云按骨空論注云以手厭之令病人呼譩譆之

聲則指下動矣○刺可入同身之六分留七呼灸如附分法膈關在第七椎下兩傍上直譩譆正坐開肩取之

刺可入同身寸之五分若灸者可灸三壯○新校正云按甲乙經□□□五壯○魂門在第九椎下兩傍上直

鬲關正坐取之刺灸分壯如鬲關陽綱在第十椎下兩傍上直魂門正坐取之刺灸分壯如魂門意舍在
第十一椎下兩傍上直陽綱正坐取之刺灸分壯如陽綱法胃倉在第十二椎下兩傍上直意舍刺灸分壯如
意舍法肓門在第十三椎下兩傍上直胃倉刺同胃倉可灸三十壯○新校正云按肓門與三十椎與甲乙經
同身寸法作灸三壯○志室在第十四椎下兩傍上直肓門正坐取之刺灸分壯如胃倉法胞肓在第十九椎
下兩傍上直志室伏而取之刺灸分壯如志室法○新校正云按骨空胞肓灸[illegible]戶五壯甲乙經作三壯水
穴注[illegible][illegible]三壯無穴注志室亦作三壯秩邊在第二十一椎下兩傍上直胞肓伏而取之刺灸分壯如胞肓法
[illegible][illegible]上本下喜 **五藏之俞各五六府之俞各六** 肺俞在第三椎下兩傍俠脊相
去各同身寸之一寸半刺可入同身寸之三分留七呼若灸者可灸三壯心俞在第五椎下兩傍相去及刺如
肺俞法留七呼肝俞在第九椎下兩傍相去及刺如心俞法留六呼脾俞在第十一椎下兩傍相去及刺如肝
俞法留七呼腎俞在第十四椎下兩傍相去及刺如脾俞法留七呼膽俞在第十椎下兩傍相去及刺如肺俞
法正坐取之刺可入同身寸之五分留七呼胃俞在第十二椎下兩傍相去及刺如脾俞法留七呼三焦俞在
第十三椎下兩傍相去及刺如胃俞法大腸俞在第十六椎下兩傍相去及刺如胃俞法留六呼小腸俞在第

※

※

十八椎下兩傍相去及刺如心俞法留六呼膀胱俞在第十九椎下兩傍相去及刺如腎俞法留六呼五藏六
府之俞若灸者並可灸三壯〇新校正云詳或者疑經中各五各六以各字為誤者非也所以言各者謂左右
各五各六非謂五藏府各五各六也委中以下至足小指傍各六俞謂委
中崑崙京骨束骨通谷至陰六穴也左右言之則十二俞也其所在刺灸如氣穴法經言脈氣所發者七十八
穴今此所有脫亡者九十三穴由此則大數差謬傳寫有誤也〇新校正云詳王氏云兼七者九十三穴今兼
大杼風門風池為九十九穴以此王氏氣府考之則知此三穴發之安背也足少陽脈氣所
發者六十二穴兩角上各二謂天衝曲鬢左右各二也天衝在耳上如前同身寸
之三分足太陽少陽二脈之會刺可入同身寸之三分若灸者可灸三壯曲鬢在耳上入髮際曲隅陷者中鼓
頷有空足太陽少陽二脈之會刺灸分壯如天衝法直目上髮際內各五謂臨泣目窗正
營承靈腦空左右是也臨泣在直目上入髮際同身寸之五分足太陽少陽陽維三脈之會留七呼目窗在臨
泣後同身寸之一寸正營在目窗後同身寸之一寸承靈在正營後同身寸之一寸半腦空在承靈後同身寸
之一寸半挾枕骨後枕骨上並足少陽陽維二脈之會刺可入同身寸之四分餘並刺可入同身寸之三分留

灸者並可灸五壯○新校正云按腦空在枕骨上枕骨上甲乙經作王枕骨下耳前角上各一
謂頷厭二穴也在曲角下顳顬之上上廉手足少陽足陽明三脈之會刺可入同身寸之七分留七呼若灸者
可灸三壯刺深令人耳無所聞顳仁涉反顬汝車反耳前角下各一謂懸釐二穴也在曲角上
顳顬之下廉手足少陽陽明四脈之交會刺可入同身寸之三分留七呼若灸者可灸三壯○新校正云按後
手少陽中云用上此云角下必有一誤銳髮下各一謂和髎二穴也在耳前銳髮下橫動脈手
足少陽二脈之會刺可入同身寸之三分若灸者可灸二壯○新校正云按甲乙經云手足少陽手太陽之會
客主人各一客主人穴名也在耳前上廉起骨開口有空手足少陽足陽明三脈之會刺可入同
身寸之三分留七呼若灸者可灸三壯○新校正云按甲乙經及氣穴注刺禁注並云手少陽足陽明之會與
此异耳後陷中各一謂翳風二穴也在耳後陷者中按之引耳中手足少陽二脈之會刺可入
同身寸之三分若灸者可灸三壯下關各下下關穴名也所在剌灸氣穴同法耳下牙
車之後各一謂頰車二穴也刺灸分壯氣穴同法缺盆各一缺盆穴名也在肩上橫骨
陷者中足陽明脈氣所發刺可入同身寸之二分留七呼若灸者可灸三壯大深令人逆息○新校正云按骨

空注作手陽明

掖下。三寸腋下至胠八間各一

掖下三寸同身寸也掖下謂淵掖輒筋天池腋下至胠則日月章門帶脉五樞維道居髎元穴也左右共十八穴也淵掖在掖下同身寸之三寸足少陽脉氣所發舉臂得之刺可入同身寸之三分禁不可灸輒筋在掖下同身寸之三寸復前行同身寸之一寸搓脇○新校正云按甲乙經搓作著下同足少陽脉氣所發刺可入同身寸之六分若灸者可灸三壯天池在乳後同身寸之二寸○新校正云按甲乙經作一寸掖下三寸搓脇直掖撅肋間手心主足少陽二脉之會刺可入同身寸之三分○新校正云按甲乙經作七分若灸者可灸三壯日月膽募也在第三肋端橫直心蔽骨傍各同身寸之二寸五分上直兩乳○新校正云按甲乙經云日月在期門下五分○足太陰少陽二脉之會刺可入同身寸之七分若灸者可灸五壯章門脾募也在季肋端足厥陰少陽二脉之會側臥屈上足伸下足舉臂取之刺可入同身寸之八分留六呼若灸者可灸三壯帶脉在季肋下同身寸之一寸八分足少陽帶脉二經之會刺可入同身寸之六分若灸者可灸五壯五樞在帶脉下同身寸之三寸足少陽帶脉二經之會刺可入同身寸之一寸若灸者可灸五壯維道在章門下同身寸之五寸三分足少陽帶脉二經之會刺[illegible]分壯外章門法居髎在章門下同身寸之四寸三分[illegible][illegible]上○新校正云按甲乙經作監骨上陷者中陽蹻

八少陽二脉之會刺灸分壯如難道法所以脇之八間者自掖下三寸至季脇凡八肋骨髀樞中傍
各一謂環銚二穴也刺灸分壯[illegible]失同法○新校正云按氣穴論云兩髀厭分中王注為環銚穴又甲乙
經注環銚在髀樞中今云髀樞中傍各一者蓋謂此穴去髀樞中也傍各一者謂左右各一穴也非謂還銚在
髀樞中傍也膝以下至足小指次指各六俞謂陽陵泉陽輔丘虛臨泣俠谿
竅陰六穴也左右言之則十二俞出其所在刺灸分壯氣穴同法足陽明脉氣所發者
六十八穴額顱髮際傍各三謂懸顱陽白頭維左右共六穴也正面髮際橫行數
之懸釐在曲角上顳顬之中足陽明脉氣所發刺入同身寸之三分留三呼若灸者可灸三壯陽白在眉上同
身寸之一寸直瞳子足陽明陰維二脉之會刺可入同身寸之三分灸三壯頭維在額角髮際俠本神兩傍各
同身寸之一寸五分足少陽陽明二脉之交會刺可入同身寸之五分禁不可灸○新校正云按甲乙經陽白
足少陽陽維之會今王氏注云足陽明陰維之會詳此在足陽明脉氣所發中則足陽明近是然陽明經不到
此又不與陰維會疑三是非甲乙經為得矣面鼽骨空各一謂四白穴也在目下同身寸之
一寸足陽明脉氣所發刺可入同身寸之四分不可灸○新校正云按甲乙經刺入三分灸七壯大迎

之骨空各一大迎穴名也在曲頷前同身寸之一寸三分骨陷者中動脈足陽明脈氣所發刺可
入同身寸之三分留七呼若灸者可灸三壯人迎各一人迎穴名也在頸俠結喉傍大脈動應手
足陽明脈氣所發刺可入同身寸之四分過深殺人禁不可灸缺盆外骨空各一謂天髎二
穴也在肩缺盆中上伏骨之陬陷者中手足少陽陽維三脈之會刺可入同身寸之八分若灸者可灸三壯○
新校正云按甲乙經伏骨作毖骨毖音祕膺中骨間各一謂膺窗等六穴也膺窗在胸兩傍俠
中行各相去同身寸之四寸巨骨下同身寸之四寸八分陷者中足陽明脈氣所發仰而取之刺可入同身寸
之四分若灸者可灸五壯此穴之上又有氣戶庫房屋翳下又有乳中乳根氣戶在巨骨下下直膺窗去膺窗
上同身寸之四寸八分庫房在氣戶下同身寸之一寸六分屋翳在庫房下同身寸之三寸二分下即膺窗也
膺窗之下即乳中也乳中穴下同身寸之一寸六分陷者中則乳根穴也並足陽明脈氣所發仰而取之乳中
禁不可灸刺灸刺之不幸生蝕瘡瘡中有清汁膿血者可治瘡中有瘜肉若蝕瘡者死餘五穴並刺可入同身
寸之四分若灸者可灸三壯○新校正云按甲乙經灸五壯俠鳩尾之外當乳下三
寸俠胃脘各五謂不容承滿梁門關門太一五穴也左右共一十也俠腹中行兩傍相去各同

中之四寸○新校正云按甲乙經云太一寸疑此各一字不容梁門四下太一各上下相去同
寸之一寸去足陽明脈氣所發刺可入同身寸之八分若灸者可灸三壯○新校正云按甲乙經一容刺故
五分此云刺入八分疑此注誤俠齊廣三寸各三廣謂去齊橫廣也廣三寸者各一寸之
遠近也各三者謂滑肉門天樞外陵也滑肉門下同身寸之一寸正當於齊外陵在天樞下同身寸之一寸足
足陽明脈氣所發天樞刺可入同身寸之五分留七呼滑肉門外陵各刺可入同身寸之八分若灸者並可灸五
壯○新校正云按甲乙經天樞在齊傍各二寸上曰腎肉門下曰外陵是三穴者去齊各二寸也今甲乙經云
廣三寸素問甲乙經不同疑甲乙經分寸與諸書同特此經爲異也下齊二寸俠之各三
下齊二寸則外陵下同身寸之一寸大巨穴也三者謂大巨水道歸來也大巨在外陵下同身寸之一寸足
陽明脈氣所發刺可入同身寸之八分若灸者可灸五壯水道在大巨下同身寸之三寸足陽明脈氣所發刺
可入同身寸之二寸半若灸者可灸五壯歸來在水道下同身寸之二寸刺可入同身寸之八分若灸者可灸
五壯氣街動脈各一氣街穴名也在歸來下鼠鼷上寸之一寸脈動應手足陽明
發刺可入同身寸之三分留七呼若灸者可灸○新校正云詳此注與甲乙經同刺禁注及熱穴論

衝在腹齊下橫骨兩端鼠鼷上剌禁論注在[illegible]所發刺去四寸氣[illegible]上骨空注云在毛際[illegible]

者注不同卒僞解之伏菟上各一謂髀關二穴也在膝上[illegible]支分中刺可入同身寸[illegible]分

[illegible]灸者可[illegible]三壯三里以下至足中指各八俞分之所在穴空

謂三里上廉下廉解谿衝陽陷谷内庭厲兌[illegible]左右言之數十六俞也上廉足陽明與大腸合下[illegible]陽

明與小腸合其穴在刺灸分刺與氣穴[illegible]注[illegible]亦之承在穴空者足陽明脈自三里穴分而下行[illegible]者猶

所過跗入中發出其宗與前兌並其支者與[illegible]新至足跗上入穴間故[illegible]云分之所在穴空也[illegible]也言

分而各行往指間穴空處也手太陽脈氣所發者三十六穴目内眥

各一謂睛明二穴也在目内眥手足太陽足陽明陰蹻陽蹻五脈之會刺可入同身寸之一分留六呼若

灸者可灸三壯非諸穴有云數脈會要而不[illegible]於所會刺脈下言之者出發其正者也郭目外各一謂瞳

子髎二穴也在目外去眥同身寸之五分手太陽手足少陽三脈之會刺可入同身寸之三分若灸者可灸三

壯鼽骨下各一謂顴髎二穴也[illegible]頄骨下陷者中手太陽少陽二脈之會

刺可入同身寸之一分[illegible]若灸耳郭上各一謂角孫二穴也在耳上郭表之[illegible]間上髮際之下開

會在上星後同身寸之一寸陷者中前頂在顖會後同身寸之一寸五分骨間陷者中百會在前頂後同身寸之一寸五分頂中央旋毛中陷容指督脈足太陽之交會後頂在百會後同身寸之一寸五分強間在後頂後同身寸之一寸五分腦戶在強間後同身寸之一寸五分督脈足太陽之會不可灸此八者並督脈氣所發也上星百會強間腦戶各刺可入同身寸之三分上星留六呼腦戶留三呼餘並刺可入同身寸之四分若灸者可灸五壯○新校正云按甲乙經腦戶不可灸骨空論注云不可妄灸

面中三

謂素髎水溝齗交三穴也素髎在鼻柱上端督脈氣所發刺可入同身寸之三分水溝在鼻柱下人中直脣取之督脈手陽明之會刺可入同身寸之三分留六呼若灸者可灸三壯齗交在脣內齒上齗縫督脈任脈二經之會可逆刺之入同身寸之三分若灸者可灸三壯此三者正居面左右之中也

大椎以下至尻尾及傍十五穴

脊椎之間有大椎陶道身柱神道靈臺至陽筋縮中樞脊中懸樞命門陽關腰俞長強會陽十五俞也大椎在第一椎上陷者中三陽督脈之會陶道在項大椎節下間督脈足太陽之會俛而取之身柱在第三椎節下間俛而取之神道在第五椎節下間俛而取之靈臺在第六椎節下間俛而取之至陽在第七椎節下間俛而取之筋縮在第九椎節下間俛而取之中樞在第十椎節下間俛而取之脊中在第十一椎節下

間俛而取之禁不可灸令人僂懸樞在第十三椎節下間伏而取之命門在第十四椎節下間伏而取之陽關在第十六椎節下間坐而取之腰俞在第二十一椎節下間長強在脊骶端督脈別絡少陰二脈所結會陽在陰尾骨兩傍凡此十五者並督脈氣所發腰俞長強各刺可入同身寸之三分〇新校正云按甲乙經作二十灸灸刺經作二分穴刺論注作二寸灸云作二寸刺注作二分椎同雖甲乙經作二十壯太深與其失之深不若失之淺宜作二分之說留七呼懸樞筋可入同身寸之三分會陽刺可入同身寸之八分大椎刺可入同身寸之五分陶道神道各留五呼陶道身柱神道筋縮脊中灸椎可九椎懸樞附二壯〇新校正云按甲乙經無靈臺中樞陽關三穴至骶下凡二十一節脊椎法

也通項骨三節即二十四節任脈之氣所發者二十八穴一本穴多喉中央二謂廉泉天突二穴也廉泉在頷下結喉上舌本下陰維任脈之會刺可入同身寸之三分留三呼若灸者可灸三壯天突在頸結喉下同身寸之四寸中央宛宛中陰維任脈之會低鍼取之刺可入同身寸之一寸留七呼若灸者可灸三壯膺中骨陷中各一謂璇璣華蓋紫宮玉堂膻中中庭六穴也璇璣在天突下同身寸之一寸華蓋在璇璣下同身寸之一寸紫宮玉堂膻中中庭各相去同身寸之一寸六分

分陷者也並任脈氣所發仰而取之灸刺可入同身寸之三分若灸者可灸五壯

鳩尾下三寸，胃脘五寸，胃脘以下至橫骨六寸半一

新校正云詳一字疑誤

腹脈法也

鳩尾心前穴名也其正當心蔽骨之端言其骨垂下如鳩鳥尾形故以為名也鳩尾下有鳩尾巨闕上脘中脘建里下脘水分臍中陰交脖胦丹田關元中極曲骨十四俞也鳩尾在臆前蔽骨下同身寸之五分任脈之別不可灸刺人無蔽骨者從歧骨際下行同身寸之一寸○新校正云按甲乙經云一寸半得鳩尾處也下至巨闕上脘中脘建里下脘水分並相去同身寸之一寸上脘則足陽明手太陽之會中脘則手太陽少陽足陽明三脈所生也臍中禁不可刺若刺之使人臍中惡瘍潰矢出者死不治陰交在臍下同身寸之一寸任脈陰衝之會脖胦在臍下同身寸之一寸半丹田三焦募也在臍下同身寸之二寸關元小腸募也在臍下同身寸之三寸足三陰任脈之會也中極在關元下一寸足三陰之會也曲骨在橫骨上中極下同身寸之一寸足厥陰之會凡此十四穴並任脈氣所發建里丹田並刺可入同身寸之六分留七呼○新校正云按甲乙經作五分十呼○上脘陰交並刺可入同身寸之八分下脘水分並刺可入同身寸之一寸中脘脖胦並刺可入同身寸之一寸二分曲骨刺可入同身寸之一寸半留七呼餘並刺可入同身寸之一寸二分若灸者

■元中脘各可灸七壯齊中中極曲骨各三壯餘並可五壯自鳩尾下至陰門並任脈主之腹脈法也○新校正云按此注云除並刺入一寸二分關元在中甲乙經及氣穴骨空注並入一寸不毋壽從甲乙經之寸數

下陰別一謂會陰一穴也自曲骨下至陰陰之下兩陰之間則此穴也是任脈別絡俠督脈者衝脈之會故曰下陰別一也刺可入同身寸之二寸留七呼若灸者可灸三壯○新校正云按甲乙經七呼作三呼

目下各一謂承泣二穴也在目下同身寸之七分上直瞳子陽蹻任脈足陽明三經之會刺可入同身寸之三分不可灸

下脣一謂承漿穴也在頤前下脣之下是陽明脈任脈之會開口取之刺可入同身寸之二分留五呼若灸者可灸三壯○新校正云按甲乙經作太壯

齗交一齗交穴名也齗在刺灸分壯異脈法同

衝脈氣所發者二十二穴俠鳩尾外各半寸

至臍寸一謂幽門通谷陰都■關商曲肓俞六穴左右則十二穴也幽門俠巨闕兩傍相去各同身寸之半寸腧者中下五穴各相去同身寸之一寸並衝脈足少陰二經之會各刺可入同身寸之一寸若灸者可灸五壯○新校正云按此云各刺入一寸於甲乙經云幽門通谷刺入五分

俠臍下傍各五分至橫骨寸一腹脈法也謂中注髓府胞門陰關下極五穴左右則十穴也中注二

※1

※1

肓俞下同身寸之五分上直幽門下四穴各相去同身寸之一寸並衝脈足少陰二經之會各刺可入同身寸之一寸若灸者可灸五壯

足少陰舌下厥陰毛中急脈各一

足少陰舌下二穴在人迎前陷中動脈前是曰舌本左右二也足少陰脈氣所發刺可入同身寸之四分急脈在陰毛中陰上兩傍相去同身寸之二寸半按之隱指堅然甚按則痛引上下也其左者中寒則上引少腹下引陰丸善為痛為少腹急中寒此兩脈皆厥陰之大絡通行其中故曰厥陰急脈即睾之系也可灸而不可刺病疝少腹痛即可灸○新校正云詳舌下毛中之穴甲乙經無

手少陰各一

謂手少陰郄穴也在腕後同身寸之半寸手少陰郄也刺可入同身寸之三分若灸者可灸三壯左右二也

陰陽蹻各一

陰蹻謂交信穴也交信在足內踝上同身寸之二寸少陰前太陰後筋骨間陰蹻之郄刺可入同身寸之四分留五呼若灸者可灸三壯陽蹻一謂附陽穴也附陽在足外踝上同身寸之三寸太陽前少陽後筋骨間陽蹻之郄刺可入同身寸之六分留七呼若灸者可灸三壯左右四也

手足諸魚際脈氣所發者凡三百六十五穴也

經之所存者多凡一十九穴此所謂氣府也然散穴俞者經脈郄分皆有之故經或不言而甲乙經經脈流注多少不同者以此

※2

※2

骨空論篇第六十

新校正云按全元起本在第二卷自灸寒熱之法已下在第六卷刺齊篇末

黃帝問曰：余聞風者百病之始也，以鍼治之奈何？岐伯對曰：風從外入，令人振寒，汗出頭痛，身重惡寒，風中身形則腠理閉密陽氣內拒寒復外勝勝拒相薄榮衛失所故如是治在風府，風府穴也在項上入髮際同身寸之一寸宛宛中督脈足太陽之會刺可入同身寸之四分若灸者可灸五壯◎新校正云按風府注氣穴論氣府論中各云注與甲乙經同此注云督脈足太陽之會可灸五壯者乃是風門熱府穴也當云督脈陽維之會留三呼不可灸乃是調其陰陽，不足則補，有餘則寫。用針之道必法天常盛寫虛補此其常也大風頸項痛，刺風府，風府在上椎。上椎謂大椎上入髮際同身寸之一寸大風汗出，灸譩譆，譩譆在背下俠脊傍三寸所，厭之令病者呼譩譆，譩譆應手。譩譆穴也在肩膊內廉俠第六椎下兩傍各同身寸之三寸以手壓之令病人呼譩譆之聲則指下動矣足太陽脈氣所發刺可入同身寸之

六分留七呼若灸者可灸五壯瘖者因取爲名介譆音溥
從風憎風刺眉頭謂攢竹穴也在眉頭陷者中脉動應手足大陽脉氣所發刺可入同身寸之三分若灸者可灸三壯
失枕在肩上橫骨間謂缺盆穴也在肩上横骨陷者中手陽明脉氣所發刺可入同身寸之二分留七呼若灸
者可灸三壯刺入深令人逆息○新校正云按氣府注作足陽明此云手陽明詳二經俱發於此故王注兩言
之折使揄臂齊肘正灸脊中揄讀爲搖搖謂搖動也然失枕非獨取肩上橫骨間
亦當正形灸脊中也欲而驗之則使搖動其臂屈折其肘自項之下橫齊肘端當其中間則其處也是曰陽關
在第十六椎節下間督脉氣所發刺可入同身寸之五分若灸者可灸三壯○新校正云詳陽關穴甲乙經無
䏚絡季脇引少腹而痛脹刺譩譆䏚謂俠脊兩傍空軟處也少腹齊下也
腰痛不可以轉搖急引陰卵刺八髎與痛上八髎在腰
尻分間八或爲九驗眞骨及中誥孔穴經正有八髎無九髎也分謂腰尻筋肉分間陷下處鼠瘻
寒熱還刺寒府寒府在附膝外解營膝外骨間也屈伸之處寒氣[illegible]中故
名寒府也解謂骨解營謂深刺而必中其營也取膝上外者使之拜取足心者

使之跪舉而取者使膝外空■也處而取之者令足心宛宛處深定也任脈者起於中
極之下以上毛際循腹裏上關元至咽喉上頤循面入
目新校正云按難經甲乙經無上頤循面入目六字衝脈者起於氣街並少陰
之經新校正云按難經甲乙經作陽明俠齊上行至胷中而散任脈衝脈者奇
經也任脈當齊中而上行衝脈俠齊兩傍而上行然中極者謂齊下同身寸之四寸也言中極之下者言中極
從少腹之內上行而外出於毛際而上非謂■起於此也關元者謂齊下同身寸之三寸也氣街者穴名也在
毛際兩傍鼠鼷上同身寸之一寸也言衝脈起於氣街者亦從少腹之內與任脈並行而至於是乃循腹也何
以言之針經曰衝脈者十二絡之海與少陰之絡起於腎下出於氣街又曰衝脈任脈者皆起於胞中上循脊
裏為經絡之海其浮而外者循腹各行會於咽喉別而絡脣口血氣盛則皮膚熱血獨盛則滲灌皮膚生毫毛
由此言之則任脈衝脈從少腹之內上行至中極之下氣街之內明矣○新校正云按氣街與氣府論刺熱篇
水熱穴篇刺禁論等注重文雖分同處所無別備注氣府論中任脈為病男子內結七
[illegible]女子帶下瘕聚衝脈為病逆氣裏急督脈為病脊強

反折

督脈亦奇經也然任脈衝脈督脈者一源而三歧也故經或謂衝脈為督脈也何以明之今甲乙及古經脈流注圖經以任脈循背者謂之督脈自少腹直上者謂之任脈亦謂之督脈是則以背腹陰陽別為名目尒以任脈自胞上過帶脈貫臍而上故男子為病內結七疝女子為病則帶下瘕聚也以衝脈挾臍而上並少陰之經上至胷中故衝脈為病則逆氣裏急也以督脈上循脊裏故督脈為病則脊強反折也

督脈者起於少腹以下骨中央女子入繫廷孔

起非初起亦猶任脈衝脈起於胞中也其實乃起於腎下至於少腹則下行於腰橫骨圍之中央也繫廷孔者謂窈漏近所謂前陰穴也以其陰廷係屬於中故名之

其孔溺孔之端也

孔則窈漏也窈漏之中其上有溺孔焉端謂陰廷在此溺孔之上端也而督脈自骨圍中央則至於是

其絡循陰器合篡間繞篡後

督脈別絡自溺孔之端分而各行下循陰器乃合篡間也所謂間者謂前陰後陰之兩間也自兩間之後已復分而行繞篡之後

別繞臀至少陰與巨陽中絡者合少陰上股內後廉貫脊屬腎

別謂別絡分而各行之於焦也足少陰之絡者自股內後廉貫脊屬腎足太陽絡之外行者循髀樞絡股陽而下其中行者下貫臀至膕中與外行絡合故言至少陰與巨陽

中絡合少陰上股內後廉貫脊屬腎也○新校正云詳各行於焦疑集字誤與太陽起於目內眥上額交巔上入絡腦還出別下項循肩髆內俠脊抵腰中入循膂絡腎接髖脊上行也而其男子循莖下至篡與女子等其少腹直上者貫齊中央上貫心入喉上頤環脣上繫兩目之下中央自與太陽起於目內眥下至女子等並督脈之別絡也其直行者自尻上循脊裏而至於鼻入也自其少腹直上至兩目之下中央並任脈之行而云是督脈所繫由此言之則任脈衝脈督脈名異而同一體也此生病從少腹上衝心而痛不得前後為衝疝尋此生病正是任脈經云為衝疝者正明督脈以別主而異目也何者若一脈一氣而無陰陽之異主則此生病者當心背俱痛豈獨衝心而為疝乎其女子不孕癃痔遺溺嗌乾亦以衝脈任脈並自少腹上至於咽喉又以督脈循陰器合纂間繞纂後別繞臀故不孕癃痔遺溺嗌乾也所以謂之任脈者女子得之以任養也故經云此病其女子不孕也所以謂之衝脈者以其氣上衝也故經云此生病從少腹上衝心而痛也所以謂之督脈者以其督領經脈之海也由此三用故一源三岐經或

通呼以揔謂引設下文曰督脉生病治督脉治在骨上甚者在齊下

營此亦正任脈之分也衝任督三脈異名同體亦明矣骨上謂腰橫骨上毛際中曲骨穴也任脈足厥陰之

會刺可入同身寸之一寸半若灸者可灸三壯齊下謂臍直下同身寸之一寸陰交穴任脈陰衝之會刺可入

同身寸之八分若灸者可灸五壯其上氣有音者治其喉中央在缺盆

中者中謂缺盆兩間之中天突穴在頸結喉下同身寸之四寸中央宛宛中陰維任脈之會低針取之刺

可入同身寸之一寸留七呼若灸者可灸三壯其病上衝喉者治其漸漸者上

俠頤也陽明之脈漸上頤而環脣故以俠頤名為漸也是謂大迎大迎在曲頷前骨同身寸之一寸三

分陷中動脈足陽明脈氣所發刺可入同身寸三分留七呼若灸者可灸三壯蹇膝伸不屈

治其楗蹇膝謂膝痛屈伸蹇難也楗謂髀輔骨上橫骨下股外之中側立搖動取之筋動應手楗音健

坐而膝痛治其機髖骨兩傍相接處

立而暑解治其骸關暑熱也若

膝痛立而膝骨解中熱者治其骸關骸關謂膝解也一經云起而引解言膝痛起立痛引膝骨解之中也暑引

二字其義判異起立二字其義[illegible]同膝痛痛及拇指治其膕膕謂膝解之後曲脚之中

委中，背面取之，脉動應手，若灸……脉之所入，刺可入同身寸之五分，留七呼，若灸者可灸三壯。坐而膝痛如物隱者，治其關。關在膕上，當揵之後，背立按之，以動搖筋應手。膝痛不可屈伸，治其背內。謂大杼穴也，所在灸刺分壯與氣穴同法。連䯒若折，治陽明中俞髎。若膝痛不屈伸，連折痛少，折者則[illegible]也，陽明脉中俞髎[illegible]。若別，治巨陽少陰滎。若痛而膝如折者，治足太陽小指之滎也，足太陽滎通谷也，在足小指外側本節前陷者中，刺可入同身寸之二分，留五呼，若灸者可灸三壯。足少陰滎然谷也，在足內踝前起大骨下陷者中，刺可入同身寸之三分，留三呼，若灸者可灸三壯。淫濼脛痠，不能久立，治少陽之維，新校正云：按《甲乙經》外踝上五寸乃足少陽之絡，此云維者，字之誤也。在外踝上五寸。謂膝痛而無力也。五十一云四十，中誥圖經外踝上四寸無穴，五寸是光明穴也，是少陽之絡，刺可入同身寸之七分，留十呼，若灸者可灸五壯。新校正云：按《甲乙經》云刺入六分，留七呼。輔骨上，橫骨下為楗，俠髖為機，膝解為骸關，俠膝之骨為連骸，骸下為輔，輔上為膕，膕上為關，頭橫骨為枕。[illegible]

[illegible]下為楗楗上為機膝外為骸關楗後為關關下為膕膕下為輔骨輔骨上為連骸連骸者是骸骨相連
[illegible]處也頭上之橫骨為枕骨水俞五十七穴者尻上五行行五伏菟
上兩行行五左右各一行行五踝上各一行行六穴
刺灸分壯具水熱穴論中此皆是骨空故氣穴篇內舉北[illegible]言髓空在腦後五分在
顱際銳骨之下是謂風府[illegible]通腦中也一在齗基下當頤下骨陷中有穴容豆中誥
圖經名下頤[illegible]音[illegible]一在項後中復骨下謂瘖門穴也在項髮際宛宛中入系舌本督脈
陽維之會仰頭取之刺可入同身寸之四分禁不可灸一在脊骨上空在風府上
上謂腦戶穴也在枕骨上大羽後同身寸之一寸五分宛宛中督脈足太陽之會此別腦之戶不可妄灸灸之
不幸令人瘖刺可入同身寸之三分留三呼⊙新校正云按甲乙經大羽者強間之別名氣府注云蓋灸者可
灸三壯脊骨下空在尻骨下空不應[illegible]脈經闕其[illegible]⊙新校正云按甲乙經長強在
脊骶端正在尻骨下王氏云不應主療[illegible]闕其名得非誤乎數髓空在面俠鼻謂顴髎等
[illegible]經下二指[illegible]其處小小者分或骨空在口下當兩肩謂大迎穴也所在刺灸分壯與

（骨伏頤同注）兩髆骨空在髆中之陽（近肩髃穴經無名）臂骨空在臂陽去踝四寸兩骨空之間（在支溝上同身寸之一寸是謂通間〇新校正云按甲乙經支溝上一寸名三陽絡通間豈具別名歟）股骨上空在股陽出上膝四寸（在陰市上伏菟穴下在承楗也）䯒骨空在輔骨之上端（謂犢鼻穴也在膝臏下䯒骨上伏解大筋中足陽明脈氣所發刺可入同身寸六分灸者可灸三壯）股際骨空在毛中動下（經闕其名）尻骨空在髀骨之後相去四寸（是謂尻骨八髎穴也上）扁骨有滲理湊無髓孔易髓無空（扁骨謂尻間扁戾骨也其骨上有滲灌文理歸湊之無別髓孔也易亦也骨有孔則髓有孔骨若無孔髓亦無孔也）灸寒熱之法先灸項大椎以年為壯數（如患人之年數）次灸橛骨以年為壯數（尾窮謂之橛骨）視背俞陷者灸之（背胛骨際有陷處也）舉臂肩上陷者灸之（肩髃穴也在肩端兩骨間手陽明蹻脈之會刺可入同身寸之六分留六呼若灸者可灸三壯也）兩季脇之間灸之（京門穴腎募也在髂骨與腰中季脇本俠脊刺可入同身寸之三分留七呼若灸者可灸

三壯外踝上絕骨之端灸之陽輔穴也在足外踝上[illegible]前絕骨之端如前同身寸之三分所去丘墟七寸足少陽脉之所行也刺可入同身寸之五分留七呼若灸者可灸三灸○新校正云按甲乙經云在外踝上四寸足小指次指間灸之夾谿穴也在足小指次指岐骨間本節前陷者中足少陽脉之所流也刺可入同身寸之三分留三呼若灸者可灸三壯○新校正云按甲乙經流當作溜字腨下陷脉灸之承筋穴也在腨中央陷者中足太陽脉氣所發也禁不可刺可灸三壯○新校正云按刺腰痛篇注云腨中央分肉陷者中外踝後灸之崑崙穴也在足外踝後跟骨上陷者中細脉動應手足太陽脉之所行也刺入同身寸之五分留十呼若灸者可灸三壯缺盆骨上切之堅痛如筋者灸之經闕其名當隨其所有而灸之膺中陷骨間灸之天突穴也所在灸刺分非與前缺盆中者同素掌束骨下灸之陽池穴也在手表腕上陷者中手少陽脉之所過也刺可入同身寸之二分留六呼若灸者可灸三壯齊下關元三寸灸之正在齊下同身寸之三寸足三陰任脉之會刺可入同身寸之二寸留七呼若灸者灸七壯○新校正云按氣府注云刺可入一寸二分者非毛際動脉灸之以脉動應手為處即氣街穴也

膝下三寸分間灸之三里穴也在膝下同身寸之三寸胻骨外廉兩筋肉分間足陽明脈之所入也刺可入同身寸之一寸留七呼灸者可灸三壯足陽明跗上動脈灸之衝陽穴也在足跗上同身寸之五寸骨間動脈足陽明脈之所過也刺可入同身寸之三分留十呼若灸者可灸三壯〇新校正云按甲乙經及全元起本足陽明下有灸之三字作跗上動脈是二穴今王氏去灸之二字則是二穴今於注中卻存灸之二字以闕疑耳巔上一灸之百會穴也在頂中央旋毛中陷容指督脈足太陽脈之交會刺可入同身寸之三分若灸者灸五壯犬所嚙之處灸之三壯即以犬傷病法灸之犬傷而發寒熱者即以犬傷法三壯灸之[illegible]古結反凡當灸二十九處傷食灸之傷食為病亦發寒熱故灸〇新校正云詳足陽明不刺陷谷請二十八處詳王氏去上文灸之二字者非不已者必視其經之過於陽者數刺其俞而藥之

〇水熱穴論篇第六十一新校正云按全元起本在第八卷

黃帝問曰少陰何以主腎腎何以主水岐伯對曰腎者

至陰也至陰者盛水也肺者太陰也少陰者冬脉也故
其本在腎其末在肺皆積水也陰者謂寒也冬月至寒腎氣合應故云腎者至
陰也水王於冬故云至陰者盛水也腎少陰脉從腎上貫肝鬲入肺中故云其本在腎其末在肺也腎氣上逆
則水氣客於肺中故云皆積水也帝曰腎何以能聚水而生病岐伯曰
腎者胃之關也關門不利故聚水而從其類也關者所以同出
入也腎主下焦膀胱為府主其分注關竅二陰故腎氣化則二陰通二陰閟則胃填滿故云腎者胃之關也關
閉則水積水積則氣停氣停則水生水生則氣溢氣水同類故云關閉不利聚水而從其類也靈樞經曰下
焦溢為水此之謂也閟音秘上下溢於皮膚故為胕腫胕腫者聚水
而生病也上謂肺下謂腎肺腎俱溢故聚水於腹中而生病也帝曰諸水皆生於
腎乎岐伯曰腎者牝藏也牝陰也亦主陰位故云牝藏地氣上者屬
於腎而生水液也故曰至陰勇而勞甚則腎汗出腎汗
出逢於風內不得入於藏府外不得越於皮膚客於玄

府行於皮裏傳於胕腫本之於腎名曰風水勇而勞甚謂力房也勞勇汗出則玄府開汗出逢風則玄府復閉玄府閉已則餘汗未出內伏皮膚傳化為水從風而水故名風水所謂玄府者汗空也汗液色玄從空而出以汗聚於裏故謂之玄府府聚也帝曰水俞五十七處者是何主也岐伯曰腎俞五十七穴積陰之所聚也水所從出入也尻上五行行五者此腎俞背部之俞凡有五行當其中者督脈氣所發次兩傍四行皆是太陽脈氣也故水病下為胕腫大腹上為喘呼水下居於腎則腹至足而胕腫上入於肺則喘息賁滿而大呼也不得臥者標本俱病標本者肺為標腎為本如此者是肺腎俱水為病也故肺為喘呼腎為水腫肺為逆不得臥肺為喘呼氣逆不得臥者以其主呼吸故也腎為水腫者以其主水故也分為相輸俱受者水氣之所留也分其居處以名之則是氣相輸應本其俱受病氣則皆是水所留也留力救反伏菟上各二行行五者此腎之街也街謂道也腹部正俞凡有五行俠齊兩傍則腎藏足少陰脈及衝脈氣所發次兩傍則胃

前足陽明脈氣所發此四行穴則伏兔之上也兔音兔三陰之所交結於脚也踝
上各一行行六者此腎脈之下行也名曰大衝腎脈與衝脈並
下行循足合而盛大故曰太衝凡五十七穴者皆藏之陰絡水之所客
也經所謂五十七者然尻上五行行五則背脊當中行督脈氣所發者脊中懸樞命門腰俞長強當其處也
次俠督脈兩傍足太陽脈氣所發者有大腸俞小腸俞膀胱俞中膂內俞白環俞當其處也又次外俠兩傍足
太陽脈氣所發者有胃倉肓門志室胞肓秩邊當其處也伏兔上各二行行五者腹部正俞俠中行任脈兩傍
衝脈足少陰之會者有中注四滿氣穴大赫橫骨當其處也次俠衝脈足少陰兩傍足陽明脈氣所發者有外
陵大巨水道歸來氣街當其處也踝上各一行行六者足內踝之上有腎少陰陰蹻腎脈並循踹上行足少陰脈
有大鍾復溜陰谷三穴陰蹻脈有照海交信築賓三穴陰蹻既是少陰脈之別亦可通而主之兼此數之猶少
一穴脊中在第十一椎節下間俛而取之刺可入同身寸之五分不可灸令人僂懸樞在第十三椎節下間伏
而取之刺可入同身寸之三分若灸者可灸三壯命門在第十四椎節下間伏而取之刺可入同身寸之五分
若灸者可灸三壯腰俞在第二十一椎節下間刺可入同身寸之二分○新校正云按甲乙經及氣府論注并

熱府[illegible]三云熱入三穴而刺熱注氣府注并見在作二
身宮[illegible]三身之義至督七事[illegible]灸者骨灸三發長骨本
脊督之督脈所出身會所結刺可入同身寸之二分留
七中衣灸骨可灸至脈氣五穴者並督脈氣所發也○
新校正云詳王氏注少一穴按重廣論注下二椎節下
有陽關一穴在通數陽關則不少矣四穴俠督脈兩傍
大腸俞在第十六椎下俠督脈兩旁去督脈各同身寸
之一寸半刺可入同身寸之三分留六呼若灸者可灸
三壯小腸俞在第十八椎下兩傍相去及刺灸分壯
如大腸俞膀胱俞在第十九椎下兩傍相去及刺灸分法
刺灸分[illegible]中膂內俞在第二十椎下兩傍相去及刺灸分壯
[illegible]俠脊胂起肉留十呼白環俞
在第二十一椎下兩傍相去如大腸俞伏而取之刺可
入同身寸之五分若灸者可灸三壯○新校正云按甲
乙經云刺可入八分不可灸[illegible]五穴者並足太陽脈氣
所發謂脊俞者則此也○又次外兩傍[illegible]在第十
二椎下兩傍相去各同身寸之三寸刺可入同身寸之
五分若灸者可灸三壯肓門在第十三椎下兩傍相去
及刺灸分壯如胃倉法志室在第十四椎下兩傍相去
及刺灸分壯如胃倉正坐取之胞肓在第十九椎下
兩傍相去及刺灸分壯如胃倉法伏而取之秩邊在第
二十一椎下兩傍相去及刺灸分壯如胃倉法伏而取
之五穴者並足太陽脈氣所發也次俠兔上兩行中
二穴脊下同身寸之五分兩傍相去任脈各同身寸之

五分○新校正云按甲乙經同氣府注云俠中行方一寸文異而義同○四滿在中注下同身寸之一寸氣穴在四滿下同身寸之一寸大赫在氣穴下同身寸之一寸橫骨在大赫下同身寸之一寸各橫相去同身寸之一寸並衝脈足少陰之會刺可入同身寸之一寸若灸者可灸五壯次外兩傍穴外陵在齊下同身寸之一寸○新校正云按氣府論注云外陵在天樞下一寸與此正同○兩傍去衝脈各同身寸之一寸半大巨在外陵下同身寸之一寸水道在大巨下同身寸之三寸歸來在水道下同身寸之三寸氣街在歸來下○新校正云按氣府注刺熱水熱穴注云在腹齊下橫骨兩端鼠鼷上一寸刺熱注云在腹下俠齊兩傍相去四寸鼠僕上一寸動脈應手骨空注云在毛際兩傍鼠鼷上諸注不同今備錄之○鼠鼷上同身寸之一寸各橫相去同身寸之二寸此五穴者並足陽明脈氣所發水道刺可入同身寸之二寸半若灸者可灸五壯氣街刺可入同身寸之三分留七呼若灸者可灸三壯餘三穴並刺可入同身寸之八分若灸者並可五壯肓[illegible]腎之肓者對此也踝上各一行行六者大鍾在足內踝後衝中○新校正云按甲乙經云跟後衝中刺瘧注刺腰痛注作跟後衝中動脈此云內踝後此注非○足少陰絡別走大陽者刺可入同身寸之二分留三呼若灸者可灸三壯復溜在內踝上同身寸之二寸陷者中足少陰脈之所行也刺可入同身寸之三分留三呼若灸者可灸五壯照海在

內踝下刺可入同身寸之四分留七呼若灸者可灸三壯交信在內踝上同身寸之二寸少陰前太陰後筋骨間陰蹻之郄刺可入同身寸之四分留五呼若灸者可灸三壯築賓在內踝上腨分中陰維之郄刺可入同身寸之三分若灸者可灸五壯陰谷在膝下內輔骨之後大筋之下小筋之上按之應手屈膝而得之足少陰脉之所入也刺可入同身寸之四分若灸者可灸三壯所謂腎經之下行名曰大衝者則此也帝曰春取絡脉分肉何也岐伯曰春者木始治肝氣始生肝氣急其風疾經脉常深其氣少不能深入故取絡脉分肉間帝曰夏取盛經分腠何也岐伯曰夏者火始治心氣始長脉瘦氣弱陽氣留溢新校正云按別本留一作流熱熏分腠內至於經故取盛經分腠絶膚而病去者邪居淺也絶謂皮破令病得出也所謂盛經者陽脉也帝曰秋取經俞何也岐伯曰秋者金始治肺將收殺三陰已[illegible]故漸將長[illegible]金將勝火陽氣在合金王火衰故云金將勝火陰氣初勝濕氣及體以降於下濕霧露故云濕氣及

体陰氣未盛未能深入故取俞以寫陰邪取合以虛陽邪陽氣始衰故取於合新校正云按皇甫士安云是謂治秋之治變帝曰冬取井滎何也岐伯曰冬者水始治腎方閉陽氣衰少陰氣堅盛巨陽伏沉陽脈乃去去謂下去故取井以下陰逆取滎以實陽氣新校正云按全元起本實作遣甲乙經千金方作通故曰冬取井滎春不鼽衄新校正云按皇甫士安云是謂末冬之治變此之謂也新校正云按此與四時刺逆從論及太素經絡論義頗不同與九卷之義相通帝曰夫子言治熱病五十九俞余論其意未能領別其處願聞其處因聞其意岐伯曰頭上五行行五者以越諸陽之熱逆也頭上五行者當中行謂上星顖會前頂百會後頂次兩傍謂五處承光通天絡却玉枕又次兩傍謂臨泣目窗正營承靈腦空也上星在顱上直鼻中央入髮際同身寸之一寸陷者中容豆刺可入同身寸之三分顖會在上星後同身寸之一寸陷者中刺可入同身寸之四分前頂在顖會後同身寸之一寸五分骨間陷者中刺如顖會法百會在前頂

後同身寸之一寸五分頂中央旋毛中陷容指督脈足太陽脈之交會刺如上星法後頂在百會後同身寸之一寸五分枕骨上刺如顖會法然是五者皆督脈氣所發也上星留六呼若灸者並可灸五壯次兩傍穴五處在上星兩傍同身寸之一寸五分承光在五處後同身寸之一寸通天在承光後同身寸之一寸五分絡卻在通天後同身寸之一寸五分玉枕在絡卻後同身寸之七分然是五者並足太陽脈氣所發刺可入同身寸之三分五處通天各留七呼絡卻留五呼玉枕留三呼若灸者可灸三壯〇新校正云按甲乙經承光不灸玉枕刺入二分又刺兩傍臨泣在頭直目上入髮際同身寸之五分足太陽少陽陽維三脈之會目窗正營遞相去同身寸之一寸承靈腦空遞相去同身寸之一寸五分然是五者並足少陽陽維二脈之會腦空一穴刺可入同身寸之四分餘並可刺入同身寸之三分臨泣留七呼若灸者可灸五壯

大杼膺俞缺盆背俞此八者以寫胸中之熱也

大杼在項第一椎下兩傍相去各同身寸之一寸半陷者中督脈別絡手足太陽三脈氣之會刺可入同身寸之三分留七呼若灸者可灸五壯〇新校正云按甲乙經并氣穴注作七壯刺瘧注刺熱注作五壯〇膺俞者膺中之俞也正名中府在胸中行兩傍相去同身寸之六寸雲門下一寸乳上三肋間動脈應手陷者中仰而取之手足太陰脈之會刺可入同身寸之三分

留五呼若灸者可灸五壯缺盆在肩上橫骨陷者中手陽明脈氣所發刺可入同身寸之二分留七呼若灸者可灸三壯背俞即風門熱府俞也在第二椎下兩傍各同身寸之一寸五分督脈足太陽之會刺可入同身寸之五分留七呼若灸者可灸五壯今中誥孔穴圖經雖不名之既曰風門熱府即治熱之背俞也〇新校正云按王氏注刺熱論云背俞未詳何處注此指名風門熱府注氣穴論以大杼為背俞三説不同者蓋亦疑之者也

氣街三里巨虛上下廉此八者以寫胃中之熱也

氣街在腹臍下橫骨兩端鼠鼷上同身寸之一寸動脈應手足陽明脈氣所發刺可入同身寸之三分留七呼若灸者可灸三壯〇新校正云按氣術諸注不同與前水穴注中三里在膝下同身寸之三寸胻外廉兩筋肉分間足陽明脈之所入也刺可入同身寸之一寸留七呼若灸者可灸三壯巨虛上廉足陽明與太陽合在三里下同身寸之三寸足陽明脈氣所發刺可入同身寸之八分若灸者可灸三壯巨虛下廉足陽明與少陽合在上廉下同身寸之三寸足陽明脈氣所發刺可入同身寸之三分若灸者可灸三壯也

雲門髃骨委中髓空此八者以寫四支之熱也

雲門在巨骨下胸中行兩傍相去同身寸之六寸動脈應手足太陰脈氣所發也〇新校正云按甲乙經同氣穴注作手太陰刺熱注亦作手太陰〇舉

臂取之刺可入同身寸之七分若灸者可灸五壯髃今中誥孔穴圖經無髃骨穴有肩髃穴在肩端兩骨間手陽明蹻脈之會刺可入同身寸之六分留六呼若灸者可灸三壯委中在足膝後屈處膕中央約文中動脈足太陽脈之所入也刺可入同身寸之五分留七呼若灸者可灸三壯髓空中誥孔穴圖經云腰俞穴一名髓空在脊中第二十一椎節下主汗不出足清不仁督脈氣所發也刺可入同身寸之二寸留七呼若灸者可灸三壯○新校正云詳腰俞刺入二寸當作二分已具前氣穴注中

寫五藏之熱也。五藏俞傍五者謂魄戶神堂魂門意舍志室五穴俠脊兩傍各相去同身寸之三寸並足太陽脈氣所發也魄戶在第三椎下兩傍正坐取之刺可入同身寸之五分若灸者可灸五壯神堂在第五椎下兩傍刺可入同身寸之三分若灸者可灸五壯魂門在第九椎下兩傍正坐取之刺可入同身寸之五分若灸者可灸三壯意舍在第十一椎下兩傍正坐取之刺可入同身寸之五分若灸者可灸三壯志室在第十四椎下兩傍正坐取之刺可入同身寸之五分若灸者可灸三壯

五藏俞傍五，此十者，以寫五藏之熱也。凡此五十九穴者，皆熱之左右也。帝曰：人傷於寒而傳為熱，何也？岐伯曰：夫寒盛則生熱也。寒氣外凝陽氣內鬱腠理堅緻玄府閉封緻則氣不宣通封則濕氣內結中外

物薄寒盛熱生故人傷於寒轉而為熱汗之而愈則
外凝內鬱之理可知斯乃新病數日者也[illegible]卯二氣

內經八　三十一

補註釋文黄帝内經素問卷之八

黄帝内經素問卷之九

調經論篇第六十二 新校正云按全元起本在第一卷

黄帝問曰余聞刺法言有餘寫之不足補之何謂有餘何謂不足岐伯對曰有餘有五不足亦有五帝欲何問曰願盡聞之岐伯曰神有餘有不足氣有餘有不足血有餘有不足形有餘有不足志有餘有不足凡此十者其氣不等也神屬心氣屬肺血屬肝形屬脾志屬腎以各有所宗故不等也帝曰人有精氣津液四支九竅五藏十六部三百六十五節乃生百病百病之生皆有虚實今夫子乃言有餘有五不足亦有五何以生之乎鍼經曰兩神相搏合而成形常先身生是謂精上焦開發宣五穀味熏膚充身澤毛若霧露之溉是謂氣腠理發泄汗出溱溱是謂津津之滲於空竅留而不行者為液也十六部者謂手足二九竅九五藏五合為十六部也三百六十五節者非謂骨節是神氣出入之處也鍼經曰所

謂節之交三百六十五會神氣之所遊行出入也非骨節也言人身所有則多所舉則少病衆之數甚以諸之

歧伯曰皆生於五藏也謂五神藏也夫心藏神肺藏氣肝藏血脾藏肉腎藏志而此成形言所以病皆生於五者何哉以內藏五神而成形也志意通內連骨髓而成身形五藏志意者通言五神之大凡也骨髓者通言表裏之成化也言五神通泰骨髓化成身形既立乃五藏互相為有矣○新校正云按甲乙經無五藏二字五藏之道皆出於經隧以行血氣血氣不和百病乃變化而生是故守經隧焉隧潛道也經脈伏行而不見故謂之經隧焉血氣者人之神邪侵之則血氣不正血氣不正故變化而百病乃生矣經脈者所以決死生處百病調虛實故守經隧焉○新校正云按甲乙經經隧作經渠義各通帝曰神有餘不足何如歧伯曰神有餘則笑不休神不足則悲心之藏也鍼經曰心藏脈脈舍神心氣虛則悲實則笑不休悲一爲憂誤也○新校正云詳王注云悲一爲憂誤按甲乙經及太素并全元起注本並云憂皇甫士安云心虛則悲悲則憂心實則笑笑則喜夫心之與肺脾之與心互相成也故喜發於心而成於肺

恐懼於脾而所於心一過其節則二藏俱傷楊上善云心之憂在心變動也肺之憂在肺之志是則肺主秋憂為正也心主於夏變而生憂也

血氣未并五藏安定邪客於形洒淅起於毫毛未入於經絡也故命曰神之微

并謂并合也未與邪合故曰未并也洒淅寒貌也始起於毫毛尚在於小絡神之微病故命曰神之微也○新校正云按全元起本及甲乙經洒淅作悽厥太素作洫泝楊上善云洫毛孔也水逆流曰泝謂邪氣入於腠理如水逆流於洫

帝曰補寫奈何岐伯曰神有餘則寫其小絡之血出血勿之深斥無中其大經神氣乃平

邪入小絡故可瀉其小絡之脈出其血勿深推鍼鍼深則傷肉以邪居小絡故不欲令鍼中大經絡血既出神氣自平斥推也小絡孫絡也鍼經曰經脈為裏支而橫者為絡絡之別者為孫絡平謂平調也○新校正云詳此注引鍼經曰與三部九候論注兩引之在彼云靈樞而此曰鍼經則王氏之意指靈樞為鍼經也按今素問注中引鍼經者多靈樞之文但以靈樞今不全故未得盡知也

神不足者視其虛絡按而致之刺而利之無出其血無泄其氣以通其經神氣乃平

但通經脈令其和利抑按虛絡令其氣致以補不足

其不甚出血及泄氣也○新校正云按甲乙經復作以引作鍼帝曰刺微奈何覆前刺起於毫
毛末入於經絡者岐伯曰按摩勿釋著鍼勿斥移氣於不足神
氣乃得復按摩其病處手不釋散著鍼於病處亦不推之使其人神氣內朝於鍼移其大神氣令自
充足則微病自去神氣乃得復常○新校正云按甲乙經及太素云移氣於足無不字楊上善云謹摩使氣至
於鍼也帝曰善氣有餘不足奈何岐伯曰氣有餘則喘欬
上氣不足則息利少氣肺之氣也肺藏氣息不利則喘鍼經曰肺氣虛則鼻息利少氣
實謂喘喝胸憑仰息也血氣未并五藏安定皮膚微病命曰白氣
微泄肺合皮其色白故皮膚微病命曰白氣微泄帝曰補寫奈何岐伯曰氣
有餘則寫其經隧無傷其經無出其血無泄其氣不足
則補其經隧無出其氣氣謂榮氣也鍼寫若傷其經則血出而榮氣泄脫故不欲出血
泄氣但寫其經氣而已若補則又宜謹閉穴俞然其穴氣亦不欲泄之○新校正云按楊上善云經隧者手太
陰之別從手太陰走手陽明乃是手太陰向手陽明之隧隧道收府陰陽故補寫皆從正經別走之絡寫其陰

經列走之絡不得傷其正經也帝曰刺微奈何覆前曰氣微邪者岐伯曰按摩勿釋出鍼視之曰我將深之適人必革精氣自伏邪氣散亂無所休息氣泄腠理真氣乃相得亦謂按摩其病處也革皮也我將深之適人必革者謂其深而淺刺之也如是脇從則人懷懼色故精氣潛伏也以其調適於皮精氣潛伏邪無所據故亂散而無休息發泄於腠理也邪氣既泄真氣乃與皮腠相得矣○新校正云按楊上善云革改也夫人聞樂至則身心忻悅聞齋及体情必改異忻悅則百体俱縱改革則情志必拘拘則邪氣消伏帝曰善血有餘不足奈何岐伯曰血有餘則怒不足則恐肝之藏血鍼經曰肝藏血肝氣虛則恐實則怒○新校正云按全元起本恐作悲甲乙經及太素同血氣未并五藏安定孫絡水溢則經有留血絡有邪盛則入於經故云孫絡外溢則經有留血帝曰補寫奈何岐伯曰血有餘則寫其盛經出其血不足則視其虛經內鍼其脈中久留而視新校正云按甲乙經云久留之血至太素同脈太疾出其鍼無令血泄脈盛滿則血有餘故出之

經氣虛則血不足故無令血泄也久留疾出是謂補之針解論曰徐而疾則實義與此同帝曰刺留血奈何岐伯曰視其血絡刺出其血無令惡血得入於經以成其疾血絡滿者刺按出之則惡色之血不得入於經脈帝曰善形有餘不足奈何岐伯曰形有餘則腹脹涇溲不利不足則四支不用脾之藏也針經曰脾氣虛則四支不用五藏不安實則腹脹涇溲不利涇大便也溲小便也○新校正云按楊上善云涇作經女人月經也血氣未并五藏安定肌肉蠕動命曰微風邪薄肉分衛氣不通陽氣內鼓故肉蠕動○新校正云按全元起本及甲乙經蠕作溢大素作濡帝曰補寫奈何岐伯曰形有餘則寫其陽經不足則補其陽絡並胃之經絡帝曰刺微奈何岐伯曰取分肉間無中其經無傷其絡衛氣得復邪氣乃索衛氣者所以溫分肉而充皮膚肥腠理而司開闔故肉蠕動即取分肉間但開肉分以出其邪故無中其經無傷其絡衛氣復舊而邪氣盡索散盡也帝曰善志有餘不足奈何岐伯曰志有餘則腹脹

泄不足則厥腎之脉也鍼經曰腎藏精精舍志腎氣虛則厥實則脹脹謂脹起厥謂逆行上衝也足少陰脉下行今氣不足[illegible]衝脉之行而上衝也[illegible]音[illegible]故血氣未并五藏安定骨節有動腎合骨故骨有邪薄則骨節鼓動或骨節之中如有物鼓動之也帝曰補寫奈何岐伯曰志有餘則寫然筋血者新校正云按甲乙經及太素云寫然筋血者出其血楊上善云然筋當是然谷下筋再詳諸處引然谷者多云然骨之前血者疑少骨之下二字衍字說作筋字不足則補其復溜然謂然谷足少陰滎也在內踝之前太骨之下陷者中血絡盛則泄之其刺可入同身寸之三寸留三呼若灸者可灸[illegible]復溜足少陰經也在內踝上同身寸之二寸陷者中刺可入同身寸之三寸留三呼若灸者可灸五壯帝曰刺未并奈何岐伯曰即取之無中其經邪所乃能立虛不求穴俞而直取居邪之處故云即取之○新校正云按甲乙經邪所作以去其邪帝曰善余已聞虛實之形不知其何以生岐伯曰氣血以并陰陽相傾氣亂於衛血逆於經血氣離居一實一虛衛行脉外故氣亂於衛血行經內故血逆於經血氣不和故一虛一

[illegible]血并於陰氣并於陽故為驚狂（[illegible]）血
并於陽氣并於陰乃為炅中（[illegible]血并於陰則陽氣內盛故熱中炅熱）血并
於上氣并於下心煩惋善怒血并於下氣并於上亂而
喜忘（上謂鬲上下謂鬲下）帝曰血并於陰氣并於陽如是血氣離
居何者為實何者為虛岐伯曰血氣者喜溫而惡寒寒則
泣不能流溫則消而去之（泣謂如水中居雪也去謂[illegible]行去也）是故氣之
所并為血虛血之所并為氣虛（[illegible]）
帝曰人之所有者血與氣耳今夫子乃言血并為虛
氣并為虛是無實乎岐伯曰有者為實無者為虛（[illegible]）
（[illegible]）故氣并則無血血并則無氣今血與氣相
失故為虛焉（氣并於血則血失其氣血并於氣則氣失其血故曰血與氣相失）絡之與
孫脈俱輸於經血與氣并則為實焉血之與氣并走於

上則氣大厥厥則暴死氣復反則生不反則死帝曰君何道從來虛者何道從去虛實之要願聞其故岐伯曰夫陰與陽皆有俞會陽注於陰陰滿之外陰陽勻平以充其形九候若一命曰平人（平人謂平和之人）夫邪之生也或生於陰或生於陽其生於陽者得之風雨寒暑其生於陰者得之飲食居處陰陽喜怒帝曰風雨之傷人柰何岐伯曰風雨之傷人也先客於皮膚傳入於孫脈孫脈滿則傳入於絡脈絡脈滿則輸於大經脈血氣與邪并客於分腠之間其脈堅大故曰實實者外堅充滿不可按之按之則痛帝曰寒濕之傷人柰何岐伯曰寒濕之中人也皮膚不收（新校正云按全元起本云不收不仁也甲乙經及太素云皮膚收無不字）肌肉堅緊榮血泣衛氣去故曰虛虛者聶辟氣不足

按之則氣足以溫之故快然而不痛（按謂開散摩謂摩壓也○新校正云按甲乙經作[illegible]卒太素作[illegible]）帝曰善陰之生實奈何（實謂邪氣盛也）岐伯曰喜怒不節則陰氣上逆上逆則下虛下虛則陽氣走之故曰實矣（新校正云按經云喜怒不節則陰氣上逆疑剩喜字）帝曰陰之生虛奈何（虛謂精氣奪也）岐伯曰喜則氣下悲則氣消消則脈虛空因寒飲食寒氣熏滿（新校正云按甲乙經作動藏）則血泣氣去故曰虛矣帝曰經言陽虛則外寒陰虛則內熱陽盛則外熱陰盛則內寒余已聞之矣不知其所由然也（經言謂上古經言也）岐伯曰陽受氣於上焦以溫皮膚分肉之間今寒氣在外則上焦不通上焦不通則寒氣獨留於外故寒慄（慄謂振慄也）帝曰陰虛生內熱奈何岐伯曰有所勞倦形氣衰少穀氣不盛上焦不行下脘不通（新校正云按甲乙經作下焦不通）胃氣

熱熱氣熏胸中故內熱甚用其力致勞倦也貪役不食故穀氣不盛也帝曰陽盛生外熱奈何岐伯曰上焦不通利則皮膚緻密腠理閉塞玄府不通新校正云按甲乙經及太素無玄府二字衛氣不得泄越故外熱外傷寒毒內薄諸陽寒外盛則皮膚收皮膚收則腠理密則衛氣蓄聚無所流行矣寒氣外薄陽氣內爭積火內燔故生外熱也燔音煩帝曰陰盛生內寒奈何岐伯曰厥氣上逆寒氣積於胸中而不寫不寫則溫氣去寒獨留則血凝泣凝則脈不通新校正云按甲乙經作腠理不通其脈盛大以濇故中寒溫氣謂陽氣也陰逆內満則陽氣去於皮外也帝曰陰與陽并血氣以并病形以成刺之奈何岐伯曰刺此者取之經隧取血於營取氣於衛用形哉因四時多少高下營主血陰氣也衛主氣陽氣也夫行鍼之道必先知形之長短骨之廣狹遵三備法通計身形以施分寸故曰用形也四時多少高下具在下篇帝曰血氣以并病形以成陰陽相傾補寫奈何岐

伯曰寫實者氣盛乃內鍼鍼與氣俱內以開其門如利
其戶鍼與氣俱出精氣不傷邪氣乃下外門不閉以出
其疾搖大其道如利其路是謂大寫必切而出大氣乃
屈言欲開其穴而泄其氣也切謂急也言急出其鍼也鍼經論曰疾而徐則虛者疾出鍼而徐按之也大氣
謂大邪氣也屈謂退屈也帝曰補虛奈何岐伯曰持鍼勿置以定其
意候呼內鍼氣出鍼入鍼空四塞精無從去方實而
疾出鍼氣入鍼出熱不得還閉塞其門邪氣布散精氣
乃得存動氣候時新校正云按甲乙經作動無後時近氣不失遠氣乃
來是謂追之言但密閉穴俞勿令其氣散泄也近氣謂已至之氣遠氣謂未至之氣也欲動經氣
而為補者皆必候水刻氣之所在而刺之是謂得時而調之追言補也鍼經曰追而濟之安得無實則此謂
也帝曰夫子言虛實者有十生於五藏五藏五脈耳夫
十二經脈皆生其病新校正云按甲乙經云皆生百病太素同今夫子獨言

三藏夫十二經脉者皆絡三百六十五節節有病必被經脉經脉之病皆有虛實何以合之岐伯曰五藏者故得六府與為表裏經絡支節各生虛實其病所居隨而調之從其左右經氣支節而調之病在脉調之血脉者血之府脉實血實脉虛血虛由此脉病而調之血也〇新校正云按全元起本及甲乙經云病在血調之也病在血調之絡血病則絡脉易故調之於絡也病在氣調之衛衛主氣故氣病而調之衛也病在內調之分肉候寒熱而取之病在筋調之筋適緩急而刺熨之病在骨調之骨察經重而調之燔鍼劫刺其下及與急者調筋法也筋急則燒鍼而劫刺之病在骨焠鍼藥熨調骨法也焠火鍼也病不知所痛兩蹻為上兩蹻謂陰陽蹻脉陰蹻之脉出於照海陽蹻之脉出於申脉申脉在足外踝下陷者中容爪甲〇新校正云按刺腰痛注云在外踝下五分刺可入同身寸之三分留六呼若灸者可灸三壯照海在足內踝下刺可入同身寸之四分留六呼灸若者可灸三壯身形有痛九候莫病則繆刺之莫病

謂絡病也繆刺者刺絡脈左痛刺左右痛刺左痛在於左而右脈病者巨刺之巨刺者刺經脈左痛刺右右痛刺左必謹察其九候鍼道備矣

○繆刺論篇第六十三新校正云按全元起本在第二卷

黃帝問曰余聞繆刺未得其意何謂繆刺繆刺言所刺之穴應用如紕繆綱紀也岐伯對曰夫邪之客於形也必先舍於皮毛留而不去入舍於孫脈留而不去入舍於絡脈留而不去入舍於經脈內連五藏散於腸胃陰陽俱感五藏乃傷此邪之從皮毛而入極於五藏之次也如此則治其經焉今邪客於皮毛入舍於孫絡留而不去閉塞不通不得入於經流溢於大絡而生奇病也病在血絡是謂奇邪○新校正云按全元起云大絡作五絡也夫邪客大絡者左注右右注左上下左右與經相干而布於四末其氣無常處不入於經俞命曰

繆刺。四末謂四支也。帝曰：願聞繆刺以左取右，以右取左，奈何？其與巨刺何以別之？岐伯曰：邪客於經，左盛則右病，右盛則左病，亦有移易者，新校正云：按《甲乙經》作病易且移。左痛未已而右脈先病，如此者，必巨刺之，必中其經，非絡脈也。先病謂於痛未止而比先病以承之。故絡病者，其痛與經脈繆處，故命曰繆刺。絡謂正經之傍支，非正別也，亦兼公孫飛揚等之絡。絡也。○新校正云：按王氏云非正別也。按全本論邪別足太陰絡令人腹痛注引從髀合陽明上絡賁中，乃太陰之正也，亦是兼脈之正，安得謂之作正別也。帝曰：願聞繆刺奈何？取之何如？岐伯曰：邪客於足少陰之絡，令人卒心痛暴脹，胸脅支滿，以其絡支別者並正經從腎上貫肝鬲走於心包，故邪客之則病如是。無積者，刺然骨之前出血，如食頃而已。然骨之前，然谷穴也，在足內踝前起大骨下陷者中，足少陰滎也。刺可入同身寸之三分，留三呼；若灸者，可灸三壯。刺此多見血，令人立飢欲食。不已，左取右，右取左。言痛在左取之右，痛在右取之左。

正餘如此例病新發者取五日已素有既病而新發先刺之五日乃盡已邪客於手少陽之絡，令人喉痹舌卷，口乾心煩，臂外廉痛，手不及頭，以其脈循手表出臂外上肩入缺盆布膻中散絡心包其支者從膻中上出缺盆上項又心主其舌故病如是刺手中指次指爪甲上，去端如韭葉，各一痏，謂關衝穴少陽之井也刺可入同身寸之一分留三呼若灸者可灸三壯左右手皆刺之故言各一痏痏瘡也○新校正云按甲乙經關衝穴出手小指次指之端今言中指者誤也壯者立已，老者有頃已，左取右，右取左，此新病數日已。邪客於足厥陰之絡，令人卒疝暴痛，以其絡去內踝上同身寸之五寸別走少陽其支別者循脛上睾結於莖故令人卒疝暴痛睾陰丸也刺足大指爪甲上與肉交者，各一痏，謂大敦穴足大指之端去爪甲角如韭葉厥陰之井也刺可入同身寸之三分留十呼若灸者可灸三壯男子立已，女子有頃已，左取右，右取左。邪客於足太陽之絡，令人頭項肩痛，以其經之正者從腦出別下項支別者從膊內左右別下又其絡自從上行肩背之頭故頭項痛也○新校正按甲乙經云其文者發刺巔入絡腦還出別下項王氏云經之正者正當作文陽是小指爪甲上與肉交者各一痏立已謂至陰穴太陽之井也刺可入同身寸之一分留五呼若灸者可灸三壯○新校正云按甲乙經云在足小指外側去爪甲角如韭葉不已刺外踝下三痏左取右右取左如食頃已謂金門穴足太陽郄也在外踝下刺可入同身寸之三分若灸者可灸三壯邪客於手陽明之絡令人氣滿胸中喘息而支胠胸中熱以其經自肩端入缺盆絡肺其支別者從缺盆中直而上頸故熱如是刺手大指次指爪甲上去端如韭葉各一痏左取右右取左如食頃已謂商陽穴手陽明之井也刺可入同身寸之一分留一呼若灸者可灸一壯○新校正按甲乙經云商陽在手大指次指內側去爪甲角如韭葉邪客於臂掌之間不可得屈刺其踝後新校正云按全元起本云是人手之本節踝也先以指按之痛乃刺之以月死生為數月生一日一痏二日二痏十五日十五痏十六日十四痏隨日數也月半已前謂之

生月半以後謂之死□滿而異也之邪客於足陽蹻之脈令人目痛從內

眥始以蹻脈起於足上行至頭而屬目內眥故病令人目病從內眥始也何以明之八十一難經曰陽蹻

脈者起於跟中循外踝上行入風池鍼經曰陰蹻脈入頄屬目內眥合於太陽陽蹻而上行尋此則至於目內

眥也刺外踝之下半寸所各一痏謂申脈穴陽蹻之所生也在外踝下陷者中容

爪甲刺可入同身寸之三分留六呼若灸者可灸三壯□新校正云按刺腰痛注云外踝下五分左刺

右右刺左如行十里頃而已人有所墮墜惡血留內腹

中滿脹不得前後先飲利藥此上傷厥陰之脈下傷少

陰之絡刺足內踝之下然骨之前血脈出血此少陰之絡也□新

校正云詳血脈出血四字疑是衍字刺足跗上動脈謂衝陽穴胃之原也刺可入同身寸之三

分留十呼若灸者可灸三壯[illegible]不已刺三毛上各一痏

見血立已左刺右右刺左[illegible]善悲驚不樂刺

如右方善悲驚不樂亦刺上出血之邪客於手陽明之絡令人耳聾

時不聞音，以其經支者從缺盆上頸貫頰，又其絡支別者入耳會於宗脈，故病令人耳聾時不聞聲。者，刺手大指次指爪甲上去端如韭葉各一痏，立聞，亦同。謂商陽穴。不已，刺中指爪甲上與肉交者，立聞，謂中衝穴，手心主之井也。在手中指端去爪甲如韭葉陷者中，刺可入一分，留二呼，灸可三壯。古經脫簡，無絡可尋，恐是刺小指爪甲與肉交者也。何以言之？下文云手少陰絡會於耳中也。若小指之端是謂少衝，手少陰之井，刺可入一分，留一呼，若灸者可一壯。○新校正云：按王氏云恐是小指爪甲上少衝穴，按甲乙經手心主之正上循喉嚨出耳後，合少陽完骨之下，如是則安得不取中衝而刺為少衝也。其不時聞者，不可刺也。不時聞者，絡氣已絕，故不可刺。耳中生風者，亦刺之如此數，左刺右，右刺左。凡痹往來行無常處者，在分肉間痛而刺之，以月死生為數，用鍼者隨氣盛衰以為痏數，鍼過其日數則脫氣，不及日數則氣不寫，左刺右，右刺左，病已止，不已，復刺之如法，言所以約月死生為數者，何以隨氣之盛衰也。月生一日一痏，二日二

痏漸多之十五日十五痏十六日十四痏漸少之如是刺之
邪客於足陽明之經令人鼽衄上齒寒以其脈起
於鼻交頞中下循鼻外入上齒中還出俠口環脣下交承漿却循頤後下廉出大迎循頰車上耳前故病令人
鼽衄上齒寒也復以其脈左右交於面部故舉經脈之病以明繆處之類故下文云○新校正云按全元起本
與甲乙經陽明經作陽明之絡之刺足中指次指爪甲上與肉交者各
一痏左刺右右刺左中當爲大亦傳寫中大之誤也據靈樞經孔穴圖經中指次指爪甲
上無穴當言刺大指次指爪甲上乃厲兌穴陽明之井不當更有次指二字也厲兌者刺可入同身寸之一分
留一呼若灸者可灸一壯○新校正云按甲乙經云刺足中指爪甲上無次指二字蓋以大指次指爲中指義
與王注同下文云足陽明中指爪甲上大謂此穴也厲兌在足大指次指之端去爪甲角如韭葉邪客
於足少陽之絡令人脅痛不得息欬而汗出以其脈支別者從目
兌眥下大迎合手少陽於頗下加頰車下頸合缺盆以下胸中貫膈絡肝膽循脅故令人脅痛欬而汗出頸之
大反刺足小指次指爪甲上與肉交者各一痏謂竅陰穴少陽之井

也刺可入同身寸之一分留一呼若灸者可灸三壯○新校正云按甲乙經竅陰在足小指次指之端去爪甲
角如韭葉不得息立已汗出立止欬者溫衣飲食一日已左
刺右右刺左病立已不已復刺如法邪客於足少陰之
絡令人嗌痛不可內食無故善怒氣上走賁上以其經支別者
從腎出絡心注胸中又其正經從腎上貫肝鬲入肺中循喉嚨挾舌本故病令人嗌乾窒不可內食無故善怒
氣上走賁上也賁謂氣奔也○新校正云詳王注以賁為氣奔者非按難經胃為賁門楊操云賁鬲也是氣
上走鬲上也經既云氣上走安得更以賁為奔上之解刺足下中央之脈各三痏
凡六刺立已左刺右右刺左謂湧泉穴少陰之井也在足心陷者中屈足卷指宛
宛中刺可入同身寸之三分留三呼若灸者可灸三壯嗌中腫不能內唾時不能
出唾者刺然骨之前出血立已左刺右右刺左亦足少陰之絡
由以其絡並大經喉嚨故爾刺之此二十九字本錯簡在邪客手足少陰太陰足陽明之絡前今遷於此○新
校正云詳王注以其絡并大經循喉是互按甲乙經足少陰之絡正經上走心包少陰之經循喉嚨今三氏

之注經與絡交互當以甲乙經為正也

邪客於足太陰之絡，令人腰痛引少腹控䏚，不可以仰息。

足大陰之絡從髀合陽明上貫尻骨中與厥陰少陽結於下髎而循尻骨內入腹上絡嗌貫舌中故腰痛則引少腹控於䏚中也䏚謂季脅下之空軟處也受邪氣則絡拘急故不可以仰伸而喘息也刺腰痛篇中無[illegible][illegible]○新校正云詳王注云足大陰之絡按甲乙經石大陰之王非絡也王氏謂之絡者未詳其旨

刺腰尻之解，兩胂之上，是腰俞，以月死生為痏數，發鍼立已。左刺右，右刺左。

腰尻骨間曰解當中有腰俞刺可入同身寸之二寸○新校正云按氣府論注作二分刺熱論注作二分水穴篇注作二分熱穴篇注作二寸甲乙經作二寸留七呼注與經同中諸孔穴繆云主取右右卑左穴當中不[illegible]也穴腰下俠尾有骨空各四皆主腰痛下髎注與經同是足太陰厥陰少陽所結刺可入同身寸之二寸留十呼若灸者可灸三壯胂謂兩髁胂也腰俞髁胂皆當取之也○新校正云按此邪客足太陰之絡所刺法一項已見刺腰痛篇中彼注甚詳此特多是腰俞三字耳別按念云起本舊無此三字王氏遂知腰俞絡左右取之理而注之而不知全元起本舊無

邪客於足太陽之絡，令人拘攣背急，引脇而痛。

以其[illegible]

左右別下貫胁合咽小故病令人拘攣背急引脇而痛○新校正按全元起本及甲乙經引脇而痛下更云内
引心而痛刺之從項始數脊椎俠脊疾按之應手如痛刺之
傍三痏立已從項始數脊椎者謂從大椎數之至第二椎兩傍各同身寸之一寸五分内循脊兩
傍按之有痛應手則邪客之處也隨痛應手深淺即而刺之邪客在脊骨兩傍故言刺之傍也邪客於
足少陽之絡令人留於樞中痛髀不可舉以其經出氣街繞髦際横
入髀厭中故痛令人留於髀樞後痛解不可擧樞謂髀樞刺樞中以毫鍼寒則久留
鍼以月死生為數立已髀樞之後則環銚穴也正在髀樞後故言刺髀樞後也環銚者
足少陽脈氣所發刺可入同身寸之一寸留二呼若灸者可灸三壯毫鍼者第七鍼也○新校正云按甲乙經
環銚在髀樞中氣穴論云在兩髀厭分中此經云刺樞中而王氏以謂髀樞之後者誤也治諸經刺
之所過者不病則繆刺之正言也經不病則邪在絡故繆刺之若經所過有病是則
經病不當繆刺矣耳聾刺手陽明不已刺其通脈出耳前者手陽
明謂前手大指次指去端如韭葉者也是謂商陽𢦏中諸孔穴圖經手陽明脈中商陽合谷陽谿偏歷四穴並

主耳聾今經所指謂商陽丕寫此合谷等穴也可前通脈手陽明脈正當齒會之分可入同身寸之四分若
灸者可灸三壯齒齲刺手陽明不已刺其脈入齒中者立已按甲
乙經注圖經手陽明脈中商陽二間三間合谷陽谿偏歷溫留七穴並主齒痛手陽明脈貫頰入下齒中足陽
明脈循鼻外入上齒中也齲丘禹反邪客於五藏之間其病也脈引而痛
時來時止視其病繆刺之於手足爪甲上各刺其井左取右右取左
視其脈出其血間日一刺一刺不已五刺已有血脈者則刺之如
此無繆傳引上齒齒唇寒痛視其手背脈血者去之若有繆使
刃引上齒齒唇寒痛青刺手背陽明絡也是陽明中指爪甲上一痛手大指
次指爪甲上各一痛立已左取右右取左謂第二指厲兌穴也手大
指次指謂商陽穴手陽明井也鍼經曰齒痛不惡清飲取足陽明惡清飲取手陽明○新校正云詳前文邪客
足陽明刺中指次指爪甲上是穀刺亦指二字當如此只言中指爪甲上乃是邪客於手足少
陰太陰足陽明之絡此五絡皆會於耳中上絡左角手少

陰眞心脉足少陰腎脉手太陰肺脉足太陰脾脉足陽明胃脉此五絡皆會於耳中而出絡左額角也五
絡俱竭令人身脉皆動而形無知也其狀若尸或曰尸
厥言其卒冒悶而如死尸身脉猶如常人而動也然陰氣盛於上則下氣重上而邪氣逆邪氣逆則陽氣亂
陽氣亂則五絡閉結而不通故其狀若尸也以是從厥而生故或曰尸厥刺其足大指內側
爪甲上去端如韭葉謂隱白穴足太陰之井也刺可入同身寸之一分留三呼若灸者可
灸三壯後刺足心謂涌泉穴足少陰之井也刺同前取涌泉穴法後刺足中指爪
甲上各一痏謂第二指足陽明之井也刺同前取厲兌穴法後刺手大指內側
去端如韭葉謂少商穴手太陰之井也刺可入同身寸之一分留三呼若灸者可灸三壯後
刺手心主謂中衝穴手心主之井也刺可入同身寸之一分留三呼若灸者可灸一壯○新校正云
按甲乙經不刺手心主詳此五絡之數亦不及手心主而此刺之是有六絡未會王冰相隨注之不爲明辨之
言也少陰銳骨之端各一痏立已謂神門穴在掌後銳骨之端陷者中手少陰之
俞也刺可入同身寸之三分留七呼若灸者可灸三壯不已以竹管吹其兩耳言使

氣入耳中內助五絡令氣復通也當內管入耳以手密擫之勿令氣泄而極吹之氣蹙然後絡脉通也○新校正云按陶隱居云吹其左耳極三度復吹其右耳三度也鬄其左角之髮方一寸燔治飲以美酒一杯不能飲者灌之立已左角之髮是五絡血之餘故鬄之燔治飲之以美酒也酒者所以行藥勢又炎上而內走於心心主脉故以美酒服之鬄音易凡刺之數先視其經脉切而從之審其虛實而調之不調者經刺之有痛而經不病者繆刺之因視其皮部有血絡者盡取之此繆刺之數也

○四時刺逆從論第六十四新校正云按厥陰有餘至筋急目痛全元起本在第六卷春氣在經脉至篇末全元起本在第一卷

厥陰有餘病陰痹痹謂痛也陰謂寒也有餘謂厥陰氣盛滿故陰發於外而為寒痹○新校正云詳王氏以痹為痛未通不足病生熱痹陰不足則陽有餘故為熱痹滑則病狐疝風濇則病少腹積氣厥陰脉循股陰入髦中環陰器抵少腹又其絡支別者循

歷上畢始於莖故為狐疝少腹積氣也○新校正云楊上善云狐夜不得尿日出方得人之所病與狐同故曰狐疝一曰孤疝謂三焦孤府為疝故曰孤疝少陰有餘病皮痺隱軫不足病肺痺腎水逆連於肺母故也足少陰脉從腎上貫肝鬲入肺中故有餘病皮痺隱軫不足病肺痺也滑則病肺風疝濇則病積溲血以其正經入肺貫腎絡膀胱故為肺疝及積溲血也

太陰有餘病肉痺寒中不足病脾病脾主肉故如是滑則病脾風疝濇則病積心腹時滿太陰之脉入腹屬脾絡胃其支別者復從胃別上鬲注心中故為痺疝心腹時滿也陽明有餘病脈痺身時熱不足病心痺胃有餘則上鬲於心不足則心下痺故為足滑則病心風疝濇則病積時善驚心主之脉起於胷中出屬心包下鬲歷絡三焦故為心疝時善驚太陽有餘病骨痺身重不足病腎痺太陽與少陰為表裏故有餘不足皆病歸於腎也滑則病腎風疝濇則病積善時巔疾太陽之脉交於巔上入絡腦下循膂絡腎故為腎風及巔病也少陽有餘病筋痺脇滿不足病肝痺少陽與厥陰為表裏故病歸於肝

滑則病肝風疝，濇則病積，時筋急目痛。肝主筋，故時筋急。肝之脈上出額，與督脈會於巔，其支別者，從目系下頰裏，故目痛。是故春氣在經脈，夏氣在孫絡，長夏氣在肌肉，秋氣在皮膚，冬氣在骨髓中。帝曰：余願聞其故。岐伯曰：春者天氣始開，地氣始泄，凍解冰釋，水行經通，故人氣在脈。夏者經滿氣溢，入孫絡受血，皮膚充實。長夏者經絡皆盛，内溢肌中。秋者天氣始收，腠理閉塞，皮膚引急。引謂牽引，以縮急也。冬者蓋藏血氣在中，内著骨髓，通於五藏。是故邪氣者，常隨四時之氣血而入客也。至其變化，不可為度，然必從其經氣，辟除其邪，除其邪則亂氣不生。得氣而調，故不亂。帝曰：逆四時而生亂氣奈何？岐伯曰：春刺絡脈，血氣外溢，令人少氣。血氣溢於外，則中不足，故少氣。○新校正云：按自春刺絡脈至令人目不明，與診要經終論義同文異，彼注甚詳於此，彼分四時，此分五府然此有長夏刺肌肉之分而逐時各關刺秋分之事疑此肌肉之分即彼秋皮膚之分也春刺肌肉血氣環逆令人上氣血逆氣上故上氣○新校正云按經闕春刺秋分春刺筋骨血氣內著令人腹脹內著不散故脹夏刺經脈血氣乃竭令人解㑊血氣竭少故解㑊然不可名之也㑊謂寒不寒熱不熱壯不壯弱不弱故不可名之也夏刺肌肉血氣內却令人善恐却閉也血氣內閉則陽氣不通故善恐夏刺筋骨血氣上逆令人善怒血氣上逆則怒氣相應故善怒○新校正云按經闕夏刺秋分秋刺經脈血氣上逆令人善忘血氣上逆滿於肺中故善忘秋刺絡脈氣不外行新校正云按別本作血氣不行全元起本作氣不衛外太素同令人臥不欲動以虛甚故○新校正云按經闕秋刺長夏分秋刺筋骨血氣內散令人寒慄血氣內散則中氣虛故寒慄冬刺經脈血氣皆脫令人目不明以血氣無所營故也冬刺絡脈內氣外泄留為大痹冬刺肌肉陽氣竭絕令人善忘陽氣不壯至春而竭故善忘○新校正云按經闕冬刺秋分

凡此四時刺者大逆之病新校正云按全元起本作大經之病不可不從也反之則生亂氣相淫病焉謂不欲也不從而行逆淫相榮而生病也故刺不知四時之經病之所生以從為逆正氣內亂與精相薄必審九候正氣不亂精氣不轉不轉謂不逆轉也帝曰善刺五藏中心一日死其動為噫新校正云按診要經終論曰中心者環死刺禁論曰一日死其動為噫中肝五日死其動為語新校正云按診要經終論闕而不論刺禁論曰中肝五日死其動為語◯新校正云按甲乙經語作欠中肺三日死其動為欬診要經終論曰中肺五日死刺禁論曰中肺三日死其動為欬中腎六日死新校正云按甲乙經作三日其動為嚏欠診要經終論曰中腎七日死刺禁論曰中腎六日死其動為嚏◯新校正云按甲乙經無欠字中脾十日死新校正云按甲乙經作十五日其動為吞診要經終論曰中脾五日死刺禁論曰中脾十日死其動為吞然此三論皆岐伯之言而死日動變不同傳之誤也刺傷人五藏必死其動則依其藏之所變候知其死也變謂氣動變也中心不王此並

※

※

為逆從重文也

○標本病傳論篇第六十五新校正云按全元起本在第二卷皮部論篇前

黃帝問曰病有標本刺有逆從奈何岐伯對曰凡刺之方必别陰陽前後相應逆從得施標本相移故曰有其在標而求之於標有其在本而求之於本有其在本而求之於標有其在標而求之於本故治有取標而得者有取本而得者有逆取而得者有從取而得者得病之情知治大體則逆從皆可施必中焉故知逆與從正行無問知標本者萬舉萬當道不疑惑識斷深明則無問於人正行皆當不知標本是謂妄行識殺福淺道未高深舉且見違故行多妄夫陰陽逆從標本之為道也小而大言一而知百病之害著之至也言別陰陽知逆順法明著見精微觀其所舉則小尋其所利則大以斯明之故言一而知百病之害少而多淺而博可以言一而知百也

言少可以貫多舉[illegible]可以料大者何以[illegible]明致非聖人之道孰能至於是耶故學之者猶可以[illegible]一而知百病也博太世以淺而知深察近而知遠言標與本易而勿及舉事揺深玄之非恩尺[illegible]以淺近而悉貫之[illegible]標本之道雖易可為言而世人識見無能及者治反為逆治得為從先病而後逆者治其本先逆而後病者治其本先寒而後生病者治其本先病而後生寒者治其本先熱而後生病者治其本先熱而後生中滿者治其標先病而後泄者治其本先泄而後生他病者治其本必且調之乃治其他病先病而後生中滿者治其標先中滿而後煩心者治其本人有客氣有同氣新校正云按全元起本同作固小大不利治其標小大利治其本本先病標後病必謹察之病發而有餘本而標之先治其本後治其標病發而不足標而本之先治其標後治其本本而標之謂有先病復有後病也以其有餘故先治

本後治其標也標而本之謂先發輕微緩者後[illegible]發重大急者以其不足故先治其標後治其本也[illegible]

間甚以意調之間謂多也甚謂少也多謂多形證而輕易少謂少形證而重難也以意調之謂審量標本不足有餘非謂捨法而以意妄為調之也

間者并行甚者獨行先小大不利而後生病者治其本并謂他脈共受邪氣而合病也獨謂一經受病而無異氣相參也并甚則相傳傳急則亦死

夫病傳者心病先心痛藏真通於心故心先痛一日而欬心火勝金傳於肺也肺在變動為欬故令三日脇支痛肺金勝木傳於肝也以其脈循脇肋故如是

五日閉塞不通身痛體重肝木勝土傳於脾也脾性安鎮木復乘之故閉塞不通身痛體重三日不已死以勝相伐唯弱是從五藏四傷豈其能久故為即死

冬夜半夏日中謂正子午之時也或言冬夏有異非也晝夜之半事甚昭然○新校正云按靈樞經大氣入藏病先發於心一日而之肺三日而之肝五日而之脾三日不已死冬夜半夏日中甲乙經日病先發於心心痛一日之肺而欬三日之肝肋支痛五日之脾閉塞不通身病体重三日不已死冬夜半更日中詳素問言其病靈樞言其藏甲乙經及并素問靈樞二經之文而病與藏兼舉之

肺病喘欬

義異高於肺而主息故喘欬三日而脇支滿痛肺傳於肝一日身重體痛
肝傳於脾五日而脹自傳於府十日不已死冬日入夏日出孟冬之中
日入於申之入刻二分仲冬之中日入於申之七刻三分季冬之中入於申與孟月等孟夏之中日出於寅之
入刻一分仲夏之中日出於寅之七刻三分季夏之中日出於寅與孟月等也肝病頭目眩脇
支滿藏真散於肝脉內連目脇故如是三日體重身痛肝傳於脾五日而脹
自傳於府三日腰脊少腹痛脛痠謂胃傳於腎以其脉起於足循腨內出膕內廉上股
內後廉貫脊屬腎絡膀胱故如是也腰爲腎之府故腰痛三日不已死冬日入新校正云
按甲乙經作日中夏早食日入早晏如冬法也早食謂早於食時則卯正之時也脾病身
痛體重藏真濡於脾而主肌肉故尒一日而脹自傳於府二日少腹腰脊
痛脛痠胃傳於腎三日背膂筋痛小便閉自傳於府及之膂也■音呂十
日不已死冬人定夏晏食人定謂申後二十五刻晏食謂寅後二十五刻腎病
少腹腰脊痛胻痠藏真下於腎故如是三日背膂筋痛小便閉自傳

夾府○新校正云按靈樞經云之䏶膀胱是自傳於府及之䏶也三日腹脹膀胱傳小腸○新校
正云按甲乙經三日上之心心脹三日兩脇支痛府傳於藏○新校正云按靈樞經云二日
之小腸三日上之心今云兩脇支痛是小腸府傳心藏而發痛也三日不已死冬大晨
夏晏晡大晨謂寅後九刻大明之時也晏晡謂申後九刻向昏之時也胃病脹滿以其脈循
腹故然是五日少腹腰脊痛胻痠胃傳於腎三日背䏶筋痛小便
閉自傳於府及之䏶也五日身體重膀胱水府傳於脾也○新校正云按靈樞經及甲乙經各
云五日上之心是膀胱傳心為相勝而身體重今王氏言傳脾者誤也六日不已死冬夜
半後夏日昳夜半謂子後八刻丑正時也日昳謂午後八刻未正時也昳徒結反膀胱
病小便閉以其為津液之府故尒五日少腹脹腰脊痛胻痠自歸於藏
一日腹脹腎復傳於小腸一日身體痛小腸傳於脾○新校正云按靈樞經云一日上
之心是府傳於藏也甲乙經作之脾與王注同二日不已死冬鷄鳴夏下晡鷄鳴
謂早鷄鳴丑正之分也下晡謂日下於晡時申之後五刻也諸病以次是相傳如是

者皆有死期不可刺五藏相移皆如此有緩傳者有急傳者緩者或一歲二歲三歲而死
其次或三月若六月而死急者一日二日三日四日或五六日而死則此類也尋此病傳之法皆五行之氣考
其日數理不相應夫以五行為紀以不勝之數傳於所勝者謂火傳於金當云一日金傳於木當云二日木傳
於土當云四日土傳於水當云三日水傳於火當云五日也若以已勝之數傳於不勝者則木三日傳於土土
五日傳於木水一日傳於火火二日傳於金金四日傳於木經之傳日以法三陰三陽之氣玉機真藏論曰五
藏相通移皆有次不治三月若六月若三日若六日傳而當死此與同也辨尒殺害臨病詳視日數方悉是非
間一藏止新校正云按甲乙經無止字及至三四藏者乃可刺也間一
藏止者謂隔過前一藏而不更傳也則謂木傳土土傳水水傳火火傳金金傳木而止皆間隔一藏也及至二
四藏者皆謂至前第三第四藏也諸至三藏者皆是其已不勝之氣也至四藏者皆至已於生之父母也不勝
則不能為害於彼所金則父子無剋伐之期氣順以行故刺之可矣

新刊補註釋文黄帝内經素問卷之十

○天元紀大論篇第六十六

黄帝問曰：天有五行御五位，以生寒暑燥濕風；人有五藏化五氣，以生喜怒思憂恐。御謂臨御，化謂主化也。天眞之氣無所不周，器象雖殊，參應一也。○新校正云：按陰陽應象大論云喜怒悲憂恐，二論不同者，思者脾也，四藏皆受成焉，悲者勝怒也，二論所以互相成也。論言五運相襲而皆治之，終朞之日，周而復始，余已知之矣，願聞其與三陰三陽之候，奈何合之？論謂六節藏象論也。運謂五行應天之五運，各周三百六十五日而為紀者也。故曰終朞之日，周而復始也。以六合五，數未參同，故問之也。

鬼臾區稽首再拜對曰：昭乎哉問也！夫五運陰陽者，天地之道也，萬物之綱紀，變化之父母，生殺之本始，神明之府也，可不通乎？道謂化生之道。綱紀謂生長化成收藏之綱紀也。父母謂萬物形之先也。本始謂生殺皆因而有之也。夫有形稟氣而不為五運陰陽之所攝者，未之有也所以造化不極能爲萬物生化之元始者何也以其是神明之府故也然合散不測生化無窮非神明運爲無能介也○新校正云詳陰陽者至神明之府也與陰陽應象大論云而兩論之註頗異耳故物生謂之化物極謂之變陰陽不測謂之神神用無方謂之聖所謂化變聖神之道也化施化也變散易也神無期也聖無思也氣之施化故曰生氣之散易故曰極無期稟候故曰神無思測量故曰聖由化與變故萬物無能逃五運陰陽由聖與神故衆妙無能出幽玄之理深乎妙用不可得而稱之○新校正云按六微旨大論云物之生從於化物之極由乎變變化之相薄成敗之所由也又五常政大論云氣始而生化氣散而有形氣布而蕃育氣終而象變其致一也夫變化之爲用也應萬化之用也在天爲玄玄遠也天道玄遠變化無窮傳曰天道遠人道通在人爲道道謂妙用之道也經術政化非道不成在地爲化化謂生化也生萬物者也非土氣孕育則形質不成化生五味金石草木根葉華實酸苦甘淡辛鹹皆化氣所生隨時而有道生智智通妙用唯道所生玄生神玄遠幽深故生神也神之爲用觸遇玄通契物化成無不應也神在天爲風風者教之始天之使也天之號令也在地爲木東方之化在[illegible]

熱應火為用在地為火南方之化在天為濕應土為用在地為土中央之化在天為燥應金為用在地為金西方之化在天為寒應水為用在地為水北方之化神之為用如上五化木為風所生火為熱所熾金為燥所發水為寒所資土為濕所全蓋初因而成立也雖初因之以化成卒因之以敗散尒豈五行之獨有是哉凡因所因而成立者悉因所因而散落尒○新校正云詳在天為玄至此與陰陽應象大論及五運行大論文重注頗異故在天為氣在地成形氣謂風熱溫燥寒形謂木火土金水形氣相感而化生萬物矣此造化生成之大紀然天地者萬物之上下也天覆地載上下相臨萬物化生無遺略也由是故萬物自生自長自化自成自盈自虛自復自變也夫變化者何謂生之氣極本而更始化也孔子曰曲成萬物而不遺左右者陰陽之道路也天有六氣御下地有五行奉上當歲者為上主司天承歲者為下主司地不當歲者二氣居右北行轉之二氣居左南行轉之金木水火運北面正之常左為右右為夫對左者南行右者北行而反也○新校正云詳上下左右之說義具五運行大論中水火者陰陽之徵兆也徵信也驗也兆先也以水火之寒熱彰信陰陽之先兆也金木者生

成之終始也木主發生應春春爲生化之始金主收斂應秋秋爲成實之終終始不息其化常行故萬物生長化成收藏自久○新校正云按陰陽應象大論曰天地者萬物之上下也陰陽者血氣之男女左右者陰陽之道路水火者陰陽之徵兆陰陽者萬物之能始也與此論相出入也氣有多少形有盛衰上下相召而損益彰矣氣有多少謂天之陰陽三等多少不同秩也形有盛衰謂五運之氣有大過不及也由是少多盛衰天地相召而陰陽損益昭然彰著可見也○新校正云詳陰陽三等之義具下文注中

帝曰願聞五運之主時也何如時四時也鬼臾區曰五氣運行各終朞日非獨主時也一運之日終三百六十五日四分度之一乃易之非主一時當其王相囚死而爲絕法也氣交之內迢然而別有之也

帝曰請聞其所謂也鬼臾區曰臣積考太始天元冊文曰天元冊所以記天眞元氣運行之紀也自神農之世鬼臾區十世祖始誦而行之此大古占候靈文洎乎伏羲之時已鐫諸玉版命曰冊文大古靈文故命曰大始天元冊也○新校正云詳今世有天元玉冊或者以謂即此大始天元冊文非是鐫子泉切

大虛寥廓肇基化元大虛謂空玄之境眞氣之所充神明之宮

[illegible][illegible]眞氣指微無遠不至故能爲生化之本始運氣之眞元矣肇始也基本也化**萬物資始五運終天**五運謂木火土金水運也終天謂一歲三百六十五日四分度之一也終始更代周而復始也言五運更統於太虛四時隨部而遷復六氣分居而主萬物因之以化生非曰自然其誰能始故曰萬物資始易曰大哉乾元萬物資始乃統天雲行雨施品物流形孔子曰天何言哉四時行焉百物生焉此其義也**布氣眞靈總統坤元**太虛眞氣無所不至也氣齎生有故稟氣含靈者抱眞氣以生焉總統坤元言天元氣常司也氣化生之道也易曰至哉坤元萬物資生乃順承天也**九星懸朗七曜周旋**九星上古之時也上古世質人淳歸眞返朴九星懸朗五運齊宣中古道德稍衰標星藏曜故計星之見者七焉九星謂天蓬天內天衝天輔天禽天心天任天柱天英此蓋從標而爲始遁甲式法今猶用焉七曜謂日月五星今外蕃多以此曆爲舉動吉凶之信也周謂周天之度旋謂左循天度而行五星之行猶各有進退高下小大矣**曰陰曰陽曰柔曰剛**陰陽天道也柔剛地道也天以陽生陰長地以柔化剛成也易曰立天之道曰陰與陽立地之道曰柔與剛此之謂也**幽顯既位寒暑弛張**幽顯既位言人神各得其序寒暑弛張言陰陽不失其宜也人神各守所居無相干犯陰陽不失其序句

得其宜天地之道且然人神之理亦猶也○新校正云按至真要大論云幽明何如岐伯曰兩陰交盡故曰幽
兩陽合明故曰明幽明之配寒暑之異也生生化化品物咸章上生謂生之有情有識之
類也下生謂生之無情無識之類也上化謂形容彰顯者也下化謂蔽匿形容者也有情有識彰顯形容天氣
主之無情無識蔽匿形質地氣主之稟元靈氣之所化育爾易曰天地絪縕萬物化醇斯之謂歟臣斯十
世此之謂也傳習斯文至鬼臾區十世于茲不敢失墜帝曰善何謂氣有多
少形有盛衰鬼臾區曰陰陽之氣各有多少故曰三陰
三陽也由氣有多少故隨其升降分為二別也○新校正云按至真要大論云陰陽之三也何謂岐伯
曰氣有多少異用王冰云大陰為正陰大陽為正陽次少者為少陰次少者為少陽又次為陽明又次為厥陰
形有盛衰謂五行之治各有大過不及也大過有餘也不及不足也
氣至不足大過迭之氣至大過不足隨之天地之氣虧盈如此故云形有盛衰也故其始也有
餘而往不足隨之不足而往有餘從之知迎知隨氣可
與期言虧盈無常互有勝負爾始謂甲子歲也六微旨大論曰天氣始於甲地氣始於子子甲相合命曰

立此之謂也則始甲子之歲三百六十五日所向之氣當不足也次而推之終六甲也故有餘已則不足不足已則有餘亦有歲運非有餘非不足者蓋以同天地之化也若餘已復餘少已復少則天地之道變常而災害作皆疾生矣○新校正云按六微旨大論云木運臨卯火運臨午土運臨四季金運臨酉水運臨子所謂歲會氣之平也又按五常政大論云委和之紀上角與正角同上商與正商同上宮與正宮同伏明之紀上商與正商同卑監之紀上宮與正宮同上角與正角同從革之紀上商與正商同上角與正角同涸流之紀上宮與正宮同赫曦之紀上羽與正徵同堅成之紀上徵與正商同又六元正紀大論云不及而加同歲會已前者歲並為正歲氣之平也今王注以同天之化為非有餘不足者非也

應天為天符承歲為歲直三合為治

應天謂木運之歲上見厥陰火運之歲上見少陽少陰土運之歲上見太陰金運之歲上見陽明水運之歲上見太陽此五者天氣下降如合符運故曰應天為天符也承歲謂木運之歲歲當亥卯火運之歲歲當寅午土運之歲歲當辰戌丑未金運之歲歲當巳酉水運之歲歲當申子此五者歲之所直故曰承歲為歲直也三合謂火運之歲上見少陰年辰臨午土運之歲上見太陰年辰臨丑未金運之歲上見陽明年辰臨酉此三者天氣運氣與年辰俱會故云三合為治也歲直亦曰歲位三合亦為天符六微旨言

大論曰天符歲會曰太一天符謂天運與歲俱會也○新校正云按天符歲會之詳具六微旨大論中又詳火運上少陰年辰臨午即戊午歲也土運上太陰年辰臨丑未即己丑己未歲也金運上陽明年辰臨酉即乙酉歲也

帝曰上下相召奈何鬼臾區曰寒暑燥濕風火天之陰陽也三陰三陽上奉之

太陽爲寒少陽爲暑陽明爲燥太陰爲濕厥陰爲風少陰爲火皆其元在天故曰天之陰陽也

木火土金水火地之陰陽也生長化收藏下應之

木初氣也火二氣也相火三氣也土四氣也金五氣也水終氣也以其在地應天故云下應也氣在地故曰地之陰陽也○新校正云按六微旨大論曰地理之應六節氣位何如岐伯曰顯明之右君火之位退行一步相火治之復行一步土氣治之復行一步金氣治之復行一步水氣治之復行一步木氣治之此即木火土金水火地之陰陽之義也

天以陽生陰長地以陽殺陰藏

生長者天之道藏殺者地之道天陽主生故以陽生陰長地陰主殺故以陽殺陰藏天地雖高下不同而各有陰陽之運用也○新校正云詳此經與陰陽應象大論文重注頗異

天有陰陽地亦有陰陽

天有陰故能下降地有陽故能上騰是以各有陰陽也陰陽交泰故化變由之成也

木火土金

水火地之陰陽也生長化收藏故陽中有陰陰中有陽陰陽之氣極則過亢故各兼之陰陽應象大論曰寒極生熱熱極生寒又曰重陰必陽重陽必陰言氣極則變也故陽中兼陰陰中兼陽易之卦離中虛坎中滿此其義象也所以欲知天地之陰陽者應天之氣動而不息故五歲而右遷應地之氣靜而守位故六朞而環會天有六氣地有五位天以六氣臨地地以五位承天蓋以天氣不加君火故也以六加五則五歲而餘一氣故遷一位若以五承六則常六歲乃備盡天元之氣故六年而環會所謂周而復始也地氣左行往而不返天氣東轉常自火運數五歲已其次氣正當君火之上法不加臨則右遷君火氣上以臨相火之上故曰五歲而右遷也由斯動靜上下相臨而天地萬物之情變化之兆可見矣動靜相召上下相臨陰陽相錯而變由生也天地之道變化之微其由是矣孔子曰天地設位而易行乎其中此之謂也□新校正云按五運行大論云上下相遘寒暑相臨氣相得則和不相得則病又云上者右行下者左行左右周天餘而復會帝曰上下周紀其有數乎鬼臾區曰天以六為節地以五為制周天氣者六

朞為一備終地紀者五歲為一周六節謂六氣之分五制謂五位之分位應
一歲氣統一年故五歲為一周六年為一備備謂備歷天氣周謂周行地位所以地位六而言五者天氣不臨
君火故也君火以明相火以位君火在相火之右但立名於君位不立歲氣故天之以氣
不偶其氣以行君火之正守位而奉天之命以宣行火令尔以名奉天故曰君火以名守位禀命故曰相火以
位五六相合而七百二十氣為一紀凡三十歲千四百
四十氣凡六十歲而為一周不及太過斯皆見矣歷法一氣
十五日因而乘之積七百二十氣即三十年積千四百四十氣即六十年也經云有餘而往不足隨之不足而
往有餘從之故六十年中不及太過斯皆見矣〇新校正云按六節藏象論云五日謂之候三候謂之氣六氣
謂之時四時謂之歲而各從其主治焉五運相襲而皆治之終朞之日周而復始時立布氣如環無端候亦同
法故曰不知年之所加氣之盛衰虛實之所起不可為工矣帝曰夫子之言上終天
氣下畢地紀可謂悉矣余願聞而藏之上以治民下以
治身使百姓昭著上下和親德澤下流子孫無憂傳之

後世無有終時可得聞乎安不忘危存不忘亡大聖之至教也求民之瘼恤民之隱大聖之深仁也鬼臾區曰至數之機迫迮以微其來可見其往可追敬之者昌慢之者亡無道行私必得天殃謂傳非其人授於情狎及寄求名利者也謹奉天道請言真要申誓戒於君主乃明言天道至真之要旨也帝曰善言始者必會於終善言近者必知其遠數術明著應用不差故遠近於言始終無謬是則至數極而道不惑所謂明矣願夫子推而次之令有條理簡而不匱久而不絕易用難忘為之綱紀至數之要願盡聞之簡省要也匱乏也久遠也要樞紐也鬼臾區曰昭乎哉問明乎哉道如鼓之應桴響之應聲也桴鼓推也響應聲也臣聞之甲己之歲土運統之乙庚之歲金運統之丙辛之歲水運統之丁壬之歲木運統之戊癸之歲火運統之大始天地初分之時陰陽析位之際天分五氣地列五行一行定位布政於四方五

氣分流歲支於十干當是黃氣橫於甲己白氣橫於乙庚黑氣橫於丙辛青氣橫於丁壬赤氣橫於戊癸故甲
已應土運乙庚應金運丙辛應水運丁壬應木運戊癸應火運大古聖人望氣以書天冊賢者謹奏以紀天元
下論文義備矣○新校正云詳運有太過不及平氣甲庚丙壬戊主大過乙辛丁癸己主不及大法如此取平
氣之法其說不一具如諸篇帝曰其於三陰三陽合之奈何鬼臾區
曰子午之歲上見少陰丑未之歲上見太陰寅申之歲
上見少陽卯酉之歲上見陽明辰戌之歲上見太陽巳
亥之歲上見厥陰少陰所謂標也厥陰所謂終也標謂上首
也終謂當三甲六甲之終○新校正云詳午未申酉戌亥之歲爲正化正司化令之實子丑寅卯辰巳之歲爲
對化對司化令之虛此其大法也厥陰之上風氣主之少陰之上熱氣
主之太陰之上濕氣主之少陽之上相火主之陽明之
上燥氣主之太陽之上寒氣主之所謂本也是謂六元
三陰三陽爲標寒暑燥濕風火爲本故云所謂本也天真元氣分爲六化以統坤元生成之用徵其應用則六

不同其所生則要是與元氣一氣故曰元也○新校正云按別本天元作天元帝曰光乎哉道明乎哉論請著之玉版藏之金匱署曰天元紀

○五運行大論篇第六十七

黃帝坐明堂始正天綱臨觀八極考建五常明堂布政之宮也八極八方目極之所也考謂考校建謂建立也五常謂五氣行天地之中者也端居正氣以候天和請天師而問之曰論言天地之動靜神明為之紀陰陽之升降寒暑彰其兆新校正云詳論謂陰陽應象大論及氣交變大論文彼云陰陽之往復寒暑彰其兆余聞五運之數於夫子夫子之所言正五氣之各主歲耳首甲定運余因論之鬼臾區曰土主甲己金主乙庚水主丙辛木主丁壬火主戊癸子午之上少陰主之丑未之上太陰主之寅申之上少陽主之卯酉之上陽明主之辰戌之上太陽主之巳亥之上厥陰主之不合陰

陽其故何也首甲謂六甲之首甲甲子年也歧伯曰是明道也此天地之陰陽也上古聖人仰觀天象以正陰陽夫陰陽之道非不昭然而人睹宗言象其本者紀百端數設從是而生黃帝將至理奥宗敎問語壽庶念緣度故啓問曰天師弟道出發與要非發壽哉得上日是明哉也此天地之陰陽也陰陽其曰甲己合乙庚合丙辛合丁壬合戊癸會蓋取聖人象數天象之義不禁則十干之邑各在一方微其諸合事亦害問也可遠哉百姓日冊所不知令故大上立言曰吾言甚易知甚易行天下莫能知莫能行此其要也○諸養正云許金主乙亥者乙者庚之要庚者乙之用大新言之陰與陽而言之夫與好是明乘之事也餘並始此夫數之可數者人中之陰陽也然所合數之可得者也夫陰陽者數之可十推之可百數之可千推之可萬天地陰陽者不以數推以象之謂也言智識爲從不見源由雖亦指賜達其知猶近得其元始推其非治帝曰願聞其所始也歧伯曰昭乎哉問也臣覽太始天元冊文丹天之氣經于牛女戊分黅天之氣經于心尾已分蒼天之氣經于危

室柳鬼素天之氣經于亢氐昴畢玄天之氣經于張翼婁胃所謂戊己分者奎壁角軫則天地之門戶也戊土屬乾己土屬巽遁甲經曰六戊爲天門六己爲地戶晨暮占以西北東南義取此雨爲土用濕氣生之故此古焉夫候之所始道之所生不可不通也帝曰善論言天地者萬物之上下左右者陰陽之道路未知其所謂也論謂天元紀及陰陽應象論也岐伯曰所謂上下者歲上下見陰陽之所在也左右者諸上見厥陰左少陰右大陽見少陰左大陰右厥陰見大陰左少陽右少陰見少陽左陽明右大陰見陽明左太陽右少陽見大陽左厥陰右陽明所謂面北而命其位言其見也面向北而言之也上南也下北也左西也右東也帝曰何謂下岐伯曰厥陰在上則少陽在下左陽明右大陰少陰在上則陽明在下左大陽右少陽大陰在上則

大陽在下左厥陰右陽明少陽在上則厥陰在下左少陰右大陽陽明在上則少陰在下左大陰右厥陰大陽在上則大陰在下左少陽右少陰所謂面南而命其位言其見也主歲者位在南故面北而言其左右在下者位在北故面南而言其左右也上天位也下地位也面南左東也右西也上下異而左右殊也上下相遘寒暑相臨氣相得則和不相得則病木火相臨金水相臨水木相臨火土相臨土金相臨為相得也木土相臨土水相臨水火相臨火金相臨金木相臨為不相得也上臨下為順下臨上為逆亦鬱抑而病生土臨相火君火之類者也帝曰氣相得而病者何也岐伯曰以下臨上不當位也六位相臨假令土臨火火臨木木臨水水臨金金臨土皆為以下臨上不當位也父子之義子為下父為上以子臨父不亦逆乎帝曰動靜何如言天地之行左右也岐伯曰上者右行下者左行左右周天餘而復會也上天也下地也周天謂天周地五行之位也天垂六氣地布五行天順地而左迴地承天而東轉木運之後天氣常餘餘氣不加於君火

[illegible]遷一步加臨相火之上是以每五歲已過一地而有[illegible]政已左右周天旋行復會會遇也合也言天地之遊
[illegible]一歲畢則以餘氣遷加復與五行座位再相會合一紀歲法也周天謂天周地位非周天之六氣也帝
曰余聞鬼臾區曰應地者靜今夫子乃言下者左行不
知其所謂也願聞何以生之乎詰異也新校正云按鬼臾區言應地者靜見
天元紀大論中岐伯曰天地動靜五行遷復雖鬼臾區其上候
而已猶不能徧明不能徧明無求備也夫變化之用天垂象地成
形七曜緯虛五行麗地地者所以載生成之形類也虛
者所以列應天之精氣也形精之動猶根本之與枝葉
也仰觀其象雖遠可知也觀五星之東轉則地體左行之理昭然可知也麗著也有
形之物未有不依據物而得全者也帝曰地之為下否乎言轉不居為下乎為否乎岐
伯曰地為人之下大虛之中者也言人之所居可謂下矣徵其至理則是大
虛之中一物爾易曰坤厚載物德合無疆此之謂也帝曰馮乎言大虛無礙地體何馮而止住馮扶

水反音汝岐伯曰大氣舉之也大氣謂造化之氣任持大虛者也所以大虛不屈地
久天長者蓋由造化之氣任持之也氣化而變不任持之則大虛之器亦敗壞矣夫落葉飛空不疾而下爲其
乘氣故勢不得速焉凡之有形處地之上者皆有生化之氣任持之也然器有大小不同壞有遲速之異及至
氣不任持則大小之壞一也燥以乾之暑以蒸之風以動之濕以潤
之寒以堅之火以溫之故風寒在下燥熱在上濕氣在
中火遊行其間寒暑六入故令虛而化生也地體之中凡有六入
一曰燥二曰暑三曰風四曰濕五曰寒六曰火受燥故乾性生焉受暑故蒸性生焉受風故動性生焉受濕故
潤性生焉受寒故堅性生焉受火故溫性生焉此謂天之六氣也故燥勝則地乾暑勝
則地熱風勝則地動濕勝則地泥寒勝則地裂火勝則
地固矣大氣之用帝曰天地之氣何以候之岐伯曰天地之
氣勝復之作不形於診也言平氣及勝復皆以形證觀察不以診知也脈法
曰天地之變無以脈診此之謂也天地以氣不以位故不當以脈知之帝

曰間氣何如岐伯曰隨氣所在期於左右於左右尺寸四部分位承
之以知應與不應過與不過也帝曰期之奈何岐伯曰從其氣則和違
其氣則病謂當沉不沉當浮不浮當濇不濇當鉤不鉤當弦不弦當大不大之類也○新校正云按
至真要大論云厥陰之至其脉弦少陰之至其脉鉤大陰之至其脉沉少陽之至大而浮陽明之至短而濇大
陽之至大而長至而和則平至而甚則病至而反者病至而不至者病未至而至者病陰陽易者危不當
其位者病見於他位也迭移其位者病謂左見右脉右見左脉氣差錯故尒失
守其位者危已見於他鄉本宮見賊殺之氣故病危尺寸反者死子午卯酉四歲
有之反謂歲當陰在寸脉而反見於尺歲當陽在尺而脉反見於寸尺寸俱乃謂反也若尺獨然或寸獨然是
不應氣非反也陰陽交者死寅申亥巳丑未辰戌八年有之交謂歲當陰在右脉反見左歲當陽
在左脉反見右左右交見是謂交若左獨然或右獨然是不應氣非交也先立其年以知其
氣左右應見然後乃可以言死生之逆順經言歲氣備矣○新校正
云詳此備六元正紀大論中帝曰寒暑燥濕風火在人合之奈何其

於萬物何以生化？合謂中外相應，生謂承化而生，化謂成立衆象也。岐伯曰：東方生風，東者日之初，風者教之始，天之使也，所以發號施令，故生自東方也。景霽山昏，蒼埃際合，崖谷若一，巖岫之風也。黃白昏埃，晚空如堵，獨見天垂，川澤之風也。加以黃黑白埃承下，山澤之猛風也。風生木，陽升風鼓，草木敷榮，故曰風生木也。此和氣之生化也。若風氣施化，則飄揚敷拆；其為變極，則木拔草除也。運乘丁卯、丁丑、丁亥、丁酉、丁未、丁巳之歲，則風化不足；若乘壬申、壬午、壬辰、壬寅、壬子、壬戌之歲，則風化有餘於萬物也。○新校正云：詳王注以丁壬分運之有餘不足，或者以丁卯、丁亥、丁巳、壬申、壬寅五歲為天符、同天符、三歲會，非有餘不足，為平木運，以王注為非。是不然，大統也，必攴細分，雖除此五歲，亦未為盡。下文太土金水運等並同此。木生酸，萬物味酸者，皆說自木氣之本化也。酸生肝，酸味入胃，生養於肝藏。肝生筋，酸味入肝，自肝藏布化，生成於筋膜也。筋生心，酸氣榮養筋膜，畢已，自筋流化，乃入於心。其在天為玄，玄謂玄冥也。丑之終，東方白；寅之初，天色反黑。大虛皆闇，在天為玄象可見。○新校正云：詳在天為玄至化生氣七句，通言六氣五行生化之大由，非東方獨有之也。而王注玄謂丑之終、寅之初天色黑，則專自在東方，不與諸方，此位未通。在人為道，五理之道，生養之政化也。在

地為化化生化也有生化而有物萬物無非化氣以生成者化生五味[illegible]

夫果根莖枝葉花根實穀之類皆地化生也樸道生智智正則王者知也[illegible]

則不法於意以道而處物獨七智正恒怒日因意而處物獨七智玄生神神用莫測[illegible]

移陰陽之能明由是則玄冥之中明操機意而不見玄生神明也化生氣[illegible]介毛倮羽五[illegible]

變化內藏神機為五味所然其生化則其及化生氣也上七句道五言五行生之大非[illegible]

東方生之也〇新校正云按陰陽應象大論謂及天元紀大論無化生氣一句陰陽應象大論[illegible]神在天為

風[illegible]折風之化也振發摧拔風之用也散[illegible]陰在上則風化於天陰在下則風行於地在地

為木[illegible]在體為筋[illegible]之屬

在氣為柔[illegible]在藏為肝[illegible]木

甲拆之象也各[illegible]

其性為暄[illegible]其德為和[illegible]

[illegible]其用為動[illegible]

云按東之用為動火大過之政亦動蓋木火之主暴速故俱為動大其色為蒼有形之類乘木
之化則外色皆見薄青之色今東方之地草木之上色皆蒼遇丁歲則蒼物兼白及黃色不純也其化
為榮華美色也四時之中物見華榮顏色鮮麗者皆木化之所生也○新校正云按氣交變大論云其化
生榮其蟲毛萬物發生如毛在皮其政為散發散生氣於萬物○新校正云按氣交變大論
云其政舒啓詳木之政敵皆木之政發散木、過之政象圭不及之氣散金之用散落木之災崇藹所以為散
之異有大兩散之象雖二一謂發散之散是木之氣也二謂散落之散是金之氣所為也其令宣發
陽和之氣舒而散也其變摧拉摧拔成者也○新校正云按氣交變大論云其眚拔發其眚
為隕隕墜也大風暴起草泯木墜○新校正云按氣交變大論云其災散落眚所景及其味為
酸夫物之化之變而有酸味者皆木氣之所成敗也今東方之野生味多酸其志為怒
怒所以威物怒傷肝凡物之用極皆自傷也怒發於用而反傷肝藏悲勝怒悲怒
之信之○新校正云詳五常悲當為憂蓋憂傷意悲傷肺故云悲傷怒也風傷肝亦猶風之折大論
王於木而反折之用極而衰○新校一云陰陽應象大論云風傷筋燥勝風燥為

風餘則制之以燥肝盛則治之以涼涼清所行金之氣也酸傷筋酸寫肝氣寫則傷其氣靈樞經曰
酸走筋筋病無多食酸以此[illegible]謂宣行其氣[illegible][illegible]肉骨同○新校正云詳註[illegible]
[illegible]宣明五氣篇[illegible]文[illegible]甲乙經云[illegible]為素問王注云靈樞經者[illegible]辛勝酸辛金味故勝木之酸餘
故勝之以辛也南方生熱陽盛所生相火君火之政也太虛昏翳其若輕塵山川悉然熱之氣也大
明不彰其色赤[illegible]熱之氣也[illegible][illegible]炎爍[illegible]作[illegible]作施生谷之熱也熱生火熱甚之氣火運
盛明故曰熱生火火者盛陽之生也熱氣[illegible]化則癸暑鬱燠其為蕃極則為灼焫[illegible]運乘癸[illegible]癸[illegible]癸巳癸
酉癸卯癸亥歲則熱化不足[illegible]乘戊辰戊寅戊子戊戌戊申戊午歲則熱化有餘火有君火相火故曰熱生火
[illegible]云之也火生苦[illegible]物之[illegible]苦[illegible]皆始自火之生化也[illegible][illegible]熱則苦苦從火化其可證也苦
生心苦物入胃化入於心故諸癸歲則苦化少諸戊歲則苦化多心生血[illegible]心化已則布
化生血脈血生脾[illegible]來營血已自血流化生養脾也其在天為熱亦神[illegible]氣也[illegible]
[illegible]熱[illegible]之也炎赫沸騰熱之用也歲氣少陰少陰在上則熱化於天在下則熱行於地也在地為火
光顯炳明火之[illegible]也[illegible]焦然火之用也在體為脈流行血氣脈之[illegible]也壅遏營氣脈之用也[illegible]

同在氣為息息長也在藏為心心主形以知事引天真之氣神之

字也息君主之宮神明出焉乘心與經絡受邪而為病小陽亦徵則其性為暑暑熱也其

之氣性也其德為顯明顯見象先可取火之德也○新校正云按氣交變大論云其德彰顯其

用為躁火性躁動不寧定也其色為赤生化之務赤火化者之表備藏丹之色令南方之地

草木之上皆赤色象火之物咸黑炎白也其化為茂茂蕃盛也○新校正云按氣

變化大論云其化蕃茂其蟲羽參差長短象火之形其政為明明曜見之政火之

○新發正云按氣交變大論同云火之政明木之氣明火早而明同也者大

同明而于內實異明也其令鬱蒸鬱蒸盛熱也○新校正云按

其義未安按王注五常政大論云其令熱又注氣交變大論云熱

蒸謂未詳安不審何也○新校正云按五常政大論云其令鬱蒸

○新校正云按氣交變大論云其變炎爍其眚燔焫

火災也○新校正云按氣交變大論云其眚燔焫其味為苦物之化有

其志為喜喜傷心

發於心而反傷心亦由風之折木也過則氣竭故見傷也**恐勝喜**恐至則喜湿泯勝喜之理目擊道存恐則水之氣也**熱傷氣**天熱則氣伏不見人熱則氣促喘急熱之傷氣理亦可徵此皆謂大熱也小熱之氣猶生諸氣也陰陽應象大論云壯火散氣少火生氣此其義也**寒勝熱**寒勝則熱復陰盛則陽衰制熱以寒是求勝也**苦傷氣**大凡如此介苦之傷氣以其燥也若加以熱則傷者甚也何以明之發而氣從多則喘急此其信也苦寒之物偏服歲久益火滋甚亦傷氣也皆攻方治乃同少火反生氣也○新校正云詳此論所傷之旨有三東方曰風傷肝酸傷筋中央曰濕傷肉甘傷脾西方曰辛傷皮毛是自傷者也南方曰熱傷氣苦傷氣北方曰寒傷血鹹傷血是傷己所勝也西方曰熱傷皮毛是被勝傷己也凡此五方所傷之例有三若大素則俱云自傷焉**鹹勝苦**酒得鹽而解物理明然火苦之勢制以水鹹**中央生濕**中央土也高山土濕泉出地中水源山隈雲生岩谷則其象也夫性內蘊動而爲用則雨降雲騰中央生濕不遠言矣故壁祿記土潤溽暑特六月謂是也言辱**濕生土**濕氣內蘊土體乃全濕則土生乾則土死死則庶類凋喪生則萬物滋蕃然濕氣之化介濕氣施化則土宅而囊騰雨降其爲變熱則騰注土崩也是乘己巳己卯己丑己亥己酉己未之歲則濕化不足來甲子甲戌甲申甲午甲辰甲寅之歲則濕

化有餘也土生甘物之味甘者皆始自土之生化也甘生脾甘物入胃先入於脾故諸已成
則甘少化諸甲歲甘多化脾生肉甘味入脾自脾散布化長生脂肉肉生肺甘氣營肉己自
肉饒化乃生養肺藏也其在天為濕言神化也柔潤重澤濕之化也埃靄雲雨濕之用也歲氣
太陰在上則濕化於天太陰在下則濕化於地在地為土敦肅安鎮聚散復形群品以生土之體也
含垢匿穢靜而下民為變化母土之德也○新校正云詳注云靜而下民為土之德下民之義恐字誤也在
体為肉覆裹筋骨氣發其間肉之用也蹤容不隙中又否閉肉之動也在氣為充土氣施化
則萬物盈在藏為脾形象馬蹄內包胃脘象土形也經絡之氣交歸於中以營運真靈之氣意之舍
也言倉廩之官化物出焉柔已歲則脾及經絡受邪而為府○新校正云詳肝心肺腎四藏生各言府同病此
從不言胃府同者闕文也其性靜兼兼謂兼寒熱暄涼之氣也白虎通曰脾之為言并也謂四氣并
之也其德為濡津溫潤澤土之德也○新校正云按氣交變大論云其德溽蒸其用為化
化謂兼諸四化并已為五化所謂風化熱化燥化寒化周備物而為生長化成收藏也其色為黃
物乘土象則表見黔黃之色今中央之地草木之上皆兼黃色象臣南則雖色之物莫盡反黑[illegible]音今其

化為盈盈滿也土化所及則萬物盈滿○新校正云按氣交變大論云其化豐備其蟲倮

文早無毛介也其政為謐謐靜也土性安靜○新校正云按氣交變大論云其政安靜詳謐

术大運其政謐者蓋术大而土下手之故其政亦謐其令雲雨濕氣布化之所成其變

動注動反靜也地之動則土失坐風飄不正云也文則坦四變為土氣○新校正云按氣交變大下

其眚淫潰淫潰云滿其變氣交變大論云其災霖潰正其

論云其災霖潰○新校正云其味為甘甘物之化之養也化甘者加故味多甘土化之所生也其志為

思思以思慮為務也○新校正云按思思過則傷脾怒勝思思傷脾忘念則不可得其所

思慮而忘則不解以思忍也甚則不可其脾之嘉濕傷肉濕傷肉水濕勝則肉不知也甘傷脾

下去己疲則皆可知矣肉之變近可風勝濕風則燥濕濕勝則以土為風勝濕勝之以甘傷脾

本○新校正云按陰陽應象大論云甘傷肉酸勝甘甘勝則性傷脾以酸勝甘也西

方生燥陽氣已降陰氣復升氣爽風勁故生燥也燥氣所生天氣為金清切爽勁之氣也

所生萬物之生化也亦金氣所生氣之發也二氣之交也是為燥氣所生也此爽金氣乃燥之氣乃燥也

黃黃黑視下見滋無風自升從陰之陽如雲如霧迅散氣也亦金氣所生霜之氣也力谷川澤兩雨如容氣露建勁收殺或綿以尺不分此殺氣將用荼金氣行生運之氣也夫雨天霧和氣西起雲卷陽垂夫臺肅論燥呈西方義可徵也若西風大起木偃雲騰是為燥熱東孛氣不勝也故當復雨勞西方雨驟天之常霧宜有東風雨止也有西風復雨因南風適自晴觀是之為則氣言能復動有燥濕變化之氣不同其用矣由此明天地之氣以和為勝暴發奔驟氣所不勝則多為復也

燥生金

氣勁風切金鳴聲遠燥生之諸[illegible]所可和迄則燥化能令萬物堅定也燥之施化於物如是其為變也則天地慘悽肅殺氣行人志畏之卒大用落運乘乙丑乙卯乙巳乙未乙酉乙亥之歲則燥化不足乘庚子庚寅庚辰庚午庚申庚戌歲則燥化有餘燥氣不同生化畏也

金生辛

物之有辛味者皆始自金化之所成

辛生肺

辛物入胃先入於肺故諸乙歲則辛少化諸庚歲則辛多化

肺生皮毛

辛味入肺自肺藏亦化生養皮毛也

皮毛生腎

辛氣自入皮毛乃流化[illegible]氣入腎藏也

其在天為燥

許化也霧露清勁燥之化也肅殺凋零燥之用也歲陽明在上則燥化於天陽明在下則燥行於地

在地為金

從革堅剛金之性也紆君銛利金之用也○新校正云[illegible]

在體為皮毛

柔韌包裹皮毛之體也[illegible]皮毛之

□□氣為成物乘金化則堅成在藏為肺肺之形似人肩二布葉數小葉中有二十
四空行列以分布諸藏清濁之氣主藏魄也為相傅之官治節出焉乘乙歲則肺與經絡受邪而為病也大□
其性為涼涼清也肺之性也其德為清金以清涼為德化○新校正云按氣
交變大論云其德清潔其用為固固堅定也其色為白物乘金化則表彰縞素之色今
西方之野草木之上色皆報白乘乙歲則白色之物兼赤及蒼也其化為斂斂收也金化流行則
物體堅斂○新校正云按氣交變大論云其化緊斂詳金之化為斂而木不及之歲亦斂者蓋木不及而金勝
之故斂也其蟲介介甲也外被介甲金堅之象也其政為勁勁前銳也○新校正云按氣交
變大論云其政勁切其令霧露涼氣化生其變肅殺天地慘悽人所不喜則其象也其
眚蒼落青乾而凋落其味為辛夫物之化之變而有辛味者皆金氣之所離合也今西方
之野草木多辛其志為憂憂慮也思也○新校正云詳王注以憂為思有害於義按本論思為脾之
志憂為肺之志是憂非思明矣又靈樞經曰愁憂則閉塞而不行又云愁憂而不解則傷意者是則憂者愁也
非思也憂傷肺愁憂則氣閉塞而不行肺藏氣故憂傷肺喜勝憂神於則喜故喜勝憂熱

傷皮毛火有二別故此再舉熱傷之形證也火氣薄爍則物焦乾故熱氣盛則皮毛傷寒勝熱以陰消陽故寒勝熱○新校正云按大素作燥傷皮毛熱勝燥辛傷皮毛過節也辛熱又甚焉苦勝辛苦火味故勝金之辛北方生寒陽氣伏陰氣升政布而大行故寒生也大虛澄淨黑氣浮空天色黯然高空之寒氣也若氣似散麻本末皆黑微見川澤之寒氣也大虛清白空猶雪映遐邇一色山谷之寒氣也太虛白昏火明不翳如霧雨氣遐邇肅然北望色玄凝雰夜落此水氣所生寒之化也大虛凝陰白埃昏翳天地一色遠視不分此寒濕凝結雪之將至也地裂水冰河渠乾涸枯澤浮鹹木斂土堅是土勝水水不得自清水所生寒之用也寒生水寒資陰化水所由生此寒氣之生化令寒氣益化則水冰雪霧貝為癸逕則大凋冰堅運乘丙寅丙子丙戌丙申丙午丙辰之歲則寒熱大行乘辛未辛巳辛卯辛丑辛亥辛酉之歲則寒化少水生鹹物之有鹹味者皆迄自水化之所成結也水澤枯涸鹵鹹乃蕃滄海味鹹豈從水化則鹹因水產其事邪亦煎求味鹹近而可見鹹生腎鹹物入胃先歸[illegible]腎故詒丙歲鹹物[illegible]化諸辛成[illegible]物多化腎生骨髓鹹味入骨自腎藏布化生養骨髓髓生肝醎气自益[illegible]施乃流化生[illegible]入肝藏也其在天為寒神化也凝慘冰雪寒之[illegible]也凛冽霜雹寒之用也[illegible]

寒大陽在上則寒化於天大陽在下則寒行於地在地為水陰氣布化流於地中則為水泉澄澈
流衍水之体也漂蕩波溺水之用也在體為骨強幹堅勁骨之体也包裹髓腦骨之用也在氣
為堅柔耎之物遇寒則堅寒之化也在藏為腎腎藏有二形如豇豆相並而曲附於膂筋外有其性
脂裹裏白表黑主藏精也為作強之官伎巧出焉秉辛實則腎衰及經絡受邪而為病膀胱府同
為凜凜寒也腎之性也其德為寒水以寒為德化○新校正云按氣交變大論云其德凄滄
其用為本闕其色為黑物稟水成則表被玄黑之色今比方之野草木之上色皆兼黑秉辛
淺則黑色之苟兼黃及赤其化為肅肅靜也○新校正云按氣交變大論云其化清謐詳此之化為
肅而金之政大過者為肅平金之政勁肅金之變肅殺者何也蓋木之化齊者靜也金之政肅者肅殺也文辭
同而事異其蟲鱗鱗謂魚蛇之族類其政為靜水性澄凝而清淨○新校正云按氣交變
大論其政凝肅詳水之政為靜而平土之政安靜土大過之政亦為靜土不及之政亦為靜定水土異而靜同
者非同也水之靜清事也上之為安靜也其令本闕其變凝冽寒甚故致是○新校正云按氣
交變大論云其變凓冽其眚冰雹非時而有及暴過也○新校正云按氣交變大論云其災冰雪

[illegible]其味為鹹夫物之化之變而有鹹味者皆水化之所凝蓄也今北方川澤地多鹹鹵其志
為恐恐以遠禍恐傷腎恐甚動中則傷腎靈樞經曰恐懼而不解則傷精腎藏精故精傷而傷及
於腎思勝恐思見禍機故無憂恐思一作憂非也寒傷血腎勝心也寒甚血凝故傷血也燥
勝寒寒化則水冰燥用則物堅燥與寒兼故相勝也天地之化物理之常也鹹傷血味過於鹹
則咽乾引飲傷血之義斷可知乎甘勝鹹渴飲甘泉咽乾自已甘為土味故勝水鹹○新校正云詳
自上岐伯曰至此與陰陽應象大論同小有增損而注頗異五氣更立各有所先當其
歲時氣乃先也非其位則邪當其位則正先立運然後知非位與當位者也帝
曰病之生變何如岐伯曰氣相得則微不相得則甚木居
火位火居土位土居金位金居水位水居木位木居君位如是者為相得又木居水位水居金位金居土位土
居火位火居木位如是者雖為相得終以子僭居父母之位下陵上也為小逆也木居金土位火居金水位土
居水木位金居火木位水居火土位如是者為不相得故病甚也皆先立運氣及司天之氣則氣之所在相得
與不相得可知矣帝曰主歲何如岐伯曰氣有餘則制己所勝

而侮所不勝其不及則已所不勝侮而乘之已所勝輕而侮之木餘則制土輕忽於金以金氣不爭故木恃其餘而欺侮也又木少金勝土反侮木以木不及故土妄凌之也四氣率同侮謂侮慢而凌忽之侮反受邪或以已強盛或遇加衰微不度卑弱妄行凌忽雖侮而求勝故終必受邪侮而受邪寡於畏也受邪各謂受已所不勝之邪也然捨已宮觀適他鄉邦外強中乾邪勝真弱寡於敬畏由是納邪故曰寡於畏也○新校正云按六節藏象論云未至而至此謂太過則薄所不勝而乘所勝命曰氣淫至而不至此謂不及則所勝妄行而所生受病所不勝而薄之命曰氣迫即此之義也帝曰善

○六微旨大論篇第六十八

黃帝問曰嗚呼遠哉天之道也如迎浮雲若視深淵視深淵尚可測迎浮雲莫知其極深淵靜瑩而澄澈故視之可測其深淺浮雲飄泊而合散故迎之莫詣其邊涯言蒼天之象如淵可視行鱗介遷然之量尤諸其則其矣留久氣深其於遠往窮勿是謂矣○新校正云詳此文與後五運論重夫子數言謹奉天道余聞而

藏之心私異之不知其所謂也願夫子溢志盡言其事令終不滅久而不絕天之道可得聞乎（運化生成之道也）岐伯稽首再拜對曰明乎哉問天之道也此因天之序盛衰之時也帝曰願聞天道六六之節盛衰何也（六六之節經已啓問天師未敷其旨故重問之）岐伯曰上下有位左右有紀（上下謂司天地之氣二也[illegible]候左右四氣存歲之左右位）故少陽之右陽明治之陽明之右太陽治之太陽之右厥陰治之厥陰之右少陰治之少陰之右太陰治之太陰之右少陽治之此所謂氣之標蓋南面而待之也（標末也聖人南面而立以閱氣之至也）故曰因天之序盛衰之時移光定位正立而待之此之謂也（移光謂日[illegible]定位謂面南[illegible]）之少陽之上火氣治之中見厥陰陽明之上燥氣治之中見六

陰陽明西方金故上燥氣治之與太陰合故燥氣之下中見太陰也太陽之上寒氣治之中見少陰太陽北方水故上寒氣治之與少陰合故寒氣之下中見少陰也○新校正云按六元正紀大論云太陽所至為寒生中為溫與此義同厥陰之上風氣治之中見少陽厥陰東方木故上風氣治之與少陽合故風氣之下中見少陽也少陰之上熱氣治之中見大陽少陰東南方君火故上熱氣治之與大陽合故熱氣之下中見大陽也○新校正云按六元正紀大論云少陰所至為熱生中為寒與此義同大陰之上濕氣治之中見陽明大陰西南方土故上濕氣治之與陽明合故濕氣之下中見陽明也所謂本也本之下中之見也見之下氣之標也本謂元氣也氣則為主則文言著矣○新校正云詳注云文言著矣疑誤本標不同氣應異象本者應之元標者病之始病生形用求之標方施其用求之本標本不同求之中見法萬全○新校正云按至真要大論云六氣標本不同氣有從本者有從標本者有不從標本者少陽大陰從本少陰大陽從本從標陽明厥陰不從標本從乎中也從本者化生於本從標本者有標本之化從中者以中氣為化

帝曰其有至而至有至而不

至有至而太過何也皆謂天之六氣也初之氣起於立春前十五日餘二三四五終氣次至而分治六十日餘八十七刻半岐伯曰至而至者和至而不至來氣不及也未至而至來氣有餘也時至而氣至和平之應此則為平歲也假令甲子歲氣有餘於癸亥歲未當至之期先時而至也乙丑歲氣不及於甲子歲當至之期後時而至也故曰來氣不及來氣有餘也言初氣之至期如此歲氣有餘六氣之至皆先期歲氣不及六氣之至皆後期先時後至後時先至各差十三日而應也○新校正云按金匱要略云有未至而至有至而不至有至而不去有至而太過冬至之後得甲子夜半少陽起少陽之時陽始生天得溫和以未得甲子天因溫和此為未至而至也以得甲子而天未溫和此為至而不至也以得甲子而天大寒不解此為至而不去以得甲子而天溫如盛夏時此為至而太過此亦論氣應之一端也帝曰至而不至未至而至何如言太過不及歲當至晚至早之時應也岐伯曰應則順否則逆逆則變生變生則病當期為應愆時為否天地之氣生化不息無止礙也不應有而有應有而不有是造化之氣失常失常則氣變變常則氣血紛撓而為病也天地變而失常則萬物皆病帝曰善請言其應岐伯

物生其應也氣脈其應也

物之生榮有常時脈之至有常期有餘歲早不及歲晚皆依期至也

帝曰善願聞地理之應六節氣位何如岐伯曰顯明之右君火之位也

日出謂之顯明則卯地氣分春也自春分後六十日有奇斗建卯正至于巳正君火位也自斗建巳正未之中

君火之右退行一步相火治之

三之氣分相火治之所謂少陽也君火之位所謂少陰熱之分也天度至此暄淑大行居熱之分不行炎暑君之德也少陽居之為僭逆大熱早行疫癘洒生陽明居之為溫涼不時大陽居之為寒雨間熱厥陰居之為風雨生風起少陰居之為天下疵疫以其得位君令宣行故也太陰居之為時雨火有二位故以君火為六氣之始也相火則夏至日前後各三十日也少陽之分火之位矣天度至此炎熱大行少陽居之為熱暴至草萎河乾炎亢濕化晚布陽明居之為涼氣間發大陽居之為寒氣間至熱爭冰雹厥陰居之為風熱大行雨生羽蟲少陰居之為大暑炎亢大陰居之為雲雨雷雹退謂南面視之來位之右也一步凡六十日又八十七刻半餘氣同法

復行一步土氣治之

雨之分也即秋分前六十日而有奇斗建未正至酉之中四之氣也天度至此雲雨大行濕蒸乃作少陽居之為炎熱沸騰雲雨雷雹陽明居之為清雨霧露大陽居之

為寒雨害物厥陰居之爲驟風雨摧拔雨生偎爲少陰居之爲寒熱氣又用山澤浮雲暴雨溽蒸大陰居之爲大雨雲霪[illegible]音商

復行一步金氣治之燥之分也即秋分後六十日而有奇自斗建酉正至亥之中主之氣也天度至此萬物皆燥少陽居之為溫清更正萬物乃榮陽明居之爲大凉燥疾大陽居之為早寒厥陰居之為寒風大行雨生介蟲少陰居之為疾寒熱病時行大陰居之惹時雨沆陰

復行一步水氣治之寒之分也即冬至日前後各三十日自斗建亥至丑之中六之氣也天度至此寒氣之行少陽居之為冬溫蟄蟲不藏流水不冰陽明居之為凛寒勁切大陽居之為大寒凝冽厥陰居之為寒風飄陽雨生鱗蟲少陰居之為蟄蟲出見流水不冰大陰居之爲冥陰寒雪地氣凝也

復行一步木氣治之風之分也即春分前六十日而有奇也自斗建丑正至卯之中初之氣也天度至此風氣乃行天地將明發令之始也天之使也少陽居之為溫交至陽明居之為清風霧露朦昧大陽居之為寒風切[illegible]霜雪水冰厥陰居之為大風發榮雨生羽虫少陰居之為熱風傷人時氣流行大陰居之為風雨凝陰不散

復行一步君火治之熱之分也復春分始也自斗建卯正至巳之中二之氣也凡此六佐[illegible][illegible]一歲六七三百六十日六八四百八十刻六十四[illegible]三刻[illegible]餘半刻分而爲三約餘三百六十五度也餘

寸細分之可也卒

相火之下，水氣承之。熱盛水承條蔓柔弱衍溢水象可見○新校正云按六元正紀大論云少陽所至為火生終為蒸溽則水承之義可見又云少陽所至為飄風燔燎霜凝亦下承之水氣也

水位之下，土氣承之。寒甚物堅水冰流涸土象斯見承下明矣○新校正云按六元正紀大論云太陽所至為寒雪冰雹白埃則土氣承之之義也

土位之下，風氣承之。疾風之後時雨乃零是則濕為風吹化而為雨○新校正云按六元正紀大論云太陰所至為濕生終為注雨則土位之下風氣承之而為雨也又云太陰所至為雷霆驟注烈風則風承之義也

風位之下，金氣承之。風動氣清萬物皆燥金承木下其象昭然○新校正云按六元正紀大論云厥陰所至為風生終為肅則金承之義可見又云厥陰所至為飄怒大涼亦金承之義

金位之下，火氣承之。鍛金生熱則火流金乘火之上理無妄也○新校正云按六元正紀大論云陽明所至為散落溫則火承之義也

君火之下，陰精承之。君火之位大熱不行蓋為陰精制承其下也諸以所勝之氣乘於下者皆折其標盛此天地造化之大體爾○新校正云按六元正紀大論云少陰所至為熱生中為寒則陰承之義可知又云少陰所至為大暄寒亦其義也又按六元正紀云水發而雹雪土發而飄驟

木發而毀折金發而清明火發而曛昧何氣使然曰氣有多少發有微甚微者當其氣甚者兼其下徵其下氣而見可知也所謂徵下者即此六承氣也其帝曰何也岐伯曰亢則害承迺制制則生化外列盛衰害則敗亂生化大病亢過極也物惡其極帝曰盛衰何如岐伯曰非其位則邪當其位則正邪則變甚正則微帝曰何謂當位岐伯曰木運臨卯火運臨午土運臨四季金運臨酉水運臨子所謂歲會氣之平也非大過非不及是謂平運主歲也平歲之氣物生脈應皆必合期無先後也□新校正云詳木運臨卯丁卯歲也火運臨午戊午歲也土運臨四季甲辰甲戌己丑己未歲也金運臨酉乙酉歲也水運臨子丙子歲也內戊午己丑己未乙酉又為太一天符帝曰非位何如岐伯曰歲不與會也不與本辰相逢會也帝曰土運之歲上見太陰火運之歲上見少陽少陰少陰少陽皆火氣金運之歲上見陽明木運之歲上見厥陰水運之歲上見太陽奈何岐伯曰天之與會也

天氣與運氣相逢會也○新校正云詳土運之歲上見太陰己丑己未也火運之歲上見少陽戊寅戊申也上見少陰戊子戊午也金運之歲上見陽明乙卯乙酉也木運之歲上見厥陰丁巳丁亥也水運之歲上見太陽丙辰丙戌也內己酉己未戊午乙酉又為太一天符六元正紀大論云太過而同天化者三不及而同天化者亦三戊子戊午太徵上臨少陰戊寅戊申太徵上臨少陽丙辰丙戌太羽上臨太陽如是者三丁巳丁亥少角上臨厥陰乙卯乙酉少商上臨陽明己丑己未少宮上臨太陰如是者三臨者太過不及皆曰天符也故天元冊曰天符天符歲會何如岐伯曰太一天符之會也是謂三合一者天會二者歲會三者運會也天元紀大論曰三合為治此之謂也○新校正云詳太一天符之詳具天元紀大論注中帝曰其貴賤何如岐伯曰天符為執法歲位為行令太一天符為貴人執法猶相輔行令猶方伯貴人猶君主帝曰邪之中也奈何岐伯曰中執法者其病速而危執法官人之綱準自為邪僻故病速而危中行令者其病徐而持方伯無執法之權故無速害病但執持而已中貴人者其病暴而死義難凌犯受病則暴而死帝曰位之

易也何如岐伯曰君位臣則順臣位君則逆逆則其病近其害速順則其病遠其害微所謂二火也相火居君火是臣位居君位故逆也君火居相火是君位居臣位君臨臣位故順也遠謂里遠近謂里近也帝曰善願聞其步何如岐伯曰所謂步者六十度而有奇奇謂八十七刻又十分刻之五也故二十四步積盈百刻而成日也此言天度之餘也夫言周天之度者三百六十五度四分度之一也二十四步至四歲也四分度之一二十五刻也四歲氣成積已盈百刻故成日度一日也一帝曰六氣應五行之變何如岐伯曰位有終始氣有初中上天地下不同求之亦異也位地位也氣天氣也氣與位互有差殺故氣之初天用事氣之中地主之地主則氣流于地天用則氣騰于天初與中皆分天步而主刻分初中各三十日餘四十三刻四分刻之三也帝曰求之奈何岐伯曰天氣始於甲地氣始於子子甲相合命曰歲立謹候其時氣可與期子甲相合命曰歲立則甲子歲也謹候求則甲歲則六氣各可與期爾帝曰願聞其

歲六氣始終早晏何如岐伯曰明乎哉問也甲子之歲初之氣天數始於水下一刻（常起於平明寅初一刻艮中之南也〇新校正云按戊辰壬申丙子庚辰甲申戊子壬辰丙申庚子甲辰戊申壬子丙辰庚申歲同此所謂辰申子歲氣會同陰陽法以是為三合）終於八十七刻半（子正之中夜之半也外十二刻半入二氣之初諸餘刻同入也）二之氣始於八十七刻六分（子中之左也）終於七十五刻（戌之後四刻也外一十五刻入次三氣之初率）三之氣始於七十六刻（亥初之一刻）終於六十二刻半（酉正之中也外三十七刻半差入後）四之氣始於六十二刻六分（酉中之北）終於五十刻（未夜之四刻也外五十刻差入後）五之氣始於五十一刻（申初之一刻）終於三十七刻半（午正之中晝之半也外六十二刻半差入後）六之氣始於三十七刻六分（午中之南）終於二十五刻（辰正之後四刻外七十五刻差入後）所謂初六天之數也（天地之數二十四氣乃天會而周歲命此曰初六天數也）乙丑歲初之氣天數始於二十六刻

巳初之一刻◎新校正云按己巳癸酉丁丑辛巳乙酉己丑癸巳丁酉辛丑乙巳己酉癸丑丁巳辛酉歲同所謂巳酉丑氣會同也歲終於一十二刻半卯正之中一之氣始於一十二刻六分卯中之南終於水下百刻丑後之四刻三之氣始於一刻又寅初之一刻終於八十七刻半子正之中四之氣始於八十七刻六分子中之南終於七十五刻戌後之四刻五之氣始於七十六刻亥初之一刻終於六十二刻半酉正之中六之氣始於六十二刻六分酉中之南終於五十刻未後之四刻所謂六二天之數也一六為初六二六高大二名次也丙寅歲初之氣天數始於五十一刻申初之一刻◎新校正云按庚午甲戌戊寅壬午丙戌庚寅甲午戊戌壬寅丙午庚戌甲寅戊午壬戌歲同此所謂寅午戌歲氣會同終於三十七刻半午正之中二之氣始於三十七刻六分午中之南終於二十五刻辰後之四刻三之氣始於二十六刻巳初之一刻終於一十二刻半卯正之中四之氣始於

一十二刻六分卯中之南終於水下百刻丑後之四刻五之氣始
於一刻寅初之一刻終於八十七刻半子正之中六之氣始於八
十七刻六分子中之左終於七十五刻戌後之四刻所謂六三天
之數也丁卯歲初之氣天數始於七十六刻亥初之一刻○新校
正云按辛未乙亥己卯癸未丁亥辛卯乙未己亥癸卯丁未辛亥乙卯己未癸亥歲同此所謂卯未亥歲氣會
同終於六十二刻半酉正之中二之氣始於六十二刻六分
酉中之右終於五十刻未後之四刻三之氣始於五十一刻申初之一
刻終於三十七刻半午正之中四之氣始於三十七刻六分
午中之西終於二十五刻辰後之四刻五之氣始於二十六刻巳初
之一刻終於一十二刻半卯正之中六之氣始於一十二刻六
分卯中之南終於水下百刻丑後之四刻所謂六四天之數也次
戊辰歲初之氣復始於一刻常如是無已周而復始始自

子年於癸亥歲二六四歲為一小周一十五周為一大周以六命歲時氣可與期帝曰願聞其歲候何如岐伯曰悉乎哉問也日行一周天氣始於一刻甲子歲也日行再周天氣始於二十六刻乙丑歲也日行三周天氣始於五十一刻丙寅歲也日行四周天氣始於七十六刻丁卯歲也日行五周天氣復始於一刻戊辰歲也餘五十五歲循環周而復始也所謂一紀也法以四年為一紀循環不已餘三歲一會同故有三合也是故寅午戌歲氣會同卯未亥歲氣會同辰申子歲氣會同巳酉丑歲氣會同終而復始陰陽法以是為三合者緣其氣會同也不尒則各在一方義無由合帝曰願聞其用也岐伯曰言天者求之本言地者求之位言人者求之氣交本謂天六氣寒暑燥濕風火也三陰三陽由是生化故云本所謂六元者也位謂金木火土水君火也天地之氣上下相交人之所處也帝曰何謂氣交岐伯曰上下之位氣交之中人之居也自天之下地之上則二氣交合

之分也人居地上故氣交之中人之居也是以化生變易皆在氣交之中故曰天樞之上天氣主之天樞之下地氣主之氣交之分人氣從之萬物由之此之謂也天樞當齊之兩傍也所謂身半矣伸臂指天則天樞正當身之半也三分折之上分應天下分應地中分應氣交天地之氣交合之際所遇寒暑燥濕風火勝復之變之化故人氣從之萬物生化悉由而合散也帝曰何謂初中岐伯曰初凡三十度而有奇中氣同法奇謂三十日餘四十三刻又四十分刻之三十也初中相合則六十日餘八十七刻半也以各餘四十分刻之三十故云中氣同法也帝曰初中何也岐伯曰所以分天地也以是知氣高下生人氣主之也帝曰願卒聞之岐伯曰初者地氣也中者天氣也氣之初天用事天用事則地氣上騰於太虛之內氣之中地氣主之地氣主則天氣下降於有質之中帝曰其升降何如岐伯曰氣之升降天地之更用也升謂上升降謂下降升極則降降極則升升降不已故有天地之更用也帝曰願聞其用何如岐伯曰升已而降降者謂天降已而升

升者謂地氣之初地氣升氣之中天氣降升已而降以下彰天氣之下流降已而升以上表地氣之上應天氣下降地氣上騰天地交合泰之象也易曰天地交泰是以天地之氣升降常以三十日半下上下上不已故萬物生化無有休息而各得其所也天氣下降氣流于地地氣上升氣騰于天故高下相召升降相因而變作矣氣有勝復故變生也○新校正云按六元正紀大論云天地之氣盈虛何如曰天氣不足地氣隨之地氣不足天氣從之運居其中而常先也惡所不勝歸所和同隨運歸從而生其病也故上勝則天氣降而下下勝則地氣遷而上多少而差其分微者小差甚者大差甚則位易氣交易則大變生而病作矣帝曰善寒濕相遘燥熱相臨風火相值其有聞乎岐伯曰氣有勝復勝復之作有德有化有用有變變則邪氣居之夫撫掌成聲沃火生沸物之交合象出其間萬類交合亦由是矣天地交合則八風鼓拆六氣交馳於其間故氣不能正者反成邪氣帝曰何謂邪乎邪者不正之目也天地勝復則寒暑燥濕風火六氣互為邪也岐伯曰夫物之生從於化物之極由乎變變化之相薄成敗之所

由也

夫氣之有生化也不見其形不知其情莫測其所起莫究其所止而萬物自生自化近成無極是謂天和見其象彰其動震烈剛暴飄泊驟卒拉堅摧殘摺拆鼓栗是謂邪氣故物之生也靜而化成其毀也躁而變革是以生從於化極由乎變變化不息則成敗之由常在生有涯分者言有終始爾〇新校正云按天元紀大論云物生謂之化物極謂之變

故氣有往復用有遲速四者之有而化而變風之來也

天地易位寒暑移方水火易處當動用時氣之遲速往復故不常在雖不可究識悉端然微甚之所而為化為變風所由來也人氣不勝因而感之故病生焉風匪求勝於人也

帝曰遲速往復風所由生而化而變故因盛衰之變耳成敗倚伏遊乎中何也

夫倚伏者禍福之萌也有禍者福之所倚也有福者禍之所伏也由是故禍福互為倚伏物盛則衰樂極則哀是福之起故為禍所倚否極之泰未濟之誇是禍之起故為福所伏然吉凶成敗目擊道存不可以終自然之理故無尤也

岐伯曰成敗倚伏生乎動動而不已則便作矣

動靜之理氣有常運其微也為物之化其甚也為物之變化流於物故物得之以生變行於物故物得之以死由是成敗倚伏生於動之微甚遲速爾豈唯氣獨有是哉人在氣中

※

※ 工抹本指摘

假

衰生之道逆返之用當皆然也○新校正云按至真要大論云陰陽之氣清靜則生化治動則苛疾起此之謂也

帝曰有期乎岐伯曰不生不化靜之期也人之期可見者二也天地之期不可見也夫二可見者一曰生之發也其二曰變易與土同體然後捨小生化歸於大化以死後猶化變未已故可見者二也天地終極人壽有分長短不相及故人見之者鮮矣

帝曰不生化乎言亦有不生不化者乎

岐伯曰出入廢則神機化滅升降息則氣立孤危出入謂喘息也升降謂化氣也夫毛羽倮鱗介及飛走蚑行皆生氣根於身中以神為動靜之主故曰神機也然金玉土石鎔埏草木皆生氣根於外假氣以成立主持故曰氣立也五常政大論曰根于中者命曰神機神去則機息根于外者命曰氣立氣止則化絕此之謂也故無是四者則神機與氣立者生死皆絕○新校正云按易云本乎天者親上本乎地者親下周禮大宗伯有天產地產大司徒云動物植物即此神機氣立之謂也■音邪

故非出入則無以生長壯老已非升降則無以生長化收藏夫自東自西自南自北者假出入息以為化主因物以全質者陰陽升平之氣以作生源若非此道則莫能致是生者也

是以升降出入無器不有包藏

生氣者皆謂生化之器觸物然矣夫竅横者皆有出入去來之氣竅竪者皆有陰陽升降之氣往復於中何以明之則壁窗戶牖兩面伺之皆承來氣衝擊於人是則出入氣也夫陽升則井寒陰升則水煖以物投井及葉墜空中翩翩不疾皆升氣所礙也虛管溉滿捻上懸之水固不泄爲無升氣而不能降也空瓶小口頓溉不入爲氣不出而不能入也由是觀之升無所不降降無所不升無出則不入無入則不出夫群品之中皆出入升降不失常守而云非化者未之有也有失無失有情無情去出入已升降而云存者未之有也故曰升降出入無器不有

故器者生化之宇器散則分之生化息矣

器謂天地及諸身也宇謂屋宇也以其身形包藏府藏受納神靈與天地同故皆名器也諸身者小生化之器宇大虛者廣生化之器宇也生化之器自有小大無不散也夫小大器皆生有涯分散有遠近者也

故無不出入無不升降

眞生假立形器者無不有此二者

化有小大期有近遠

近者不見遠謂遠者無涯遠者無常見近而冀有其涯矣既近遠不同期合散殊時蕣即有無文競異見常乖及三分散之時則近遠同爲於一變

四者之有而貴常守

四者謂出入升降也有出入升降則爲常守有出無入有入無出有升無降有降無升氣非生之象也皆非胎息道成居常而生則未之有屏出入息泯

升降氣而能存其生化者故貴常守反常則災害至矣出入升降生化之元主故不可無之反常之道則神去其室生化微絶非災害而何哉故曰無形無患此之謂也夫喜於遂悅於色畏於難懼於禍外惡風寒暑濕內繁饑飽愛欲皆以形無所隱故常嬰患累於人間也若便想慕滋蔓嗜欲無厭外附權門內豐情偽則動以牢網坐招燔焫欲思釋縛其可得乎是以身為患階今老子曰吾所以有大患者為吾有身及吾無身吾有何患此之謂也夫身形與大虛釋然消散復未知生化之氣為有而聚耶為無而滅乎帝曰善有不生不化乎言人有逃陰陽免生化而不生不化無始無終同大虛自然者乎岐伯曰悉乎哉問也與道合同惟真人也真人之身隱見莫測出入天地內外順道至真以生其為小也入於無間其為大也過虛空界不與道如一其孰能全乎帝曰善

○氣交變大論篇第六十九

新校正云詳此論專明氣交之變乃五運大過不及德化政令災變勝復為病之事

黃帝問曰五運更治上應天朞陰陽往復寒暑迎隨

十六

邪相薄，內外分離，六經波蕩，五氣傾移，大過不及，專勝兼并，願言其始，而有常名，可得聞乎？（朞三百六十五日四分日之一也。專勝謂五運主歲大過也，兼并謂主歲之下及也，常名謂布化於大虛，人身參應，病之形診也。○新校正云：按天元氣大論云：五運相襲而皆治之，終朞之日，周而復始。又云：五氣運行，各終朞日。太始天元冊文曰：萬物資始，五運終天。即五運更治，上應天朞之數也。）岐伯稽首再拜對曰：昭乎哉問也！是明道也。此上帝所貴，先師傳之，臣雖不敏，往聞其旨。（言非已心之往知，備聞先人往古受之遺旨也。）帝曰：余聞得其人不教，是謂失道；傳非其人，慢泄天寶。余誠菲德，未足以受至道，然而衆子哀其不終，願夫子保於無窮，流於無極，余司其事，則而行之，奈何？（至道者，非傳之難，非知之艱，行之難。聖人隣念蒼生，同居永壽，故屈身降志，請受於天師。太上貴德，故後己先人。苟非其人，則道無虛授。黃帝欲仁慈惠遠，博愛流行，尊道下身，授手黎庶，乃曰余司其事，則而行之也。）岐伯曰：請遂言之也。上經曰：夫道者

上知天文下知地理中知人事可以長久此之謂也夫道
者大無不包細無不入故天文地理人事咸通○新校正云詳夫道者一節與著至教論文重帝曰何
謂也岐伯曰本氣位也位天者天文也位地者地理也
通於人氣之變化者人事也故太過者先天不及者後
天所謂治化而人應之也三陰三陽司天司地以表定陰陽生化之紀是謂位天位
地也五運居中司人氣之變化故曰通於人氣也先天後天謂生化氣之變化所主時也大過歲化先時至不
及歲化後時至帝曰五運之化太過何如大過謂歲氣有餘也○新校正云詳大過
五化具五常政大論中岐伯曰歲木太過風氣流行脾土受邪木餘
故土氣卑屈民病飧泄食減體重煩冤腸鳴腹支滿上應歲
星飧泄謂食不化而下出也脾虛故食減体重煩冤腸鳴腹支滿也歲木氣大盛歲星光明逆守星屬分皆
災也○新校正云按藏氣法時論云脾虛則腹滿腸鳴飧泄食不化甚則忽忽善怒眩冒
巔疾凌犯大甚則遇於金故自病○新校正云按玉機真藏論云肝脈大過則令人善怒忽忽眩冒巔疾

寫肝實而然則此病不務太大道過金自病肝實亦自病也

化氣不政生氣獨治雲物飛動草木不寧甚而搖落反脇痛而吐甚衝陽絕者死不治上應太白星

書陽成也木餘土抑故不能布政我務物也生氣木氣也大過故損治而生化也風不務德非分而動則大虛之中雲物飛動草木不寧動而不止金則勝之故甚則草木搖落也脇反痛木乘上也衝陽胃脉也木氣勝而土氣乃絕故死也金復而太白逆守屬星者危也其災之發害於東方人之內應則先害於脾後復肝也書曰滿招損此其類也○新校正云詳此大過三化言星之例有三未與上運先言歲鎮後言害已之星火與金運先言熒惑太白炎言勝已之星後再言熒惑太白水運先言辰星災言鎮星後再言辰星者見已勝之星也

歲火大過炎暑流行金肺受邪

火不以德則邪害於金若以德行則政和平也

民病瘧少氣欬喘血溢血泄注下嗌燥耳聾中熱肩背熱上應熒惑星

少氣謂氣少不足以息也血泄謂泄利便血也血溢謂血上出於七竅也注下謂水利也中熱謂胸心中也背者胸中之府肩接近之故胸心中及肩背熱也火氣大盛則熒惑光芒逆臨宿屬分皆災也○新校正云詳火盛而剋金寒熱交爭故為瘧按藏氣

法時論云肺病者欬喘肺虛者少氣不能報息耳聾嗌乾甚則胸中痛脇支滿脇痛

膺背肩胛間痛兩臂內痛新校正云按藏氣法時論云心病者胸中痛脇支滿脇下

痛膺背肩甲間痛兩臂內痛身熱骨痛而為浸淫火無德令縱熱害金水為復讎故火

自病〇新校正云按玉機真藏論云心脈大過則令人身熱而膚痛為浸淫此云骨痛者誤也收氣不

行長氣獨明雨水霜寒今詳水字當作冰上應辰星金氣退避火氣獨行

水氣折之故雨零冰雹及病降霜寒而殺物也水復於火天象應之辰星逆變及寒災於物也占辰星者常在

日之前後三十變其見發之當至南方在人之應則內先傷腎後反傷心〇新校正云按五常政大論雨木天

寒作雨冰霜雹上臨少陰少陽火燔焫水泉涸物焦槁新校正云按五

常政大論云赫曦之紀上徵而收氣後又六元正紀大論云戊子戊午太徵上臨少陰戊寅戊申太徵上臨少

陽臨者大過不及皆曰天符病反譫妄狂越欬喘息鳴下甚血溢泄

不已大淵絕者死不治上應熒惑星諸戊歲也戊午[illegible]上歲火陰上臨少[illegible]

寅戊申歲少陽上臨是謂天符之歲也大淵肺脈也[illegible]脩而金絕故死火既大過又火熱上臨兩火相合故形[illegible]

犯候熒惑逆犯宿屬危〇新校正云詳戊辰戊戌歲上見太陽是謂天刑運故當盛而不得盛則火化減半非大過又非不及也歲土大過雨濕流行腎水受邪土勝乃尔民病腹痛清厥意不樂體重煩冤上應鎮星腹痛謂大腹小腹痛也清厥謂足逆冷也意不樂如有隱憂也土來刑水天象應之鎮星逆犯宿屬則災〇新校正云按藏氣法時論云腎病者身重月虛者大腹小腹痛清厥意不樂甚則肌肉萎足痿不收行善瘛腳下痛飲發中滿食減四支不舉脾主肌肉外應四支又其脉起於足中指之端循核骨內側上出絡胕故病如是〇新校正云按藏氣法時論云脾病者身重善肌肉萎足不收行善瘛腳下痛又玉機眞藏論云脾大過則令人四支不舉變生得位新校正云詳大過五化獨此言變生得位者舉一而四氣可知也又以土王時月難知故此詳言之也藏氣伏化氣獨治之泉涌河衍涸澤生魚風雨大至土崩潰鱗見于陸病腹滿溏泄腸鳴反下甚而太谿絕者死不治上應歲星言甲歲也得位謂季月也藏水氣也化土氣也土化大過故水藏伏匿而化氣獨治土勝木復故風雨大至水泉涌河渠

蓋荒澤生魚濕氣甚矣風又發之故土崩潰土崩潰謂垣頹岸仆山蒸地入也可溢泉涌枯澤水溢鱗物豐盈
設見于陸也大谿腎脉也上勝而木絶故死木來抑上天象遂臨加其宿屬正可憂也○新校正云按藏氣法
時論云脾虛則腹滿腸鳴飧泄食不化歲金太過燥氣流行肝木受邪金乘
己咎佘民病兩脇下少腹痛目赤痛眥瘍耳無所聞兩脇謂兩
乳下脅之下也少腹謂齊下齊傍髎骨內也目赤謂白睛色赤也痛謂瘡瘍也眥謂四際瞼睫之本也瞼音檢
肅殺而甚則體重煩冤胸痛引背兩脇滿且痛引少腹
上應太白星金氣已過肅殺又甚木氣內畏感而病生金蓋慝天太白明大弱臨宿屬必受災害
○新校正云按藏氣法時論云肝病者兩脇下痛引少腹肝虛則目䀮䀮無所見耳無所聞又玉機真藏論云
肝脉不及則令人胸痛引背下則兩脇胠滿甚則喘欬逆氣肩背痛尻陰股
膝髀腨胻足皆病上應熒惑星火氣復之自生病也天象示應在熒惑逆加守
宿屬則可憂也○新校正云按藏氣法時論云肺病者喘欬逆氣肩背痛汗出尻陰股膝髀腨胻足皆痛收
氣峻生氣下草木斂蒼乾凋隕病反暴痛胠脇不可反

側新校正云詳此云反暴痛不言何所病者按至真要大論云心脇暴痛不可反側則此乃心脇暴痛也
欬逆甚而血溢太衝絕者死不治上應太白星謂庚歲也金氣
峻虐木氣被刑火未來復則如是也欲謂已生殺業然附其身也太衝肝脈也金勝而木絕故死當是之候太
白應之逆守星屬病皆危也○新校正云按庚子庚午庚寅庚申歲上見少陰少陽司天是謂天刑運金化減
半故當盛而不得盛非大過又非不及也歲水大過寒氣流行邪害心火水不
務德暴虐乃終民病身熱煩心躁悸陰厥上下中寒譫妄心痛
寒氣早至上應辰星悸心躁動也譫亂語也妄妄見聞也天氣水象辰星瑩明如其宿屬
災乃至○新校正云按陰厥在後金不及復則陰厥有治甚則腹大脛腫喘欬寢汗
出憎風新校正云按藏氣法時論云腎病者腹大脛腫喘欬身重寢汗出憎風猝詳大過五化木言化
氣不政生氣獨治火言收氣不行長氣獨明土言藏氣伏長氣獨治金言收氣峻生氣下木畜言藏氣乃畜長
氣失政今得亡者潤文也大雨至埃霧朦鬱上應鎮星水盛不已為土所乘故彰
黃霧埃霧蒙鬱土之氣腎之病從足下上行入腹發腎上冒肝肺入腸中積疾寒故生是病腎為陰故寢則汗

甚而骨風也卧衰汗出謝其[illegible]也夫土氣勝折水之强故鎮星明盛昭其應也上臨大陽雨冰雪霜不時降濕氣變物新校正云按五常政大論云[illegible][illegible]之紀上羽而[illegible]氣不化不六元正紀大論云丙辰丙戌大羽上臨大陽臨者大過不及皆曰天符病反腹滿腸鳴溏泄食不化新校正云[illegible][illegible]氣[illegible][illegible][illegible]脾土則腹滿腸鳴溏泄食不化渴而妄冒神門絶者死不治上應熒惑辰星[illegible]丙歲也丙辰丙戌歲太上臨是謂天符之歲也寒氣大甚故雨化為冰雪雨冰則雹霰霜不時降彰其寒也土復其水則大雨霖霪濕氣內淫故物苦濕變神門心脈也水盛而火[illegible]故死水盛大甚則熒惑減曜辰星明盛加以逆守宿屬則危亡也○新校正云詳大[illegible]五化[illegible][illegible]火水之上臨者火臨火水臨水為天符故也[illegible][illegible]水為逆水臨木為順火臨土為順水臨土為運[illegible]天火臨金為天刑運水臨金為逆更不許出也又此獨言上應熒惑辰星舉此一例餘從而可知也帝曰善其不及何如謂政化少也○新校正云詳不及五[illegible]異五常政大論中岐伯曰悉乎哉問也歲木不及燥乃大行[illegible]令時至加之[illegible]春是謂燥氣得金氣[illegible]生氣失應草木晚榮後時之謂火應也肅殺而甚則剛木辟著柔

萎蒼乾上應太白星天氣淒滄日見朦朧謂雨非雨謂晴非晴人意慘然氣象疑斂是為肅殺甚也剛勁硬也辟著謂辟著枝莖乾而不落也柔耎也蒼青也柔木之葉青色不變而卷也木氣不及金氣乘之太白之明光芒而照其空也民病中清胠脇痛少腹痛腸鳴溏泄涼雨時至上應太白星新校正云按不及五化民病發中上應之星皆言運星失色畏星加臨宿屬為災此獨言畏星不言運星者經文闕也當云上應太白星歲星其穀蒼金氣乘木肝之病也乘此氣者腸中自鳴而溏泄也即無胠脇少腹之痛疾也微者善之甚者止之遇夏之氣亦自止也遇秋之氣而復有之涼雨時至謂應時而至也金土齊化故涼雨俱行火氣來復則夏雨少金氣勝木太白臨之加其宿屬分皆災也金勝畢歲火氣不復則蒼色之谷不成實也○新校正云詳中清胠脇痛少腹痛為金乘木肝病之狀腸鳴溏泄乃脾病之證蓋以木少脾土無畏侮反受邪之故也上臨陽明生氣失政草木再榮化氣迺急上應太白鎮星其主蒼早諸丁歲也丁卯丁酉歲陽明上臨是謂天刑之歲也金承天下勝於木故生氣失政草木再榮生氣失政故木華晚落金氣抑木故秋夏始榮結實成熟以化氣急速故晚結成熟也金氣勝木天應同之故太白之見光芒明

盛木氣既少土氣無制故化氣生長急速木少金勝天氣應之故鎮星大白閒而明也蒼色之物又早凋落木少金乘殺也○新校正云按不及五化獨紀木上臨陽明土上臨厥陰水上臨大陰不紀木上臨厥陰土上臨大陰金上臨陽明者經之旨各紀其甚者也故大於過運中只言火臨火求臨水此不及運中只言木臨金土臨木水臨土故不言厥陰臨木太陰臨土陽明臨金也

復則炎暑流火濕性燥柔脆草木焦槁下體再生華實齊化病寒熱瘡瘍痱胗癰痤上應熒惑太白其穀白堅火氣復金夏生大熱故萬物濕性時變爲燥流火爍物故柔脆草木及蔓延之類皆上乾死而下体再生苦辛熱之草死不再生也小熱者死少大熱者死多火大復已土氣間至則涼雨降其酸苦甘鹹性寒之物乃再發生新開之與先結者齊承化而成熟火復其金太白或曜熒或上應則發光芒加其宿屬則皆實也以火反復故白堅之谷秀而不實

白露早降收殺氣行寒雨害物蟲食甘黃脾土受邪赤氣後化心氣晚治上勝肺金白氣迺屈其穀不成欬而鼽上應熒惑太白星陽明上臨金自用事故白露早降寒涼大至則[illegible][illegible][illegible]行以大陽居上濕之位寒濕相合故寒

而青於少於成實金行伐木假途於土子居母內虫之象也故甘物黃堅虫蠹食之清氣先勝熱氣後復復已乃勝故火赤之氣後生化也赤後化謂草木赤華及赤實者皆後時而再榮秀也其五藏則心氣晚王勝於肺心勝於肺則金之白氣乃屈退也金谷稻也鼽鼻中水出也金為火勝天象應同故太白芒減熒惑益明歲火不及寒迺大行長政不用物榮而下凝慘而甚則陽氣不化迺折榮美上應辰星火少水勝故寒乃大行長政不用則物容卑下火氣既少水氣洪盛天象出見辰星益明民病胸中痛脇支滿兩脇痛膺背肩胛間及兩臂內痛新校正云詳此證與火大過甚則反病之狀同傍見藏氣法時論鬱冒朦昧心痛暴瘖胸腹大脇下與腰背相引而痛新校正云按藏氣法時論云心虛則胷腹大脇下與腰背相引而痛甚則屈不能伸髖髀如別上應熒惑辰星其穀丹諸癸歲也患以其脈行於是也火氣不行寒氣禁固髖髀如別屈不得伸水行乘火故熒惑芒減丹穀不成辰星臨其宿屬之分則皆災也復則埃鬱大雨且至黑氣迺辱病鶩溏腹滿食飲不下寒中腸鳴泄注

腹痛暴攣痿痹足不任身上應鎮星辰星玄穀不成埃鬱雲雨土之用也復寒之氣必以濕濕氣內淫則生復疾身重跗腫如是也黑氣水氣也辱屈聚也鶩鴨也上復於水故鎮星明潤臨犯宿屬則民受病災也鶩音木

歲土不及風迺大行化氣不令草木茂榮飄揚而甚秀而不實上應歲星木無德也木氣專行故化氣不令生氣獨擅故草木茂榮飄揚而甚是木不以德土氣薄少故物實不成不實謂粃惡也土不及木乘之故歲星之見潤而明也民病飧泄霍亂體重腹痛筋骨繇復肌肉瞤酸善怒藏氣舉事蟄蟲早附咸病寒中上應歲星鎮星其穀黅黅已成也風客於胃故病如是土氣不及水與齊化故藏氣舉事蟄虫早附於陽氣之所人有病中寒之疾也繇搖也筋骨搖動已復常則已繇復也土抑不伸若歲星臨宿屬則皆災○新校正云詳此文云筋骨繇復王氏雖注義不可解按至真要大論云筋骨繇併疑此復字併字之誤復則收政嚴峻名木蒼凋胸脅暴痛下引少腹善大息蟲食甘黃氣客於脾黅穀迺減民食少失味蒼穀迺損金氣復木故名

木脅丹金入於土母懷子也故甘物黃物虫食其中金入土中故氣客於脾金氣大來與土仇復故黅咸實穀不成也上應太白歲星太白芒盛歲減明也一經少此六字缺文上臨厥陰流水不冰蟄蟲來見藏氣不用白廼不復上應歲星民廼康已巳已亥歲厥陰上臨其歲少陽在泉火司于地故蟄虫來見流水不冰也金不得復故歲星之象如常民康不病○新校正云詳木不及上臨陽明水不及上臨大陰俱從言復此它言復而後發上臨之候者益白乃不復發於此年有復也歲金不及炎火廼行生氣廼用長氣專勝庶物以茂燥爍以行上應熒惑星火不務德而襲金危炎火既流則夏生大熱生氣帶用故庶物蕃茂燥爍氣至物不勝之榮務之爍石流金涸泉焦草山澤燔燎雨乃不降炎火大盛天象應之熒惑之見而大明也民病肩背瞀重鼽嚏血便注下收氣廼後上應太白星其穀堅芒諸乙歲也瞀謂悶也受熱邪故生是病抑金氣也火先勝其氣從火氣勝金金不能盛若熒惑逆守宿屬之分皆受病○新校正云詳其穀堅芒白色可見故不云其穀白也經云上應太白以前後例相照經脫熒惑二字乃并上注言熒惑逆守之事益知經中之闕也復

則寒雨暴至廼零冰雹霜雪殺物陰厥且格陽反上行頭腦戶痛延及腦頂發熱上應辰星新挍正云詳不及之運尅我者行勝我者之子來復當來復之後勝星減曜復星明大此只言上應辰星而不言熒惑者闕文也當云上應辰星熒惑丹穀不成民病口瘡甚則心痛寒氣折火則見冰雹霜雪冰雹先傷而霜雪後損皆寒氣之常也其灾害乃傷於赤化也諸不及而為勝所犯子氣復之者皆歸其方也陰厥謂寒逆也格至也亦拒也水行折火以救困金天象應之辰星明瑩赤色之穀為霜雹損之歲水不及濕乃大行長氣反用其化廼速暑雨數至上應鎮星濕大行謂數雨也化速謂物早成也火濕齊化故暑雨數至乘水不及而土勝之鎮星之象皆益光明逆陵留犯其又甚矣民病腹滿身重濡泄寒瘍流水腰股痛發膕腨股膝不便煩冤足痿清厥腳下痛甚則胕腫藏氣不政腎氣不衡上應辰星其穀秬藏氣不能申其政令故腎氣不能內致和平衡平也辰星之應當其明或遇鎮星臨屬宿者乃災○新挍正云詳經云上應辰星注言鎮星以前後例相校此經闕鎮星二

[illegible]上臨太陰則大寒數舉蟄蟲早藏地積堅冰陽光不
治民病寒疾於下甚則腹滿浮腫上應鎮星新挍正詳不不及上
臨陽明上臨大白鎮星此獨言鎮星而不言熒惑者文闕也注土不及而又上臨大陰則鎮星明盛以應土氣
專盛水既益弱則熒惑無畏而益明大其主黅穀諸辛歲也辛丑辛未歲上臨大陰大陽在泉故大寒
數舉也土氣專盛故鎮星益明黅穀應天歲成也復則大風暴發草偃木零生
長不鮮面色時變筋骨併辟肉瞤瘛目視䀮䀮物踈璺
肌肉胗發氣并鬲中痛於心腹黃氣廼損其穀不登上
應歲星木復其土故黃氣反損而黅谷不登也謂實不無以登祭器也木氣暴復歲星下臨宜屬分
昔災〇新挍正云詳此當云上熒惑星鎮星[illegible]音問帝曰善願聞其時也岐伯曰
悉乎哉問也木不及春有鳴條律暢之化則秋有霧露
清涼之政春有慘悽殘賊之勝則夏有炎暑燔爍之復
其眚東化和氣也勝金氣也復火氣也火復於金悉因災木故災眚之作皆在東方餘眚同〇新挍正

云按木火不及先言春夏之化秋冬之政者先言木火之政化次言勝復之變也其藏肝其病內舍胠脇外在關節東方肝之主也火不及夏有炳明光顯之化則冬有嚴肅霜寒之政夏有慘悽凝冽之勝則不時有埃昏大雨之復其眚南化火德也勝水虐也復土變也南方火也其藏心其病內舍膺脇外在經絡南方心之主也土不及四維有埃雲潤澤之化則春有鳴條鼓拆之政四維發振拉飄騰之變則秋有肅殺霖霪之復其眚四維東南東北西南西北方也維隅也謂日在四隅月也○新校正云詳土不及亦先言政化次言勝復也其藏脾其病內舍心腹外在肌肉四支四維中央脾之主也金不及夏有光顯鬱蒸之令則冬有嚴凝整肅之應夏有炎爍燔燎之變則秋有冰雹霜雪之復其眚西其藏肺其病內舍膺脇肩背外在皮毛西方肺之主也水不及四維有湍潤埃雲之化則不時

有和風生發之應，四維發埃昏驟注之變，則不時有飄蕩振拉之復。其眚北，飄蕩振拉，大風所作。○新校正云：詳金水不及先言火土之化令與應，故不當秋冬而言也。次言者，火土勝復之變也，與木火土之例不同者，互文也。其藏腎，其病內舍腰脊骨髓，外在谿谷踹膝。肉之大會為谷，肉之小會為谿，肉分之間，谿谷之會，以行榮衛，以會大氣。夫五運之政，猶權衡也，高者抑之，下者舉之，化者應之，變者復之，此生長化成收藏之理，氣之常也，失常則天地四塞矣。失常之理，則天地四時之氣閉塞而無所運行，故動必有靜，勝必有復，乃天地陰陽之道。故曰：天地之動靜，神明為之紀，陰陽之往復，寒暑彰其兆，此之謂也。新校正云：按故曰已下與五運行大論同，上兩句又與陰陽應象大論文重，彼云陰陽之升降，寒暑彰其兆也。帝曰：夫子之言五氣之變，四時之應，可謂悉矣。夫氣之動亂，觸遇而作，發無常會，卒然災合，何以期之？岐伯曰：夫氣之動變，固不常在，而德

化政令災變不同其候也帝曰何謂也岐伯曰東方生
風風生木其德敷和其化生榮其政舒啓其令風其變
振發其災散落敷布也和和氣也榮盛也舒展也啓開也振怒也發出也散謂物飛零而散
落也○新校正云按五運行大論云其德為和其化為榮其政為散其令宣發其變摧拔其眚為隕義與此通
南方生熱熱生火其德彰顯其化蕃茂其政明曜其令
熱其變銷爍其災燔焫新校正云詳五運行大論云其德為顯其化為茂其政為明其
令鬱蒸其變炎爍其眚燔焫中央生濕濕生土其德溽蒸其化豐備
其政安靜其令濕其變驟注其災霖潰溽濕也蒸熱也驟注急雨也霖
久雨也潰爛泥也○新校正云按五運行大論云其德為濡其化為盈其政為謐其令雲雨其變動注其眚淫
潰溽音辱西方生燥燥生金其德清潔其化緊斂其政勁切
其令燥其變肅殺其災蒼隕緊縮也斂收也勁銳也切急也燥乾也肅殺謂風動
草樹聲若乾也殺氣太甚則木青乾而落也○新校正云按五運行大論云其德為清其化為斂其政為勁其

今寒露其變肅殺甚書霜落北方生寒寒生水其德淒滄其化清謐其政凝肅其令寒其變凓冽其災冰雪霜雹淒滄薄寒也謐靜也肅中外嚴整也凓冽甚寒也冰雪霜雹寒氣凝結所成水復火則非時而有也○新校正云按五運行大論云其德爲寒其化爲肅其政爲靜其變凝冽其眚冰雹是以察其動也有德有化有政有令有變有災而物由之而人應之也夫德化政令和氣也其動靜勝復施於萬物皆悉生成變與災殺氣也其用暴速其動躁急其行損傷雖皆天地自爲動靜之用然物有不勝其動者且損且病且死焉帝曰夫子之言歲候不及其太過而上應五星今夫德化政令災眚變易非常而有也卒然而動其亦為之變乎岐伯曰承天而行之故無妄動無不應也卒然而動者氣之交變也其不應焉故曰應常不應卒此之謂也德化政令氣之常也災眚變易氣卒交會而有勝負者也常謂歲四時之氣下[illegible]不帝曰其應奈何岐伯曰各從其氣化也歲星

之以風應之熒惑之化以熱應之鎮星之化以濕應之太白之化以燥應之辰星之化以寒應之氣變則應
故各從其氣化也上文言復勝皆上應之今經言應常不應卒所謂無大變易而不應然其勝復當色有枯燥
潤澤之異無見小大以應之帝曰其行之徐疾逆順何如岐伯曰以
道留久逆守而小是謂省下以道謂順行留久謂過應留之日數也省下謂察天
下人君之有德有過者也以道而去去而速來曲而過之是謂省遺
過也順行已去已去輒逆行而速委曲而經過是謂遺其過而輒省察之也行急行緩往多往少蓋謂罪
之有大有小其遣而斷之按久留而環或離或附是謂議災與其德
也環謂如環而遶盤迴而不去也火議罪金議殺土木水議德應近則小應遠則大
近謂犯星常在遠謂犯星去又大小謂喜慶及罰罪事芒而大倍常之一其化甚
大常之二其眚即也甚謂政令大行也發謂起也即至也金火有之小常之一
其化減小常之二是謂臨視省下之過與其德也省謂省察
萬國人吏侯王有德有過者也故侯王人吏安可不深思誡慎邪
德者福之過者伐之

有德者則天降福以應之有過者則天降禍以淫之則知禍福無門惟人所召耳是以象之見也高而遠則小下而近則大見物之理也故大則喜怒邇小則禍福遠象見高而小既未即禍亦未即福象見下而大福既不遠禍亦未適但當脩德禍過以俟厥終苟未能慎禍而務求福祐豈有是者哉歲運大過則運星北越火運火星木運木星之類也北越謂北而行也運氣相得則各行以道無剋伐之嫌故守常而各行於中道故歲運大過畏星失色而兼其母木失色而兼玄火失色而兼蒼土失色而兼赤金失色而兼黃水失色而兼白是謂兼其母也不及則色兼其所不勝木兼白色火兼玄色土兼蒼色金兼赤色水兼黃色是謂兼不勝也肖者瞿瞿莫知其妙閔閔之當孰者為良新校正云詳肖者至為良與靈蘭秘典論重複有注妄行無徵示畏侯王不察天意以私度之妄言災咎卒無徵驗適足以示畏之北於侯王熒惑於庶民矣帝曰其災應何如岐伯曰亦各從其化也故時至有盛衰淩犯有逆順留守有多少形見有善惡宿屬有勝負徵應

有吉凶矣（五星之至相王為時盛囚死為衰東行凌犯為順災輕西行凌犯為逆災重留守日多則災深留守日少則災淺星喜潤則為見善星怒燥憂喪則為見惡宿屬謂所生月之屬二十八宿及十二辰相分所屬之位也命勝星不災不害不勝星為災小重命與星相得雖災無害災者獄訟疾病之謂也雖五星凌犯之事時遇星之囚死時月雖災不成然火犯留守逆臨則有誣譖獄訟之憂金犯則有刑殺氣鬱之憂木犯則有震驚風鼓之憂土犯則有中滿下利胕腫之憂水犯則有寒氣衝稸之憂故曰微應有吉凶也）帝曰其善惡何謂也岐伯曰有喜有怒有憂有喪有澤有燥此象之常也必謹察之（夫五星之見也從夜深見之人見之喜星之喜也見之畏星之怒也光色微曜乍明乍暗星之憂也光色迴然不彰不瑩不與衆同星之喪也光色圓明不盈不縮怡然瑩然星之喜也光色勃然臨人芒彩滿溢其象懍然星之怒也澤洪潤也燥乾枯也）帝曰六者高下異乎岐伯曰象見高下其應一也故人亦應之（觀象覩色則中外之應人天咸一矣）帝曰善其德化政令之動靜損益皆何如岐伯曰夫德化政令災變不能相加也（天地動靜陰陽往復以德報德以化

氣化政令災眚及動復亦然故曰不能相加也勝復盛衰不能相多也勝盛復盛勝微
復微不應以盛報微以化報遞故曰不能相多也往來小大不能相過也勝復日數
多少皆同故曰不能相過也用之升降不能相無也木之勝金必報火土金水皆然
未有勝而無報者故氣不能相使無也各從其動而復之耳動必有復察動以言復也
易曰吉凶悔吝生乎動此之謂歟天雖高不可度地雖廣不可量以其動復言之其猶視掌矣帝曰其
病生何如岐伯曰德化者氣之祥政令者氣之章變易
者復之紀災眚者傷之始氣相勝者和不相勝者病重
感於邪則甚也祥善應也章程也式也復紀謂報復之綱紀也重感謂年氣已不及天氣又見
克殺之氣是爲重感重謂重累也帝曰善所謂精光之論大聖之業宣
明大道通於無窮究於無極也余聞之善言天者必應
於人善言古者必驗於今善言氣者必彰於物善言應
者同天地之化善言化言變者通神明之理非夫子孰

能言至道歟大過不及歲化無窮氣交遷變流於無極然天垂象聖人則之以知吉凶何者歲大過而星大或明瑩歲不及而星小或失色故吉凶可指而見也吉凶者何謂物稟五常之氣以生成莫不上參應之有否有宜故曰吉凶斯至矣故曰善言天者必應於人也言古之道而今必應之故曰善言古者必驗於今也化氣生成萬物皆稟故言氣應者以物明之故曰善言應者必彰於物也彰明也氣化之應如四時行萬物備故善言應者必同天地之造化也物生謂之化物極謂之變言萬物化變終始必契於神明運為故言化變者通於神明之理聖人智周萬物無所不通故言必有發動無不應之也廼擇良兆而藏之靈室每旦讀之命曰氣交變非齋戒不敢發慎傳也靈室謂靈蘭室黄帝之書府也○新校正詳此文與六元正紀大論末同

○五常政大論篇第七十

新校正云詳此篇統論五運有平氣不及太過之事次言地理有四方高下陰陽之異又言歲有不病而藏氣不應為天氣制之而氣有所從之說仍言六氣五類相制勝而歲有胎孕不育之理而後明在泉六化五味有薄厚之異而以治法終之此篇之大槩如此而專名五常政大論者舉其所先者言也

黃帝問曰大虛寥廓五運迴薄衰盛不同損益相從願聞平氣何如而名何如而紀也歧伯對曰昭乎哉問也木曰敷和敷布和氣物以生榮火曰升明火氣高明土曰備化廣被化氣資於群品金曰審平金氣清審平而定水曰靜順水體清靜順於物也帝曰其不及柰何歧伯曰木曰委和陽和之氣委屈而少用也火曰伏明明耀之氣屈伏不伸土曰卑監土雖卑少尤監萬物之生化也金曰從革從順革易堅成萬物水曰涸流水少故流注乾涸帝曰大過何謂歧伯曰木曰發生宣發生氣萬物以榮火曰赫曦盛明也土曰敦阜敦厚也阜高也土餘故高而厚金曰堅成氣爽風勁堅成變物水曰流衍衍洋衍也溢也帝曰三氣之紀願聞其候歧伯曰悉乎哉問也新校正云詳此論與五運行大論及陰陽應象大論金匱真言論相通敷和之紀木德周行陽舒陰布五化宣平自當其位不與物爭故五氣之化各布政令於四方無相干犯○新校正云按王注大過不及各紀年辰此平木運注不

木

紀年辰者平氣之歲不可以定紀也或書欲旁注云謂丁巳丁亥丁卯壬寅壬申歲者是本達也其氣
端端直麗也也其性隨順於物化其用曲直曲直材幹皆應用也其化生榮
木化宣行則物生榮而美其類草木木體堅高草形卑下然各有堅脆剛柔蔓結條屈者其政
發散春氣發散物稟以生木之化也其候溫和和春之氣也其令風木之令行以和
風其藏肝五藏之氣與肝同肝其畏清清金令也木性暄敷畏清五運行大論曰木其
性暄又曰燥勝風其主目陽升明見目與同也其穀麻色蒼也○新校正云按金匱真言論
云其穀麥與此不同其果李味酸也其實核中有堅核者其應春四時之中春化
同其蟲毛木化宣行則毛蟲生其畜犬如草木之生無所避也○新校正云按金匱真言論
篇云其畜雞其色蒼木化宣行則物浮蒼翠也其養筋酸入筋其病裏急支
滿木氣所生○新校正云按金匱真言論云是以知病之在筋也其味酸木化敷和則物酸味厚
其音角調而直也其物中堅象土中之有木也其數八成數也升明之
紀正陽而治德施周普五化均衡均等也衡平也其氣高火炎上

其性速火性燥疾其用燔灼灼燒也燔之與灼皆火之用其化蕃茂長[illegible]盛茂物大其類火五行之氣與火類同其政明曜德合高明火之政也其候炎暑氣之至也以是候之其令熱熱至乃令行其藏心心氣應之其畏寒寒水令也心性暑熱故畏寒五運行大論云心其性暑又曰寒勝熱其主舌火以燭幽舌申明也其穀麥色赤也○新校正云按金匱眞言論云其穀黍又藏氣法時論云麦也其果杏味苦也其實絡中有支絡者其應夏四時之氣夏氣同其蟲羽羽火象也火化宣行故羽虫生其畜馬健決躁速火類同○新校正云按金匱眞言論云其畜羊其色赤色同又明其養血其病瞤瘛火之性動也○新校正云按金匱眞言論云是以知病之在脉也[illegible]如勻切其味苦刊明氣化則物苦味純其音徵和而美其物脉中多支脉火之化也其數七成數也

備化之紀氣協天休德流四政五化齊脩土之德靜分助四方贊成金木水火之政土之氣厚應天休和之氣以生長收藏終而復始故五化齊脩其氣平土之生也平而正其性順應順羣品悉化成也其用高下因土高下皆應用也其化豐滿

盈滿萬物非土化不可也其類土五行之化土類同其政安靜土體厚土德靜故政化亦
然其候溽蒸溽濕也蒸熱也其令濕濕化不絕竭則主令遂長其藏脾脾氣同
脾其畏風風木令也脾性雖四氣兼并然其所主尤畏木也五運行大論云脾其性靜兼又曰風勝
濕其主口土竅包容口主受納其穀稷色黃也○新校正云按金匱眞言論作稷藏氣法時
論作粳其果棗味甘也其實肉中有肌肉者其應長夏長夏謂長養之夏也
六月氣同○新校正云按王注藏氣法時論云夏爲土母土長於中以長而治故云長夏又注六節藏象論云
所謂長夏者六月也土生於火長在夏中既長而王故云長夏其蟲倮無毛羽鱗甲土形同其畜
牛成彼稼穡土之用也牛之應用其緩而和其色黃土同也其養肉所養者厚而靜其
病否土性擁礙○新校正云按金匱眞言論云病在舌本是以知病之在肉也其味甘備化氣豐
則物味甘厚其音宮大而重其物膚物稟備化之氣則多肌肉其數五生數也正
土不盛加數也審平之紀收而不爭殺而無犯五化宣明犯謂刑犯
[illegible]也收而不爭殺而無犯[illegible]之德何以能爲是哉其氣潔金氣以潔白瑩則爲事其性

性剛發權剛象於物其用散落金用則萬物散落其化堅斂收斂金之化也
其類金審平之化金類同其政勁肅化急速而豐肅也勁疾也其候清切清大
凉也切急也風聲也其令燥燥乾也其藏肺肺氣之用同金化也肺其畏熱熱火
令也肺性凉故畏火熱五運行大論曰肺其性凉其主鼻肺藏氣鼻通息也其穀稻色白
也○新校正云按金匱真言論作稻藏氣法時論作黃黍其果桃味辛也其實殼外有堅殼
者其應秋四時之化秋氣同其蟲介外被堅甲者其畜雞性善鬬傷象金用也
新校正云按金匱真言論云其畜馬其色白色同也其養皮毛堅同也其病欬
有欬之病金之應也○新校正云按金匱真言論云病在背是以知病之在皮毛其味辛審平化治
則物辛味正其音商和利而揚其物外堅金氣宣行則物皆外堅其數九成數
也靜順之紀藏而勿害治而善下五化咸整治化也水之性下所
以德全江海所以爲百谷王者以其善下之也其氣明清淨明照水氣所生其性下歸流趣下
其用沃衍用非寧事故沫生而流溢沃沫也衍溢也其化凝堅藏氣布化則水物凝堅

其類水（靜順之化水同類）其政流演（井泉不竭河流不息則流演之義也）其候凝肅（凝寒也肅靜也寒來之氣候）其令寒（水令宣行則寒司物化）其藏腎（腎藏之用同水化也）腎其畏濕（濕土氣也腎性凜故畏土濕五運行大論曰腎其性凜）其主二陰（瀆注應同○新校正云按金匱真言論曰北方黑色入通於腎開竅於二陰）其穀豆（色黑也○新校正云按金匱真言論及藏氣法時論同）其果栗（味鹹也）其實濡（中有津液也）其應冬（四時之化冬氣同）其蟲鱗（鱗水化生）其畜彘（善下也彘豕也）其色黑（色同也）其養骨髓（氣入也）其病厥（厥氣逆也凌上也倒行不順也○新校正云按金匱真言論云病在谿是以知病之在骨也）其味鹹（味同也）其音羽（深而和）其物濡（水化豐洽庶物濡潤）其數六（成數也）故生而勿殺長而勿罰化而勿制收而勿害藏而勿抑是謂平氣（生氣主長收氣不能縱其殺長氣主化藏氣不能縱其罰化氣主收生氣不能縱其制收氣主藏長氣不能縱其害藏氣主生化氣不能縱其抑夫如是者皆天氣平地氣正五化之氣不以勝尅為用故謂曰平和氣也）

委和之紀是謂勝生（丁卯丁丑丁亥）

丁未丁酉丁巳之歲生氣不政化氣迺揚木少故生氣不政土寬故化氣迺揚長氣自平收令迺早火無忤犯故長氣自平木氣既少故收令乃早涼雨時降風雲並興涼金化也雨濕氣也風木化也雲濕氣也草木晚榮蒼乾凋落金氣有餘木不能勝故也○新校正云詳委和之紀木不及而金氣乘之故蒼乾凋落非金氣有餘木不能勝也盡不木足而物秀而實膚肉內充肅生雖晚成著滿實土化氣速故如是也其氣斂收歛象金氣故其用聚不布散也其動緛戾拘緩緛縮短也戾了戾也拘拘急也緩不收也其發驚駭木屈卒伸驚駭象也其藏肝內應肝其果棗李棗土李木實也○新校正云詳李木實也按火土金水不及之果李當作桃王注亦非其實核殼核木殼金主其穀稷稻金土穀也其味酸辛味酸之物熟兼辛也其色白蒼蒼色之物熟兼白也其畜犬雞木從金畜其蟲毛介毛從介其主霧露淒滄金之化也其聲角商角從商其病搖動注恐木受邪也從金化也木不自政故化從金少角與判商同少角木不及故半與商金化同判半也○新校正云按火土金水之文判

依少則此當云少角與少商同不云少商者蓋少角之運共有六年而丁巳丁亥上角與正角同丁卯丁酉上
商與正商同丁未丁丑上宮與正宮同是六年者各有殊同與太土金水之少運不同故不云同少商只大約
而言半癸商兌也上角與正角同上見厥陰與歲和徵化同謂丁亥丁巳歲上之所見者也
上商與正商同上見陽明則與平金歲化同丁卯丁酉歲上見陽明其病支廢癰
腫瘡瘍金刑木也其甘蟲子在蟲中邪傷肝也雛飛高與金同然其所傷則歸於肝
未也上宮與正宮同土蓋其木與未出等也木未出土與樂木同土自用事故與正土運歲化
同也上見太陰是謂上宮丁丑丁未歲上見太陰司天支化也蕭飋肅殺則炎赫沸騰
蕭飋肅殺金無[illegible]也炎赫沸騰火之復也[illegible]音琵眚於三也為木復於其眚在東三東方也此言金
之物勝之○新校正云按六元正紀大論云災三宮所謂復也復報復也其主飛蠹蛆
雉蟲羽蟲也蠹內生蟲也鳥鳴之生青此則物內自化介雉爲耗也延為雷霆雷謂大發生於
天虛雲復之中也霆謂迅雷卟如火之爆者即發聲也伏明之紀是謂勝長載氣勝長
言謂癸酉癸未癸巳癸卯癸丑癸亥之歲也長氣不宣藏氣反布火之長氣不能施化

故水之藏氣反布於時收氣自政化令廼衡金土之義與歲氣素無干犯故金自行其
政土自平其氣寒清數舉暑令廼薄火氣不用故承化物生生而不
長火令不政故水化生之物皆不長也成實而稚遇化已老物實成熟苗尚穉短及遇
化氣未長極而氣已老矣陽氣屈伏蟄蟲早藏陽不用而陰勝也若上臨癸卯癸酉歲則
蟄反不藏○新校正云詳癸巳癸亥之歲蟄亦不藏其氣鬱鬱燠不舒暢其用暴速也其
動彰伏變易彰明也伏隱也變易謂不常其象見也其發痛痛由心所生也其藏
心歲運之氣通於心其果栗桃栗水桃金果也其實絡濡絡支脉也濡有汁也其
穀豆稻豆水稻金谷也其味苦鹹苦兼鹹也其色玄丹色丹之物熟兼玄也其
畜馬彘火從水畜其蟲羽鱗羽從鱗其主冰雪霜寒水之氣也其聲
徵羽徵從羽其病昏惑悲忘火之躁動不拘常律陰冒陽火故昏惑不治心氣不足故
喜悲善忘也從水化也火弱水兼故伏明之紀半從水之政化少徵與少羽同
火少故半從水化○新校正云詳少徵運六年內癸酉癸卯同正商癸巳癸亥同歲會外癸未癸丑二年少徵

與少羽同故不云判羽也上商與正商同歲上見陽明則與平金歲化同也癸卯及癸酉歲上
見陽明○新校正云詳此不言上宮上角者蓋宮角於火無大克伐故經不備言之邪傷心也受病
者心凝慘凓冽則暴雨霖霪凝慘凓冽水無德也暴雨霖霪土之復也眚於七
七南方也○新校正云按六元正紀大論云災七宮其主驟注雷霆震驚天地氣爭而生
是變氣交之內害及粢盛及傷鱗類沈黅淫雨沈黅淫雨濕變所生也黅音陰又音令卑監
之紀是謂減化謂化氣減少己巳巳卯己丑巳亥巳酉巳未之歲也化氣不令生
政獨彰土少而木專其用長氣整雨迺愆收氣平不相干犯則平整化氣成
故雨愆期風寒並興草木榮美風木也寒水也土少故寒氣得行生氣獨彰故草木敷榮
而端美秀而不實成而粃也榮秀而美氣生於木化氣不滿故物實中空是以粃惡
其氣散氣不安靜亦且乘之從木之風故施散也其用靜定雖不能專政於時物然或舉用
則終歸土德而靜定其動瘍涌分潰癰腫瘍瘡也涌嘔吐也分裂也潰爛也癰腫膿瘡也
其發濡滯土性也濡濕也其藏脾主藏病其果李栗李木栗水果也其實

濡核濡中有汁者核中堅者○新校正云詳前淺濡實主水此濡字當作肉主溢[illegible]非[illegible]其穀豆麻豆水麻木穀也其味酸甘甘味之物熏兼散也其色蒼黃色黃之物外象蒼也其畜牛犬土從木畜其蟲倮毛倮從毛其主飄怒振發木之用也氣其聲宮角宮從角其病留滿否塞土氣擁饒故從木化也不勝故從他化少宮與少角同土少故半從木化也○新校正云詳少宮之運六年內除已丑已未[illegible]正宮同已巳已亥與正角同外有已卯已酉二年少宮與少角同故不云判角也上宮與正宮同上見大陰則與平土運生化同也已丑已未其歲見也上角與正角同上見厥陰則悉是敷和之紀也已亥已巳其歲見也其病飧泄風之勝也邪傷脾也縱諸氣金病即自傷脾○新校正云詳此不言上商者土爲金無相剋伐故經不紀之也又注云縱諸氣金病即自傷脾也金字疑誤振拉飄揚則蒼乾散落振拉飄揚木無德也蒼乾散落金之復也其眚四維東南西南西北東北上之位也○新校正云按大元正紀大論云災五宮其主敗折虎狼虎狼猴豺豹彪馬獐麃諸四足之獸害[illegible][illegible]盛及生命也麂音几清氣迺用生政迺辱金氣行明

木氣屬
也收氣迺後生氣迺揚從不及非也收氣不能以時而行則生時自恣布揚而用之也
長化合德火政迺宣庶類以蕃火七之氣同生化也壹升也其氣揚
順火也其用躁切少雖發用用則切急隨火躁也其動鏗禁瞀厥鏗欬聲也禁謂
二陰禁止也瞀閉也厥謂氣上逆也鏗音坑瞀音冒其發欬喘欬金之有聲喘肺裁氣也其厥
肺主識商其果李杏李木杏火果也其實殼絡外有殼內有文絡之實也其穀
麻麥麻木麥火穀也麥色赤也其味苦辛苦味勝辛辛兼苦也其色白丹赤加白也
其畜雞羊金從火土之兼化也○新校正云詳火畜爲土畜牛今言羊故王注云從火土之兼化為
羊也或者當去注中之土字甚非其蟲介羽介從羽其主明曜炎爍火之勝也
其聲商徵商從徵其病嚏欬鼽衄金之病也從火化也火氣來勝故屈
己以從之少商與少徵同金少故辛同火化也○新校正云詳少商運六年內除乙卯乙酉同
正商乙巳乙亥同正角外乙丑乙未二年為少商同少徵故不云判徵也上商與正商同已上

[illegible][illegible]明與平金運生化同乙卯乙酉其歲上見也上角與正角同上見厥陰與平木運生
化同乙巳乙亥其歲上見也○新校正云詳此二無相勝尅故經不言上宮與正宮同也邪傷肺也
[illegible]守之勝則歸非炎光赫烈則冰雪霜雹炎光赫烈火無德也冰雪霜雹水之復也
水復之作雹形如半珠○新校正云詳注云雹形如半珠半字疑誤眚於九九西方也○新校正云按
六元正紀大論云災九宮其主鱗伏彘鼠突戾潛伏歲主縱之以傷赤實及羽類也歲氣
早至廼生大寒水之化也涸流之紀是謂反陽陰氣不及反為陽氣代之
謂辛未辛巳辛卯辛酉辛亥辛丑之歲也藏令不舉化氣廼昌少水土宮而長氣
宣布蟄蟲不藏大陽在泉經文背也厥陰陽明司天乃如經謂也土潤水泉減
草木條茂榮秀滿盛長化之氣豐而厚也其氣滯從土也其用滲泄
不能流也其動堅止謂便寫也水少不濡則乾而堅止[illegible]氣不能固則注下而奔速其發燥
槁陰少而陽盛勢木其藏腎主藏病也其果棗杏棗土杏火果也其實濡肉
濡水肉土化也其穀黍稷黍火稷上穀也○新校正云按本論上文麥爲火之穀今言黍者疑麥字

誤爲黍也雖金匱真言論作黍然本論作麥當從本論之文也其味甘鹹甘入於鹹味甘是也其
色黅玄黃加黑也其畜彘牛水從土畜其蟲鱗倮鱗從倮其主埃鬱
昏翳土之勝也其聲羽宮羽從宮其病痿厥堅下水土來并故如是從
土化也不勝於土故從他化少羽與少宮同水土各半化也○新校正云詳少羽之運
六年内除辛丑辛未與正宮同外辛卯辛酉辛巳辛亥四歲爲同少宮故不言判宮也上宮與正
宮同上見大陰則與平土運生化同辛丑辛未歲上見之○新校正云詳此不言上角上商者蓋木於金
木無扣犯伐故也其病癃閟癃小便不通閟大便乾澁不利也邪傷腎也邪勝則歸
腎埃昏驟雨則振拉摧拔埃昏驟雨土之虐也振拉摧拔木之復也眚於一
一北方也諸謂方者國郡州縣境之方也○新校正云按六元正紀大論云災一宮其主毛顯狐
狢變化不藏毛顯謂毛虫麋鹿麞鹿猯兔虎狼顯見傷於黃實暴害倮虫之長也變化謂爲魅狐
狸當之不藏謂害粢盛鼠猯兔狸狢當之所謂毛顯不藏也猯他端反故乘危而行不速
而至暴虐無德災反及之微者復微甚者復甚氣之常

※敷

※形正統本作刑

也逆言五行氣少而有勝復之大凡也乘彼孤危悖乎強盛不召而往專肆威形恣禍自招也又誰咎也假令木弱金氣來乘暴虐苍卒是無德也木被金害火必讎之金受火讎則災及也夫如是者刑甚則復甚刑微則復微氣動之常固其宜也五行之理咸迭然乎○新校正云按五運不及之詳具氣交變大論中

發生之紀是謂啓敕物乘木氣以發生而啓敕其容質也是謂壬申壬寅壬子壬午壬辰壬戌之六歲化也敕古陳字敷土疎泄蒼氣達生氣上達是故土体疎泄木之專政故蒼氣上達達通也出也行也陽和布化陰氣廼隨少陽先生發於萬物之表發陰次隨營運於萬象之中也生氣淳化萬物以榮歲木有餘金不來勝生令布化故物以舒榮其化生其氣美木化宣行則物容端美其政散布散生榮無所不至其令條舒條直也理也舒啓也端直舒啓萬物隨之發生之化無非順理者也其動掉眩巔疾掉搖動也眩旋轉也巔上首也疾病氣也○新校正云詳王不解其動之義按後敦阜之紀其動濡積并稸王注云動謂發動又堅成之紀其動暴折瘍疰王注云動以生病蓋謂氣既變動因動以生病也則木火土水金之動義皆同也又按王注脉要精微論云巔疾上巔疾也又注奇病論云巔謂上巔則頭首也先注云上巔之疾病氣也氣字爲衍也其

德鳴靡啓拆風氣所生○新校正云按六元正紀大論云其化鳴紊啓拆其變振拉
摧拔振謂振怒拉謂中拆摧謂仆落拔謂出本○新校正按六元正紀大論同其穀麻稻木化
齊金其畜雞犬齊雞孕也其果李桃李齊賫也其色青黃白青加於黃
白自正也其味酸甘辛酸入於甘辛齊化也其象春如春之氣布散陽和其經是
厥陰少陽厥陰肝脉少陽膽脉其藏肝脾肝勝脾其蟲毛介木餘故毛齊介
育其物中堅外堅中堅有核之物齊等於皮殼之類也其病怒木餘故大角
與上商同大過之木氣與金化齊等新校正云按大過五運獨大角言與上商同餘四運並不言者
疑此文爲衍上徵則其氣逆其病吐利上見少陰少陽則其氣逆行壬子壬午歲
上見少陰壬寅壬申歲上見少陽木餘遇火故氣不賢○新校正云按五運行大論云氣相得而病者以下臨
上不當位也不云上羽者水臨木爲相得故也不務其德則收氣復秋氣勁切
甚則肅殺清氣大至草木凋零邪迺傷肝恃己大過變犯於土土氣
屈伏金爲復讎金行殺令故邪傷肝木也赫曦之紀是謂蕃茂物遇大陽則蕃而茂是謂

戊辰戊寅戊子戊戌戊申戊午之歲也○新校正云按此云正中大陽當作大徵詳木土金水之大過王俱不
言角商宮羽等運而水大過注云陰氣大行此火大過是物遇大陽也安行所之大徵乎陰氣內化
陽氣外榮陰陽之炁得其序也炎暑施化物得以昌長氣多故介其化
長其氣高長化行則物容大高氣達則物色明其政動革易其象不常也其令鳴
顯火用之而有聲火之燔而有焰象無所隱則其信也顯露也其動炎灼妄擾妄謬也擾
撓也其德暄暑鬱蒸熱化所生長於物也○新校正云按六元正紀大論云其化暄囂鬱燠又
作腥畝其變炎烈沸騰勝復之有猛於是也其穀麥豆火齊水化也其畜
羊彘青爭青也○新校正云按本論上文馬為火之畜令言羊者彘馬字誤為羊金匱眞言論及藏氣法
時論俱作羊然本論作馬者發本論之文也其果杏栗等資也其色赤白玄赤色
加白黑自正也其味苦辛鹹辛物兼苦與鹹化齊成也其象夏如夏氣之熱也其經
手少陰大陽少陰心脈陽小腸脈大手厥陰少陽厥陰心包脈少陽三焦脈其
藏心肺心脈肺其蟲羽鱗火餘故鱗羽齊化其物脈濡脈火物濡水物水火

齊也○新校正云詳此郎於也文雖殊而義同其病笑瘧瘡瘍血流狂妄目赤大歲發上羽與正徵同其收齊其病痓上見太陽則天氣且制故大過之火反與平火運生化同也戊辰戊戌歲上見之若平火運同則五徵之氣無相變犯故金收之氣生化同等上徵而收氣後也上見少陰少陽則其生化自政金氣不能與之齊化戊子戊午歲上見少陰戊寅戊申歲上見少陽火盛故收氣從化○新校正云按氣交變大論云歲火大過上臨少陰少陽火燔焫水泉涸物焦槁暴烈其政藏氣迺復時見凝慘甚則雨水霜雹切寒邪傷心也不務其德輕侮致之也○新校正云按氣交變大論云雨冰霜寒與此互文也

敦阜之紀是謂廣化土餘故化氣廣被於物也是謂甲子甲戌甲申甲午甲辰甲寅之歲也厚德清靜順長以盈土性順用無與物爭故德厚而不躁順火之長育使萬物化氣盈滿也至陰內實物化充成至陰土精氣也夫萬物所以化成者皆以至陰之靈氣生化於中也煙埃朦鬱見於厚土厚土山也烟埃土氣也大雨時行濕氣迺用燥政迺辟濕氣用則燥政辟自然之理其化圓其氣豐化氣豐圓以其清靜

其也其政靜靜而能久故政常存其令周備氣滿故周備其動濡積并稸動謂變動其德柔潤重淖靜而柔潤故厚德常存○新校正云按六元正紀大論云其化柔潤重澤其變震驚飄驟崩潰震驚雷霆之作也飄驟暴風雨至也大雨暴注則山崩土潰隨水流沒其穀稷麻土木齊化其畜牛犬齊孕育也其果棗李土齊木化其色黅玄蒼黄色加黑蒼白正也其味甘鹹酸甘入於鹹酸齊化也其象長夏六月之氣生化同其經足大陰陽明大陰脾脉陽明胃脉其藏脾腎脾勝腎其蟲倮毛土餘故毛倮齊化其物肌核肌土核木化也其病腹滿四支不舉土性靜故病如是○新校正云詳此不云上羽上徵者徵羽不能虛盈於土故無他候也大風迅至邪傷脾也木盛怒故土脾傷

堅成之紀是謂收引引斂也陽氣收陰氣用故萬物收斂謂庚午庚辰庚寅庚子庚戌庚申之歲也天氣潔地氣明秋氣高潔金氣同陽氣隨陰治化陽順陰而生化燥行其政物以司成燥氣行化萬物專司其成政無違咎也收氣繁布化洽不終收殺氣早土之化不得終其用也○新校

正云詳紫字疑誤其化成其氣削減削也其政肅肅[illegible]也靜[illegible]其令銳切氣用不留勁而急其動暴折瘍疰動以生病其德霧露蕭飋燥之化也蕭飋風聲也靜為霧露用則風生○新校正云按六元正紀大論德作化其變肅殺凋零隕墜於物其穀稻黍金火齊化也○新校正云按本論上文麥為火之穀當言其穀稻麥其畜雞馬齊孕育也其果桃杏金火齊實其色白青丹白加於青丹自正也其味辛酸苦辛入殺苦齊化其象秋氣爽清潔如秋之化其經手太陰陽明太陰肺脈陽明大腸脈其藏肺肝肺勝肝其蟲介羽金餘故介羽育育其物殼絡殼金絡火化也其病喘喝胷憑仰息金氣餘故上徵與正商同其生齊其病欬上見少陰少陽則天氣且和故其生化與平金歲同庚子庚午歲上見少陰庚寅庚申歲上見少陽上火制金故生氣與之齊化火乘金[illegible]故病欬○新校正云詳此不言上羽者水與金非相勝剋故政暴變則名木不榮柔脆焦首長氣斯救大火流炎爍且至蔓將槁邪傷肺也變謂大甚也政大甚則生氣抑[illegible]首焦死政暴不已

則火氣發怒故火流炎爍至焚燎萎草脫之類皆其死也火乘金氣故肺氣傷也流衍之紀是謂封藏陰氣大行則天地封藏之化也謂丙寅丙子丙戌丙申丙午丙辰之歲也寒司物化天地嚴凝陰之氣也藏政以布長令不揚藏氣用則長化止故令不發揚其化凜其氣堅寒氣及物則堅定其政謐謐靜也其令流注水之象也其動漂泄沃涌沃沫也涌溢也其德凝慘寒雰寒之化也〇新校正云按六元正紀大論作其化凝慘凓冽其變冰雪霜雹非時而有其穀豆稷水齊主化其畜彘牛齊孕肉也其果栗棗水土齊實其色黑丹䵺黑加赤丹黃白正也其味鹹苦甘鹹入於苦甘化齊焉其象冬氣序殺肅似冬之化其經足少陰太陽少陰腎脉太陽膀胱脉其藏腎心腎勝心其蟲鱗倮水餘故鱗倮齊育其物濡滿濡水滿土化也〇新校正云按土不及作肉土之過作肌此作天下相成也其病脹水餘也上羽而長氣不化也上見太陽則天不能布化以長養也丙辰丙戌之歲上見天符文運也〇新校正云按氣交變大論云上臨太陽則雨冰雪霜不時降濕氣變物不去上徵者運并務也政

過則化氣大舉而埃昏氣交大雨時降邪傷腎也暴寒數舉是謂政過火故水變土交允復故天地昏鬱土水氣交大雨斯降而邪傷腎也故曰不恒其德則所勝來復政恒其理則所勝同化此之謂也不恒謂恃己有餘變犯不勝恒謂守常之化不肆威刑如是則克己之氣歲同治化也○新校正云詳五運大過之說具氣交變大論中帝曰天不足西北左寒而右涼地不滿東南右熱而左溫其故何也面巽言也岐伯曰陰陽之氣高下之理大小之異也高下謂地形大小謂陰陽之氣盛衰之異今中原地形西北方高東南方下西方涼北方寒東方溫南方熱氣化猶然矣東南方陽也陽者其精降於下故右熱而左溫陽精下降故地氣以溫而知之於下矣陽氣生於東而盛於南故東方溫而南方熱氣之多少明矣西北方陰也陰者其精奉於上故左寒而右涼陰精奉上故地以寒而知之於上矣陰氣生於西而盛於北故西方涼而北方寒君面巽而言臣面乾而對也○新校正云詳天地不足陰陽之說亦具陰陽應象大論中是以地有高下氣有溫涼高

者氣寒下者氣熱新校正云按大元正紀大論云至高之地冬氣常在至下之地春氣常在故適寒涼者脹之溫熱者瘡下之則脹已汗之則瘡已此湊理開閉之常大小之異耳西北東南言其大也夫以氣候驗之中原地形所居者悉以居高則寒處下則熱嘗試觀之高山多雪平川多雨高山多寒平川多熱則高下寒熱可徵見矣中華之地凡有高下之大者東西南北各三分也其一者自漢蜀江南至海也二者自漢江北至平遙縣也三者自平遙北山北至蕃界北海也故南分大熱中分寒熱兼半北分大寒南北分外寒熱尤極大熱之分其寒微大寒之分其熱微然而登涉極高山頂則南面北面寒熱懸殊榮枯倍異也又東西高下之別亦三矣其一者自汧源縣西至沙洲二自自開封縣西至汧源縣三者自開封縣東至滄海也故東分大溫中分溫涼兼半西分大涼大溫之分其寒五分之二大涼之分其熱五分之二溫涼分外溫涼尤極變爲大暄大寒也約其大凡如此然九分之地寒極於東北熱極於西南九分之地其中有高下不同地高處則濕下處則燥此一方之中小異也若大而言之之則高下之有二也何者中原地形西高北高東下南下今百川滿湊東之滄海則東南西北高下可知　爲地形高下故寒熱不同二則陰陽之氣有少有多故表溫涼之異亦合以氣候察之乃

春氣西行秋氣東行冬氣南行夏氣北行以中分從之
自開封至汧源氣候正與曆候同以東行從之自開封
至滄海海一百里秋氣至晚一日春氣發早一日西行
杖之自汧源蕃西至蕃界積石其以南向及西見東南
旨海西十至春氣發晚一日秋氣至早一日北向及東
共西南者海一十五里春氣發晚一日秋氣至早一月
南行莅之川形有北向東北西南者海主百里○新校
正云按別太阼千五里○陽氣行晚一西陰氣行早一
日南向及東南西北川每一十至里勢氣至早一日寒
氣至晚一日廣平之地則每五十里陽氣發早一日寒
氣至戢一日北行投之川形有南向及東南西北者每
二十王里陽氣行晚一日陰氣行早一日北向及東北
舌府川無一十五里寒氣至早一日熱氣至晚一日寒
平之地則每二十里熱氣行晚一日寒氣至早一日大
卒処此發高處嘆處冬氣常在平志下寒夏氣常在熱
其雪零草茂則可知矣鬱地土固有引形川地形川月
形川地勢不同生發榮括地同而天巽凡此之類有夜
向丙向巽向乙向襃向底則春氣早至秋氣晚至早晚
挨十五日有丁向坤向庚向兌向辛向乾向故向良向
處則秋氣早至春氣晚至早晚亦從二十日是所謂榮
山之地也審覩向背氣候可岳寒家之地淒理開少而
閉多閉多則陽氣不散故適寒涼腹必脹也濕熱之地
淒理開多而閉少閉多則陽氣發散故在溫熱皮必瘡
也下之則中氣不論故脹已汗之則陽氣外泄故瘡已

帝曰：其於壽夭何如？言土地居人之壽夭岐伯曰：陰精所奉其人壽，陽精所降其人夭。陰精所奉，高之地也；陽精所降，下之地也。陰方之地，陽不妄泄，寒氣外持，邪不數中而正氣堅守，故壽延。陽方之地，陽氣耗散，發泄無度，風濕數中，真氣傾竭，故夭折。即事驗之，今中原之境，西北方衆人壽，東南方衆人夭，其中猶各有微甚尒，此壽夭之大異也，異方者審之乎。帝曰：善。其病者，治之奈何？岐伯曰：西北之氣散而寒之，東南之氣收而溫之，所謂同病異治也。西方北方人皮膚閉，腠理密，人皆食熱，故宜散宜寒。東方南方人皮膚疏，腠理開，人皆食冷，故宜收宜溫。散謂溫浴，使中外條達；收謂溫中，不解表也。今土俗皆反之，依而療之，則反甚矣。○新校正云：詳分方為治，亦具異法方宜論中。故曰：氣寒氣涼，治以寒涼，行水漬之；氣溫氣熱，治以溫熱，強其內守。必同其氣，可使平也，假者反之。寒方以寒，熱方以熱，溫方以溫，涼方以涼，是正法也，是同氣也。行水漬之，謂湯浸漬也。平謂平調也。若西方北方有冷病，假熱方溫方以除之；東方南方有熱疾，須涼方寒方以療者，則反上正法以取之。帝曰：善。一州之氣，生化壽夭不同其故何也岐伯曰高下之理地勢使然也崇高則陰氣治之汚下則陽氣治之陽勝者先天陰勝者後天先天謂先天時也後天謂後天時也悉言上地生榮枯落之先後也物既有之人亦如然此地理之常生化之道也帝曰其有壽夭乎岐伯曰高者其氣壽下者其氣夭地之小大異也小者小異大者大異大謂東南西北相遠萬里許也小謂居所高下相近二十里三十里或百里許也地形高下懸倍不相計者以近為小則十里二十里高下平慢氣相接者以遠為小則三百里二百里地氣不同乃異也故治病者必明天道地理陰陽更勝氣之先後人之壽夭生化之期乃可以知人之形氣矣不明天地之氣又昧陰陽之候則以壽為夭以夭為壽雖盡上聖救生之道畢經脈藥石之妙猶未免世中之誣斥也帝曰善其歲有不病而藏氣不應不用者何也岐伯曰天氣制之氣有所從也從謂從事於彼不及營於私應用之帝曰願卒聞之岐伯曰少陽司天火氣下

臨肺氣上從白起金用草木告災見燔焫革金且耗大暑以行欬嚏鼽衄鼻窒曰瘍寒熱胕腫寅申之歲候也臨謂御於下從謂從事於上起謂價高於市用謂用行刑罰也詣從起用同之革謂皮革亦謂革易也金謂器屬也耗謂費用也火氣燔灼故曰生瘡瘡身瘡也瘍頭瘡也寒熱前先而後熱則瘥疾也肺為熱害水且救之水守肺中故胕腫胕腫謂腫滿按之不起此天氣之所主也○新正云詳注云故曰生瘡瘡身瘡也瘍頭瘡也今經只日瘍疑經脫一瘡別本日字作口風行于地塵沙飛揚心痛胃脘痛逆鬲不通其主暴速厥陰在泉故風行于地風淫所勝故是病生焉少陽厥陰其化急速故病氣起發疾速而為故云其主暴速此地氣不順而生是故○新校正云詳厥陰與少陽在泉言其主暴速其災機速故不言甚則某病也陽明司天燥氣下臨肝氣上從蒼起木用而立土廼眚淒滄數至木伐草萎脇痛目赤掉振鼓慄筋痿不能久立卯酉之歲候也木用亦謂木功也淒滄大凉也此病之起天氣生焉暴熱至土廼暑陽氣鬱發小便變寒熱如瘧甚則心痛

火行子槁流水不氷蟄蟲迺見少陰在泉熱盛于地而為是也病之所有地氣生焉

大陽司天寒氣下臨心氣上從而火且明新校正云詳火且明三字當作火用二字丹起金迺眚寒清時舉勝則水氷火氣高明心熱煩嗌乾善渴鼽嚏喜悲數欠熱氣妄行寒迺復霜不時降善忘甚則心痛辰戌之歲候也寒清時舉大陽之令也火氣高明謂燥熱於物也不時謂大早及偏害不循時令不昔及於物也病之所起天氣生焉

土迺潤水豐衍寒客至沈陰化濕氣變物水飲内稸中滿不食皮𤸷肉苛筋脉不利甚則胕腫身後癰大陰在泉濕盛于地而為是也病之源始地氣生焉○新校正云詳身後癰當作身發難

厥陰司天風氣下臨脾氣上從而土且隆黃起水迺眚土用革體重肌肉萎食減口爽風行大虛雲物搖動目轉耳鳴巳亥之歲候也土隆土用革謂土氣有用而革易其體亦謂土功事也雲物搖動是謂風行此病所生天之氣也

火縱其暴地迺暑大熱消

爍赤沃下，蟄蟲數見，流水不冰，少陽在泉，火盛于地而爲是也。病之宗兆，地氣生焉。其發機速。少陽厥陰之氣，變化卒急，其爲疾病速者，發機，故曰其發機速。少陰司天，熱氣下臨，肺氣上從，白起金用，草木眚，喘嘔寒熱，嚏鼽衄鼻窒，大暑流行，子午之歲假也。熱司天氣，故是病生，天氣之作也。甚則瘡瘍燔灼，金爍石流，天之文也。地廼燥淒滄數至，脇痛善大息，肅殺行，草木變。變謂變易容質也。脇痛大息，地氣生也。大陰司天，濕氣下臨，腎氣上從，黑起水變，新校正云：詳前後文，此少火迺眚三字。埃冒雲雨，胸中不利，陰痿氣大衰而不起不用，新校正云：詳不用二字當作水用。當其時反腰脽痛，動轉不便也，丑未之歲[illegible]也。水變，謂甘泉變鹹也。埃，土霧也。冒，不分遠也。雲雨，土化也。脽，謂臀肉也。病之有者，天氣生焉。厥逆。新校正云：詳厥逆二字疑當連上文。地廼藏陰，大寒且至，蟄蟲早附，心下否痛，地裂冰堅，少腹痛，時害於食，乘金則止水增，味廼鹹，行水減也。止水，井泉也。行水河渠流注者也止水雖長逝處常甘美而為醎味也病之有若地氣生焉○新校正云詳大陰司天之化不言甚則病甚而云當其時又云乘金則云云者與前條互相發明也帝曰歲有胎孕不育治之不全何氣使然歧伯曰六氣五類有相勝制也同者盛之異者衰之此天地之道生化之常也故厥陰司天毛蟲靜羽蟲育介蟲不成謂乙巳丁巳己巳辛巳癸巳乙亥丁亥己亥辛亥癸亥之歲也靜無聲也亦謂靜退不先用事也羽為火虫氣同地也火制金化故介虫不成謂白色有甲之虫少孕育也在泉毛蟲育倮蟲耗羽蟲不育地氣制土黃倮耗損歲乘木運其又甚也羽虫不育少陽自抑之是則五寅五申歲也凡稱不育不成皆謂少非悉無也少陰司天羽蟲靜介蟲育毛蟲不成謂甲子丙子戊子庚子壬子甲午丙午戊午庚午壬午之歲也靜謂胡燕鷰百舌鳥之類是歲黑色毛虫孕育少成也在泉羽蟲育介蟲耗不育地氣制金白介虫不育歲乘火運斯復甚焉是則五卯五酉歲也○新校正云詳介虫耗以少陰在泉火克金之介虫不育以陽在天自抑之也太陰司天倮蟲靜鱗蟲育羽蟲不成

是謂乙丑丁丑己丑辛丑癸丑乙未丁未己未辛未癸未之歲也倮虫者謂人及蝦蟇之類也羽虫謂青綠色者則鸞鵲鴷鳥翠碧鳥之類諸青綠色之有羽者歲乘金運其復甚哉鴷音列在泉倮蟲育鱗蟲新校正云詳此少一耗字不成地氣制水黑鱗不育歲乘土運而又甚焉是則五辰五戌是也少陽司天羽蟲靜毛蟲育倮蟲不成謂甲寅丙寅戊寅庚寅壬寅甲申丙申戊申庚申壬申之歲也倮虫謂青綠色者也羽虫謂黑色諸有羽翼者則越鷰百舌鳥之類是也在泉羽蟲育介蟲耗毛蟲不育地氣制金白介耗荻歲乘火運其又甚也毛虫不育天氣制之是則五巳五亥歲也陽明司天介蟲靜羽蟲育介蟲不成謂乙卯丁卯己卯辛卯癸卯乙酉丁酉己酉辛酉癸酉之歲也羽為火虫故蕃育也介虫謂有赤色甲殼者也赤介不育天氣制之在泉介蟲育毛蟲耗羽蟲不成地氣制木黑毛虫耗歲乘金運類復甚焉是則五子五午歲也羽虫不能以上見少陰也太陽司天鱗蟲靜倮蟲育謂甲辰丙辰戊辰庚辰壬辰甲戌戊戌庚戌壬戌歲也倮虫育地氣同也鱗虫靜謂黃鱗不用也是歲雷霆少舉以天氣抑之也○新校正云詳當此云鱗虫不成在泉鱗蟲耗倮蟲不育天氣制勝黃黑

鱗耗是則五丑五未歲也○新校正云詳此當為鱗蟲育羽蟲耗倮蟲不育註中鱗字亦當作之運羽諸

乘所不成之運則甚也乘木之運倮蟲不成乘火介蟲不成乘土之運鱗蟲不成乘金

之運毛蟲不成乘水之運羽蟲不成當是歲者與上文同意少能孕育也斯並運與氣同者運乘其勝復遇天

符及歲會者十孕不全一二也故氣主有所制歲立有所生地氣制已

勝天氣制勝已天制色地制形天氣隨已不勝者制之謂制其色也地氣隨已

所勝者制之謂制其形也故又曰天制色地制形焉是以天地之間五類生化互有所勝互有所化互有所生

互有所制五類衰盛各隨其氣之所宜也宜則蕃息故有胎孕不

育治之不全此氣之常也天地之間有生之物凡此五類也五謂毛羽倮鱗介也故

曰毛蟲三百六十麟為之長羽蟲三百六十鳳為之長倮蟲三百六十人為之長鱗蟲三百六十龍為之長介

蟲三百六十龜為之長凡諸有形蚑行飛走喘息胎息大小高下青黃赤白黑身被毛羽鱗介者通而言之皆

謂之蟲矣不具是四者皆為倮蟲凡此五物皆有胎生卵生濕生化生四人致問言及五類也所謂中

根也生氣之根本發自身形之中中根也非是五類則生氣根系悉因外物以成立去之則生氣絕矣

根于外者亦五謂五味五色類也然木火土金水之形類悉假外物色藏乃能生化外物既去則生氣離絶故皆是根于外也○新校正云詳註中色藏二字當作己成故生化之別有五氣五味五色五類五宜也然是二十五者皆中根外悉有之五氣謂臊焦香腥腐也五味謂酸苦甘辛鹹也五色謂青黃赤白黑也五類有二矣其一者謂毛羽倮鱗介其二者謂燥濕液堅耎也夫如是等於萬物之中互有所宜也帝曰何謂也岐伯曰根于中者命曰神機神去則機息根于外者命曰氣立氣止則化絶諸有形之類根於中者生源繫天其所動靜皆神氣爲機發之主故其所爲也物莫之知是以神捨去則機發動用之道息矣根于外者生源繫地故其所生長化成收藏皆爲造化之氣所成立故其所出也物亦莫之知是以氣止息則生化結成之道絶滅矣其木火土金水燥濕液堅柔雖常性不易及乎外物去生氣離根化絶止則其常體性顏色皆必小變移其日也○新校正云按六微旨大論云出入廢則神機化滅升降息則氣立孤危故非出入則無以生長壯老已非升降則無以生長化收藏故各有制各有勝各有生各有成根中根外悉如是故曰不知年之所加氣之同異不

是以言生化此之謂也新校正云按六節藏象論云不知年之所加氣之盛衰虛實之
所起不可以為工矣帝曰氣始而生化氣散而有形氣布而蕃育
氣終而象變其致一也始謂始發動散謂流散於物中布謂布化於結成之形所終極
於收藏之用也故始動而生化流散而有形布化而成結終極而萬象皆變也即事驗之天地之間有形之類
其生也柔弱其死也堅強凡如此類皆謂變易生死之時形質是謂氣之終極○新校正云按天元紀大論云
物生謂之化物極謂之變又六微旨大論云物之生從於化物之極由乎變變化相薄成敗之所由也然
而五味所資生化有薄厚成熟有少多終始不同其故
何也岐伯曰地氣制之也非天不生而地不長也天地雖無
情於生化而生化之氣自有異同尒何者以地體之中有六入故也氣有同異故有生有化有不生有不化有
少生少化有廣生廣化矣故天地之間無必生必化必不生必不化必少生少化必廣生廣化也各隨其氣分
所好所惡所異所同也帝曰願聞其道岐伯曰寒熱燥濕不同其
化也寒寒熱燥濕四氣不同則溫清暑化可知之矣故少陽在泉寒毒不生其

味辛其治苦酸其穀蒼丹巳亥歲氣化也夫毒者皆五行慓盛暴烈之氣所為也今
火在地中其氣王熱寒毒之物氣與地殊生死不同故生少也火制金氣故味辛者不化也少陽之氣上奉厥
陰故其歲化苦與發也六氣主歲唯此歲通和木火相乎故無間氣也苦丹地氣所化酸蒼天氣所生也餘所
生化悉有上下勝殺長皆有間氣矣陽明在泉濕毒不生其味酸其氣濕
新挍正云詳在泉六惟陽明與太陰在泉之歲云其氣濕其氣熱蓋以濕燥未見寒濕之氣故再云其氣也
其治辛苦甘其穀丹素子午歲氣化也燥在地中其氣涼清故濕溫毒藥少生化也金
木相制故味酸者少化也陽明之氣上奉少陰故其歲化辛與苦也辛素地氣也苦丹天氣也甘間氣也所以
問金火之勝也故兼治甘太陽在泉熱毒不生其味苦其治淡鹹其
穀黅秬丑未歲氣化也寒在地中與熱殊化故其歲物熱毒不生水勝火味故當苦也大陽之氣上奉
太陰故其氣化生淡鹹也大陰上氣上主於天氣遠而高故甘之化薄而為淡也所以淡亦屬甘甘之類也淡
黅天化也鹹秬地化也黅黃也○新挍正云詳注云味故當苦當作故味苦者不化薄為鹹也厥陰在
泉清毒不生其味甘其治酸苦其穀蒼赤寅申歲氣化也溫在地中

內經十　五十六

與清殊性故其歲物清毒不生木勝其土故味甘少化也厥陰之氣上合少陽所合之氣既無乘件故其治已酸與苦也酸蒼地化也苦赤天化也氣無勝尅故不間氣以甘化也

其氣專其味正

厥陰少陽在泉之歲皆氣化專一其味純正然餘歲悉上下有勝尅之氣故皆有間氣間味矣

少陰在泉寒毒不生其味辛其治辛苦甘其穀白丹

卯酉歲氣化也熱在地中與寒殊化故其歲華寒毒甚微火氣爍金故味辛少化也少陰陽明主天主地故其所治苦與辛焉苦丹為地氣所青白辛為天氣所生甘間氣也所以間止尅伐也

大陰在泉燥毒不生其味鹹其氣熱其治甘鹹其穀黅秬

辰戌歲氣化也地中有濕與燥不同故乾毒之物不生化也土制於水故味鹹少化也大陰之氣上承大陽故其歲化甘與鹹也甘黅地化也鹹秬天化也寒濕不為大忤故間氣同而氣熱者應之

化淳則鹹守氣專則辛化而俱治

淳和也化淳謂少陽在泉之歲也火來居水而反能化育是水鹹自守不與火爭化也氣專謂厥陰在泉之歲也木居于水而復下化金不受害故辛復生化與酸俱王也雖此兩歲上下之氣無尅伐之嫌故辛得與酸同應三而生化也餘歲皆上下有勝尅之變故其中間其味兼化以淚其制抑餘苦鹹酸三味不同其生化也故一忽

正化日也　其化上鹹寒中辛溫下酸溫所謂藥食

宜也新校正云按玄珠云下苦與夏六論云燥同于則治

辛未同歲會辛丑歲同歲會

上大陰土　中少羽水運火　中少宮土運下大

陽水雨化　風化勝復同　所謂邪氣化日也　災

一宮新校正云詳一宮北室坎位天主司雨化五　寒化一新校正云詳此以運

與在泉俱水故只言寒化一寒化一者少羽之化氣也若大陽在泉之化則辛未寒化一辛丑寒化六

所謂正化日也　其化上苦熱中苦和下苦熱所謂

藥食宜也同天符

之上病在中傍耳之　下陽明金　熱化七

壬中同天符壬寅歲同天符

上少陽相火　中大角木運　下厥陰木　火化二

之治寒以熱涼而行之治溫以清冷所謂正化日也其熱而行之氣性有剛柔形證有輕重辨於至云詳此至有寒溫盛大則順氣性以取丙申月水還可性以伐之氣味與之必於容方二寶陽從調氣之補瀉〇新於正云化衰清化九燥化九寒用寒因熱用必伏其所主而先其所因宮司正宮寺其發則異可使破積可使潰堅可使氣和可二言丑從消之削之吐之下之補之瀉之久新同法正云李巳行其風化三黃久無異道也帝曰病在中而不實不堅且聚且散奈何岐伯曰悉乎哉問也無積者求其藏虛則補之隨病所在命其藏以補之藥以祛之食以隨之食以無毒之藥隨湯丸以迫逐之使其盡也行水漬之和其中外可使畢已中外通和氣無流礙則釋然消散真氣自平帝曰有毒無毒服有約乎岐伯曰病有久新方有大小有毒無毒固宜常制矣大毒治病十去其六下品藥毒毒之大也常毒治病十去其七中品藥毒次於下也小毒治病十去其八上品藥毒毒之小也無

毒治病十去其九上品中品下品無毒藥悉謂之平穀肉果菜食養盡之無使過之傷其正也大毒之性烈其為傷也多小毒之性和其為傷也少常毒之性減大毒之性一等加小毒之性一等所傷可知也故至約必止之以待來證爾然無毒之藥性雖平和久而多之則氣有偏勝則有偏絕久攻之則藏氣偏弱既弱且困不可長也故十去其九而止服至約已則以五穀五肉五果五菜隨五藏宜者食之已盡其餘病藥食兼行亦通也○新校正云按藏氣法時論云毒藥攻邪五穀為養五果為助五畜為益五菜為充不盡行復如法法謂前四約也餘病不盡然再行之毒之大小至約而止必無過也必先歲氣無伐天和歲有六氣分主有南面北面之政先知此六氣所在人脈至尺寸應之太陰所在其脈沈少陰所在其脈鉤厥陰所在其脈弦太陽所在其脈大而長陽明所在其脈短而濇少陽所在其脈大而浮如是六脈則謂天和不識不知呼為寒熱攻寒令熱脈不變而熱疾已生制熱令寒脈如故而寒病又起欲求其適安可得乎夭枉之來率由於此無盛盛無虛虛而遺人夭殃不察虛實但思攻擊而盛者轉盛虛者轉虛萬端之病從茲而甚真氣日消病勢日侵殃咎之來苦夭之興難可逃也悲夫無致邪無失正絕人長命所謂伐天

私也暎虛謂實是謂實暴寒不盛盛之虛身壽矣正氣既死謂為鬼也由矣帝曰其久病者有
氣從不康病去而瘠奈何從謂順也岐伯曰昭乎哉聖人之
問也化不可代時不可違化謂造化也代大匠斲猶傷其手況造化之氣人能以力
代之乎夫生長收藏各應四時之化雖巧智者亦無能先時而致之明非人力所及由是觀之則物之生長收
藏化必待其時也物之成敗理亂亦待其時也物既有之人亦宜然或言力必可致而能代造化違四時者妄
也之夫經絡以通血氣以從復其不足與衆齊同養之和
之靜以待時大守其氣無使傾移其形迺彰生氣以長
命曰子王故大要曰無代化無違時必養必和待其來
復時之謂也帝曰善大要上古經法也引古之要旨以明時化之不可違不可以力代也

新刊黃帝内經素問卷之十

新刊補註釋文黃帝內經素問卷之十一

啓玄子次註林億孫奇高保衡等奉勑校正孫兆重改誤

○六元正紀大論篇第七十一

黃帝問曰六化六變勝復淫治甘苦辛鹹酸淡先後余知之矣夫五運之化或從五氣新校正云詳五氣疑作天氣則與下文相叶或逆天氣或從天氣而逆地氣或從地氣而逆天氣或相得或不相得余未能明其事欲通天之紀從地之理和其運調其化使上下合德無相奪倫天地升降不失其宜五運宣行勿乖其政調之正味從逆奈何氣同謂之從氣異謂之逆勝制為不相得相生為相得司天地之氣更淫勝復各有主治法則欲令平調氣性不違忤天地之氣以致清淨和平也岐伯稽首再拜對曰昭乎哉問也此天地之

綱紀變化之淵源，非聖帝孰能[illegible]理歟？[illegible]雖不敏，請陳其道，令終不滅，久而不易。氣主循環，同於天地，太過不及，氣序常然，不言永定之制，則久而更易，去聖遼遠，何以明之？帝曰：願夫子推而次之，從其類序，分其部主，別其宗司，昭其氣數，明其正化，可得聞乎？部主謂分六氣所部主者也。宗司謂配五氣運行之位也。氣數謂天地五運氣更用之正數也。正化謂歲直氣味所宜，酸苦甘辛鹹寒溫冷熱也。岐伯曰：先立其年，以明其氣，金木水火土運行之數，寒暑燥濕風火臨御之化，則天道可見，民氣可調，陰陽卷舒，近而無惑，數之可數者，請遂言之。遂，盡也。帝曰：太陽之正奈何？岐伯曰：辰戌之紀也。

太陽　太角　太陰　壬辰　壬戌　其運風，其化鳴紊啓拆，新校正云：按五常政大論云：其德鳴靡啓拆。其變振拉摧拔，新校正云：詳此二運其化其變與六角等運起。其病眩掉目瞑。新校正云：詳此病證以運加同天地

譌言

大角初正 少徵 大宮 少商 大羽終

太陽 太徵 太陰 戊辰 戊戌同正徵 新校正云按五常大論云赫曦之紀上羽與正徵同 其運熱 其化暄暑鬱燠 新校正云按五常政大論訣作蒸 其變炎烈沸騰 其病熱鬱

太徵 少宮 太商 少羽終 少角初

太陽 太宮 太陰 甲辰歲會同天符 甲戌歲會同天符新校正云按天元紀大論云承歲爲歲直又六微旨大論云木運臨卯火運臨午土運臨四季金運臨酉水運臨子所謂歲會氣之平也王冰云歲直亦曰歲會此甲爲六宮辰戌爲四季故曰歲會又云同天符者按本論下文云太過而加同天符是此歲一爲歲會又爲同天符也 其運陰埃新校正云詳大宮三運兩曰陰雨此曰陰埃埃疑作雨 其化柔潤重澤新校正云按五常政大論澤作淖 其變震驚飄驟 其病濕下重

大宮 少商 大羽終 大角初 少徵

大陽 大商 大陰 庚辰 庚戌 其運涼其化霧露蕭颸 其變肅殺凋零 其病燥背瞀胸滿

大商 少羽終 少角初 大徵 少宮

大陽 大羽 新校正云按五常政大論云上羽而長氣不化 大陰 丙辰 天符 丙戌 天符 新校正云按天元紀大論云應天為天符又六微旨大論云土運之歲上見大陰火運之歲上見少陽少陰金運之歲上見陽明木運之歲上見厥陰水運之歲上見太陽曰天與之會故曰天符又本論下文云五運行同天化者命曰天符又云臨者大過不及皆曰天符 其運寒 新校正云詳大羽三運此為上羽少陽少陰司天為大徵也少陽司天運言寒肅此與少陰司天運言其運寒肅疑此大陽司天運合大羽當言其運寒肅少陽少陰司天運當云其運寒 其化凝慘凓冽 新校正云按五常政大論作凝慘寒雰 其變冰雪霜雹 其病大寒留於谿谷

大羽終　大角　少徵　大宮　少商

凡此大陽司天之政氣化運行先天六步之氣生長[illegible]成收藏皆先天[illegible]而應至也餘歲先天同之也天氣肅地氣靜寒臨大虛陽氣不令水土合德上應辰星鎮星明而大也其穀玄黅天地正氣之生長化成也[illegible]黃也其政肅其令徐寒政大舉澤無陽燄則火發待時甚[illegible]則火鬱待四氣乃發暴為炎熱也少陽中治時雨迺涯止極雨散還於大陰雲朝北極濕化迺布北極雨府也澤流萬物寒敷于上雷動于下寒濕之氣持於氣交歲氣之大體也民病寒濕發肌肉萎足萎不收濡寫血溢新校正云詳血溢者火發待時所為之病也初之氣地氣遷氣迺大溫畏火致之草迺早榮民迺厲溫病迺作身熱頭痛嘔吐肌腠瘡瘍赤班也是為瘡腠中瘡在皮內也二之氣大涼反至民迺慘草迺遇寒火氣遂抑民病氣鬱中滿寒

迺始（自京而又之於寒氣故寒氣始來近人也）三之氣天政布寒氣行雨迺降民病寒反熱中癰疽注下心熱瞀悶不治者死（當寒反熱是反天常熱起於心則神之危亟不急扶發神灺消亡故治者則生不治則死）四之氣風濕交爭風化為雨迺長迺化迺成民病大熱少氣肌肉萎足痿注下赤白五之氣陽復化草迺長迺化迺成民迺舒（大火臨御萬物舒榮）故終之氣地氣正濕令行陰凝大虛埃昏郊野民迺慘悽寒風以至反者孕迺死故歲宜苦以燥之温之（新校正云詳故歲宜以燥之溫之九字當在避虛邪以安其正下錯簡在此）必折其鬱氣先資其化原（化原謂九月迎而取之以補心火○新挍正云詳水將勝也先於九月迎取其化原先寫腎之源也蓋以水主十月故先於九月迎而取之寫水所以補火也）抑其運氣扶其不勝（大角歲脾不勝大徵歲肺不勝大宮歲腎不勝大商歲肝不勝大羽歲心不勝歲之宜也如此然大六）無使暴過而生其疾食歲穀以全（耳司天五歲之氣過 全先助心後[illegible]）

其真避虚邪以安其正木過則肥病生火[illegible]土過則腎病生金過則[illegible]水過則心病生天地之氣過亦然也歲穀謂黃色黑色白色穀也虛邪謂從衝後來之風也適氣同異多少制之同寒濕者燥熱化異寒濕者燥濕化大宮商大羽歲同寒濕宜治以燥熱化大角大當歲異寒濕宜治以燥濕化用寒遠寒用涼遠涼用溫遠溫用熱遠熱食宜同法有假者反常反是者病所謂時也時謂春夏秋冬及間氣所在同則遠之即雖其時若六氣臨御假寒熱溫涼以除疾病者則勿遠之如太陽司天寒為病者假熱以療則熱用不遠夏餘氣例同故曰有假反常也食同藥法爾若無假反法則為病之媒非方制養生之道○新校正云按用寒遠寒及有假者反常等事下文備矣帝曰善陽明之政奈何岐伯曰卯酉之紀也

陽明　少角　少陰　清熱勝復同　同正商清勝少角熱復清氣故曰清熱勝復同也餘少運皆同也同正商者上見陽明上商與正商同言歲木不及也餘準此○新校正云按五常政大論云委和之紀上商與正商同　丁卯歲會　丁酉　其運風

清熱不及之運常兼勝復之氣言之剋遇也清勝氣也熱復氣也餘少運悉同

少角初正　大徵　少宮　大商　少羽終

陽明　少徵　少陰　寒雨勝復同　同正商新校正云按伏明之紀上商與正商同　癸卯同歲會　癸酉同歲會○新校正云按本論下次云下云而加同歲會此運少徵爲不及下加少陰故云同歲會

其運熱寒雨

少徵　大宮　少商　大羽終　大角初

陽明　少宮　少陰　風涼勝復同　己卯　己酉

其運雨風涼

少宮　大商　少羽終　少角初　大徵

陽明　少商　少陰　熱寒勝復同　同正商新校正云按五常政論云從革之紀上商與正商同　乙卯天符　乙酉歲會大一天符新校正云按天元紀大論云三合爲治又六微旨大論云天符歲會曰大一天符王冰云是謂三合一者

天會二者歲會三者運會或云此歲三合曰太一天符不當更曰歲會者甚不然也乙酉本為歲會又為太一天符歲會之名不可去也或云己丑己未戊午何以不連言歲會而單言六一天符曰舉一隅不以三隅反舉一則三者可知去之則是大一天符不爲歲會也故曰不可去也其運涼熱寒

少商　大羽終　大角初　少徵　大宮

陽明　少羽　少陰　雨風勝復同　辛卯少宮同新校正云按五常政大論云五運不及除同正角正商正宮外癸丑癸未當云少徵與少羽同己卯己酉少宮與少角同乙丑乙未少商與少徵同辛卯辛酉辛巳辛亥少羽與少宮同合爲十年今此論獨於此言少宮同者蓋以癸丑癸未丑未爲土故不更同少羽己卯己酉爲金故不更同少角辛巳辛亥爲木故不更同少宮乙丑乙未下見太陽爲水故不更同少徵又除此八年外只有辛卯辛酉二年爲少羽同少宮也

辛酉　辛卯其運寒雨同

少羽終　少角初　大徵　太宮　大商

凡此陽明司天之政氣化運行後天六步之氣生長化成收藏皆後

天時而應餘少歲同天氣急地氣明陽專其令炎暑大行物燥以堅淳風迺治風燥橫運流於氣交多陽少陰雲趨雨府濕化迺敷雨府太陰之所在也燥極而澤燥氣欲然則化為雨澤是為三氣之分也其穀白丹天地正氣所化生也間穀命大者命大者謂前文大角商等氣之化者同氣化生按云間穀也○新校正云按玄珠云歲穀與間穀者何即在泉為歲谷及在泉之左右間者皆為歲谷其司天及運間而化者名間谷又別有一名間谷者是地化不及即反所勝而生者故名間穀即邪氣之化又名並化之谷也亦名間谷與王注頗異其耗白甲品羽白色甲蟲多品羽類有羽翼者耗散粢盛蟲鳥罕其歲為災以耗羽物類金火合德上應太白熒惑見大而明其政切其令暴蟄蟲迺見流水不冰民病欬嗌塞寒熱發暴振慄癃閟清先而勁毛蟲迺死熱後而暴介蟲迺殃其發暴勝復之作擾而大亂金先勝木已於害故毛蟲死火後勝金不勝故介蟲復殃勝而行殺羽蟲已亡殺者發來強者又死非上二爾氣其謂也清熱之氣持於氣交初之氣

之氣遷陰始凝氣始肅水迺冰寒雨化其病中熱脹面目浮腫善眠鼽衄嚏欠嘔小便黃赤甚則淋○大陰之化新校正云詳自肅水冰之非大陰之化二之氣陽迺布民迺舒物迺生榮厲大至民善暴死臣位君故厲三之氣天政布涼迺行燥熱交合燥極而澤民病寒熱寒熱燥也四之氣寒雨降病暴仆振慄譫妄少氣嗌乾引飲及為心痛癰腫瘡瘍瘧寒之疾骨痿血便骨痿無力五之氣春令反行草迺生榮民氣和終之氣陽氣布候反溫蟄蟲來見流水不冰民迺康平其病溫君之化也故食歲穀以安其氣食間穀以去其邪歲宜以鹹以苦以辛汗之清之散之安其運氣無使受邪折其鬱氣資其化源化源謂六月迎而取之也○新校正云按金王七月故迎於六月寫金氣以寒熱輕重少多其制同熱者多天化同清者多地化

少角少徵歲同熱用方多以天清之化治之少宮少商
少羽歲同清用方多以地熱之化治之火在地故同清
者多地化金在天故同熱者多天化用涼遠涼用熱遠熱用寒遠寒用溫
遠溫食宜同法有假者反之此其道也反之者亂天地
之經擾陰陽之紀也帝曰善少陽之政奈何岐伯曰寅
申之紀也
少陽　大角新校正云按五常政大論云上徵則其氣逆　厥陰　壬寅同天符
壬申同天符　其氣風鼓新校正云詳風大合勢故其運風鼓少陰司天大角運亦同
其化鳴紊啓拆新校正云按五常政大論云其德鳴靡啓拆　其變振拉摧
拔　其病掉眩支脇驚駭
大角初正　少徵　大宮　少商　大羽終
少陽　大徵新校正云按五常政大論云上徵而收氣後　厥陰　戊寅天符
戊申天符　其運暑　其化暄囂鬱燠新校正云按五常政大

作瘡暑鬱燠此變暑爲瘍者以上臨少陽故也其變炎烈沸騰　其病上
鬱血溢血泄心痛
太徵　少宮　太商　少羽終　少角初
少陽　太宮　厥陰　甲寅　甲申　其運陰雨　其化
柔潤重澤　其變震驚飄驟　其病體重胕腫痞飲
六宮　少商　太羽終　太角初　少徵
少陽　太商　厥陰　庚寅　庚申　同正商新校正云按五
常政大論堅成之紀上徵與正商同　其運涼　其化霧露清切新校正云按五
常政大論云霧露蕭瑟又太商三運兩言蕭颼獨此言清切詳此下如厥陰當此蕭颼　其變肅
殺凋零　其病肩背胸中
太商　少羽終　少角初　太徵　少宮
少陽　太羽　厥陰　丙寅　丙申　其運寒肅新校正云

新校正云此運不當言寒霧以大陽司天大羽運中其化凝慘凓冽新校正云按五常政大論
云作凝慘寒雰其變冰雪霜雹其病寒浮腫
大羽終　大角初　少徵　大宮　少商
凡此少陽司天之政氣化運行先天天氣正新校正云詳少陽司
天大陰司地正得天地之正又厥陰少陽司地各云得其正者以地主生榮為言也本或作天氣止者少陽火
之性用動躁云止義下通地氣擾風迺暴舉木偃沙飛炎火迺流陰
行陽化雨迺時應火木同德上應熒惑歲星見明而大○新校正
云詳六氣惟少陽厥陰司天司地為上下通和無相勝者故言火木同德餘氣皆有勝負故言合德其穀
丹蒼其政嚴其令擾故風熱參布雲物沸騰大陰橫流
寒迺時至涼雨並起民病寒中外發瘡瘍內為泄滿故
聖人遇之和而不爭往復之作民病寒熱瘧泄聾瞑嘔
吐上怫腫色變初之氣地氣遷風勝迺搖寒迺去候迺

大温草木早榮寒來不殺温病廼起其病氣怫於上血溢目赤欬逆頭痛血崩今詳崩字當作崩脇滿膚腠中瘡之[illegible]二之氣火反鬱大陸分故介白埃四起雲趨雨府風下[illegible]濕雨廼零民廼康其病熱鬱於上欬逆嘔吐瘡發於中胸嗌不利頭痛身熱昏憒音會膿瘡三之氣天政布炎暑至少陽臨上雨廼涯民病熱中聾瞑血溢膿瘡欬嘔鼽衄渴嚏欠喉痹目赤善暴死四之氣涼廼至炎暑間化白露降民氣和平其病滿身重五之氣陽廼去寒廼來雨廼降氣門廼閉新校正云按王注生氣通天論云氣門玄府也所以發泄經脉榮衛之氣故謂之氣門剛木早凋民避寒邪君子周密終之氣地氣正風廼至萬物反生霿霧以行其病關閉不禁心痛陽氣不藏而欬抑其運氣贊所不勝必折其鬱氣先取化源化源年之

前十二月逆而取之○新校正云王注資取化源俱注云取其壹有四等大陽司天取九月陽明司天取六月是二者先取在天之氣也少陽司天取年前十二月大陰司天取九月是二者乃先時取在地之氣也少陰司天取年前十二月厥陰司天取四月義不可解按玄珠之說則不然大陽陽明之月與王注合少陽少陰俱取三月大陰取五月厥陰取年前十二月玄珠之義可解王注之月疑有誤也暴過不生苛疾不起苛重也○新校正云詳此不言食歲穀間穀者蓋此歲天地氣正上下通和故不言也故歲宜鹹宜辛宜酸滲之泄之漬之發之觀氣寒溫以調其過同風熱者多寒化異風熱者少寒化大角大羽歲同風熱以寒化參之大宮大商大羽歲異風熱以寒調其過也用熱遠熱用溫遠溫用寒遠寒用涼遠涼食宜同法此其道也有假者反之反是者病之階也帝曰善大陰之政奈何岐伯曰丑未之紀也

大陰　少角　大陽　清熱勝復同　同正宮新校正云按五常政大論云委和之紀上宮與正宮同　丁丑　丁未　其運風清熱

少角初正 太徵 少宮 太商 少羽終
太陰 少徵 太陽 寒雨勝復同 癸丑 癸未
其運熱寒雨
少徵 太宮 少商 太羽終 太角
太陰 少宮 太陽 風清勝復同 同正宮 新校正云按五常政大論云卑監之紀上宮與正宮同 己丑太一天符 己未太一天
符 其運雨風清
少宮 太商 少羽終 少角初 太徵
太陰 陰商 太陽 熱寒勝復同 乙丑 乙未
其運涼熱寒
少商 太羽終 太角初 少徵 太宮
太陰 少羽 太陽 雨風勝復同 同正宮 新校正云按五

※

（常政大論云涸流之紀上宮與正宮同或以此二歲為同歲會為正水運欲去與正宮三字者非也是此歲有二義而難去其一甚不可也）辛丑（同歲會）辛未（同歲會）其運寒雨風

少羽（終）少角（初）大徵　少宮　大商

凡此太陰司天之政氣化運行後天（萬物生長化成皆後天時而生成也）陰專其政陽氣退辟大風時起（新校正云詳此大陰之政何以言大風時起蓋辰陰為初氣居木位春氣正風迺來故言大風時起之）天氣下降地氣上騰原野昏霿白埃四起雲奔南極寒雨數至物成於差夏（南極南府也差夏謂立秋之後一十日也）民病寒濕腹滿身䐜憤胕腫痞逆寒厥拘急濕寒合德黃黑埃昏流行氣交上應鎮星辰星（見大而明）其政肅其令寂其穀黅玄（正氣所生成也）故陰凝於上寒積於下寒水勝火則為冰雹陽光不治殺氣迺行（黃黑昏埃是謂殺氣自北八西流行於東及南也）故有餘宜高不及宜下有餘宜晚不及

※ 須並作迺

旱土之利氣之化也民氣亦從之間穀命其太也間
氣之大者言其穀也初之氣地氣遷寒廼去春氣至風廼来生布
萬物以榮民氣條舒風濕相薄雨廼後民病血溢筋絡
拘強關節不利身重筋痿二之氣大火正物承化民廼
和其病溫厲大行遠近咸若濕蒸相薄雨廼時降應順天常
不愆時候謂之時雨○新校正云詳
此以少陰居君火之位故言大火正三之氣天政布濕
氣降地氣騰雨廼時降寒廼隨之感於寒濕則民病身
重胕腫胸腹滿四之氣畏火臨溽蒸化地氣騰天氣否
隔寒風曉暮蒸熱相薄草木凝煙濕化不流則白露陰
布以成秋令萬物得之以成民病腠理熱血暴溢瘧心腹滿熱
臚脹甚則胕腫五之氣慘令已行寒露下霜廼早降草
木黃落寒氣及體君子周密民病皮腠終之氣寒大舉

迎

濕大化霜迺積陰迺凝水堅氷陽光不治感於寒則病人關節禁固腰脽痛寒濕持於氣交而爲疾也必折其欝氣而取化源九月化源迎而取之以補益也益其歲氣無使邪勝食歲穀以全其真食間穀以保其精故歲宜以苦燥之溫之甚者發之泄之不發不泄則濕氣外溢肉潰皮拆而水血交流必贊其陽火令禦甚寒冬之分其用五寒量氣用之也從氣異同少多其判也迺言歲運之同異也同寒者以熱化同濕者以燥化少宮少商少羽歲同寒少宮歲又同濕過故宜燥寒過故宜熱少角少徵歲平和處之也故異者少之同者多之用涼遠涼用寒遠寒用溫遠溫用熱遠熱食宜同法假者反之此其道也反是者病也帝曰善少陰之政奈何岐伯曰子午之紀也

少陰　六　新校正云按五常政大[illegible]　陽明　壬子　壬

午　其運風鼓　其化鳴紊啓拆新校正云按五常政大論云其德鳴靡啓坼　其變振拉摧拔　其病支滿

六角初正　少徵　太宮　少商　太羽終

少陰　太徵新校正云按五常政大論云上徵而收氣後　陽明　戊子天符　戊午太一天符　其運炎暑新校正云詳太徵運太陽司天曰熱少陽司天曰暑少陰司天曰炎暑兼司天之氣而言運也　其化暄曜鬱燠新校正云按五常政大論作暄暑鬱燠此變暑為曜者以上臨少陰故也　其變炎烈沸騰　其病上熱血溢

太徵　少宮　太商　少羽終　少角初

少陰　太宮　陽明　甲子　甲午　其運陰雨　其化柔潤時雨新校正云按五常政大論云柔潤重淖又太宮三運兩作柔潤重澤此時雨二字疑誤　其變震驚飄驟　其病中滿身重　太宮　少商

大羽終 大角初 少徵

少陰 大商 陽明 庚子同天符 庚午同天符 同正商新校正云按五常政大論云堅成之紀上徵與正商同 其運涼勁新校正云詳此以運合在泉故云同正商 其化霧露蕭飋 其變肅殺凋零 其病下清

大商 少羽終 少角初 大徵 少宮

少陰 大羽 陽明 丙子歲會 丙午 其運寒 其化凝慘慄冽新校正云按五常政大論作凝慘寒雰 其變冰雪霜雹 其病寒下

大羽終 大角初 少徵 大宮 少商

凡此少陰司天之政，氣化運行先天天地氣肅天氣明寒交暑熱加燥新校正云詳此云寒交暑者謂前歲終之氣少陽令歲初之氣太陽太陽寒交前歲少陽之暑也熱加燥者少陰在上而陽明在下也雲馳雨府濕化廼行時雨廼降金火合德上應熒惑太白見[illegible]明大其政明其令切其穀丹白水火寒熱持於氣交而為病始也熱病生於上清病生於下寒熱淩犯而爭於中民病欬喘血溢血泄鼽嚏目赤眥瘍寒厥入胃心痛腰痛腹大嗌乾腫上初之氣地氣遷燥將去新校正云按陽明在泉之前歲為少陽少陽者暑暑往而陽明在地太陽初之氣故上文寒交暑是暑去而寒始也此燥字乃暑字之誤也寒廼始蟄復藏水冰霜復降風廼至新校正云按王注六微旨大論云六陽居木位為寒風切列此風乃至當作風廼列陽氣鬱民反周密關節禁固腰脽痛炎暑將起中外瘡瘍二之氣陽氣布風廼行春氣以正萬物應榮寒氣時至民廼和其病淋目瞑目赤氣鬱於上而熱三之氣天政布大火行庶類蕃鮮寒氣時至民病氣厥心痛寒熱更作欬喘目赤四之氣溽暑至大雨時行寒熱

互至民病寒熱嗌乾黃癉鼽衄飲發二之氣畏火臨暑反至陽廼化萬物廼生廼長榮民廼康其病温終之氣燥令行餘火内格腫於上欬喘甚則血溢寒氣數舉則霧霿翳病生皮腠内舍於脇下連少腹而作寒中地將易也（氣終則遷何可長也）必抑其運氣資其歲勝折其鬱發先取化源（先於年前十二月迎而取之）無使暴過而生其疾也食歲穀以全真氣食間穀以辟虚邪歲宜醎以耎之而調其上甚則以苦發之以酸收之而安其下甚則以苦泄之適氣同異而多少之同天氣者以寒清化同地氣者以温熱化（大角大徵歲同天氣宜以寒清治之大宮大商大羽歲同地氣宜以温熱治之化治也）用熱遠熱用涼遠涼用温遠温用寒遠寒食宜同法有假則反此之道也反是者病作矣帝曰善厥陰之政奈何歧伯

己亥之紀也

厥陰　少角　少陽　清熱勝復同　同正角新校正云[illegible]

常政大論云委和之紀上角與正角同　丁巳天符　丁亥天符　其運

風清熱

少角初正　大徵　少宮　大商　少羽終

厥陰　少徵　少陽　寒雨勝復同　癸巳同歲會　癸亥

同歲會　其運熱寒雨

少徵　大宮　少商　大羽終　大角初

厥陰　少宮　少陽　風清勝復同　同正角新校正云[illegible]五

常政大論云卑監之紀上角與正角同　己巳　己亥　其運雨風清

少宮　大商　少羽終　少角初　大徵

厥陰　少商　少陽　熱寒勝[illegible]　同正角新校正云[illegible]五

五常政大論云從革之紀上角與正角同乙巳　乙亥　其運涼熱寒

少商　大羽終　大角初　少徵　大宮

厥陰　少羽　少陽　雨風勝復同　辛巳　辛亥

其運寒雨風

少羽終　少角初　大徵　少宮　大商

凡此厥陰司天之政氣化運行後天諸同正歲氣化運行同天大過歲運化氣行先天時不及歲化生成後天時同正歲化生成與天二十四氣遲速同無先後也〇新校正云詳此註云同正歲與二十四氣同疑非恐是與大寒日交司氣候同天氣擾地氣正風生高遠炎熱從之雲趨雨府濕化迺行風火同德上應歲星熒惑其政撓其令速其穀蒼丹間穀言大者其耗文角品羽風燥火熱勝復更作蟄蟲來見流水不冰熱病行於下風病行於上風燥勝復形於中初之

[illegible]寒始肅殺氣方至民病寒於右之下二之氣寒不去華雪水冰殺氣施化霜迺降名草上焦寒雨數至陽復化民病熱於中三之氣天政布風迺時舉民病泣出耳鳴掉眩四之氣溽暑濕熱相薄爭於左之上民病黃癉而為胕腫五之氣燥濕更勝沈陰迺布寒氣及體風雨迺行終之氣畏火司令陽迺大化蟄蟲出見流水不冰地氣大發草迺生人迺舒其病溫厲必折其鬱氣資其化源化源四月也迎而取之贊其運氣無使邪勝歲宜以辛調上以鹹調下畏火之氣無妄犯之新校正云詳此運何以不言適氣同異少多之制者蓋厥陰之政與少陽之政同六氣分政惟厥陰與少陽之政上下無剋罰之異治化惟一故不再言同風熱者多寒化異風熱者少寒化也用溫遠溫用熱遠熱用涼遠涼用寒遠寒食宜同法有假反常此之道也反是者病帝曰善

夫子言可謂悉矣然何以明其應乎岐伯曰昭乎哉問也夫六氣者行有次止有位故常以正月朔日平旦視之覩其位而知其所在矣陰之所在天應以雲陽之所在天應以清明自然分布象見不差運有餘其至先運不及其至後先後若實時之先後也先則子後後則卯訪此天之道氣之常也天道昭然當朔必應見無差失是氣之常運非有餘非不足是謂正歲其至當其時也當時謂當實之正也帝曰勝復之氣其常在也災眚時至候也柰何岐伯曰非氣化者是謂災也十二變備矣帝曰天地之數終始柰何岐伯曰悉乎哉問也是明道也數之始起於上而終於下歲半之前天氣主之歲半之後地氣主之歲半謂立秋之日也○新校正云詳初氣交司在前歲大寒日歲半當在立秋前一氣之十五日不得云立秋之日也上下交互氣主交之歲紀畢矣交互互體也上體下體之中有二互體也故曰位明氣

可知乎所謂氣也六凡一氣主六十日而有奇以立位數之位同一氣則月之節氣中氣可知也故言天地氣者以上下體言勝復者以氣交言橫運者以上下互皆以節氣定之候之遲速皆遷復可期矣帝曰余司其事則而行之不合其數何也岐伯曰氣用有多少化洽有盛衰衰盛多少同其化也帝曰願聞同化何如岐伯曰風溫春化同熱曛昏火夏化同勝與復同燥清煙露秋化同雲雨昏暝埃長夏化同寒氣霜雪冰冬化同此天地五運六氣之化更用盛衰之常也帝曰五運行同天化者命曰天符余知之矣願聞同地化者何謂也岐伯曰大過而同天化者三不及而同天化者亦三大過而同地化者三不及而同地化者亦三此凡二十四歲也六十年中同天地之化者凡二十四歲餘悉蹉已多少帝曰願聞其所謂也岐伯曰甲辰甲戌大宮下加大陰壬寅壬申

大角下加厥陰庚子庚午大商下加陽明如是者三癸巳癸亥少徵下加少陽辛丑辛未少羽下加大陽癸卯癸酉少徵下加少陰如是者三戊子戊午大徵上臨少陰戊寅戊申大徵上臨少陽丙辰丙戌大羽上臨大陽如是者三丁巳丁亥少角上臨厥陰乙卯乙酉少商上臨陽明己丑己未少宮上臨大陰如是者三除此二十四歲則不加不臨也帝曰加者何謂岐伯曰大過而加同天符不及而加同歲會也帝曰臨者何謂岐伯曰大過不及皆曰天符而變行有多少病形有微甚生死有早晏耳帝曰夫子言用寒遠寒用熱遠熱余未知其然也願聞何謂遠岐伯曰熱無犯熱寒無犯寒從者和逆者病不可不敬畏而遠之所謂時與六位也四時氣王之月藥及

[illegible]熱溫涼同者皆宜避之若四時同犯則以水濟水以火助火病必生也帝曰溫涼何如溫涼減於寒熱可輕犯之乎岐伯曰司氣以熱用熱無犯司氣以寒用寒無犯司氣以涼用涼無犯司氣以溫用溫無犯間氣同其主無犯異其主則小犯之是謂四畏必謹察之帝曰善其犯者何如須犯者岐伯曰天氣反時則可依時反甚為病則可依時及勝其主則可犯夏寒甚則可以熱犯熱寒氣不甚則不可犯之以平為期而不可過氣平則止過則病生過而病生與犯同也是謂邪氣反勝者氣動有勝是謂邪客勝於主不可不禦也六步之氣於太位中應寒反熱應熱反寒應溫反涼應涼反溫是謂六步之邪勝也差冬反溫差夏反冷差秋反熱差春反涼是謂四時之邪勝也勝則反其氣以平之故曰無失天信無逆氣宜無翼其勝無贊其復是謂至治天信謂至時必定翼贊皆佐之謹守天信是謂至真妙理也帝曰善五運氣行主歲之紀其有常數乎岐伯曰臣請次之

甲子　甲年歲

上少陰火　中大宮土運　下陽明金　熱化二 新校正云詳對化從標成數正化從本生數甲子之年熱化七燥化九甲午之年熱化二燥化四 雨化五 新校正云按本論正文云大過不及其數何始乁過者其數成不及者其數生土常以生也甲年大宮七運大過故言丙化五五土數也 燥化四　所謂正化日也 正氣化也 其化上鹹寒中苦熱下酸熱所謂藥食宜也 新校正云按玄珠云下苦熱又按至真要大論云熱淫所勝平以鹹寒燥淫于內治以苦溫此云下酸熱疑誤也

乙丑　乙未歲

上太陰土　中少商金運　下太陽水　熱化寒化勝復同　所謂邪氣化日也　災七宮 新校正云詳七宮西室兌位天柱司也災之方以運之當方言 濕化五 新校正云詳大陰正司於未對司於丑其化皆五以正殺也不以濕發者土王四季不時正方又天有九宮不可至十 清化四 新校正云按本論下

文云不及者其數生乙年少商金運不及故言清化四四金生數也寒化六新校正云詳乙丑寒化六乙未寒化一所謂正化日也其化上苦熱中酸和下甘熱所謂藥食宜也新校正云按玄珠云上酸平下甘溫又按至真要大論云溫治所勝平以苦熱寒治于內治以甘熱

丙寅　丙申歲新校正云詳丙申之歲申金生水水化之令轉盛司天相火為病疾甚

上少陽相火　中大羽水運　下厥陰木　火化二新校正云詳丙寅火化二丙申火化七寒化六　風化三新校正云詳丙寅風化八丙申風化三所謂正化日也其化上鹹寒中鹹溫下辛溫所謂藥食宜也新校正云按玄珠云下辛涼又按至真要大論云火淫所勝平以鹹冷風淫于內治以辛涼

丁卯歲會　丁酉歲新校正云詳丁年正月壬寅為干德符便為平氣勝復不至運同正角金不勝木木亦不災土又丁卯年得卯木佐之卯上陽明不能災之

上陽明金　中少角木運　下少陰火　清化熱化勝復同　所謂邪氣化日也　災三宮新挍正云詳三宮東室震位天衝司　燥化九新挍云詳丁卯燥化九丁酉燥化四　風化三　熱化七新挍正詳丁卯熱化二丁酉熱化七　所謂正化日也　其化上苦小温中辛和下鹹寒所謂藥食宜也新挍正云按至眞要大論云燥淫所勝平以苦熱熱淫于内治以鹹寒又玄珠玄上苦熱

戊辰　戊戌歲

上太陽水　中太徵火運新挍正云詳此上見太陽火化減半　下太陰土　寒化六新挍正云詳戊辰寒化六戊戌寒化一　熱化七　濕化五　所謂正化日也　其化上苦温中甘和下甘温所謂藥食宜也新挍正云按至眞要大論云寒[illegible]于勝平以辛熱濕淫于内治以苦熱又玄珠云上甘温下酸平

己巳　己亥歲

上厥陰木　中少宮土運新校正云詳至九月甲戌月已得甲戌方遷正宮

下少陽相火　風化清化勝復同　所謂邪氣化日也　災五宮新校正云按五常政大論云其眚四維又天元玉冊云中室天禽司非維宮同正宮寄位二宮坤位　風化三新校正云詳己巳風化八己亥風化三　濕化五

火化八新校正云詳己巳熱化七己亥熱化三　所謂正化日也　其化上辛涼　中甘和　下鹹寒　所謂藥食宜也新校正云按至眞要大論云風淫所勝平以辛涼火淫于內治以鹹冷

庚午同天符　庚子歲同天符

上少陰火　中太商金運新校正云詳庚午金令減耗以上見少陰君火年午亦爲火故也庚子年子是水金氣相得與庚午年又異　下陽明金　熱化七新校正云詳庚午年熱化二燥化四庚子年熱化七燥化九　清化九　燥化九　所謂

正化日也。其化上鹹寒，中苦溫，下酸溫，所謂藥食宜也。[新校正云：按玄珠云：下苦熱。又按至眞要大論云：燥淫于內，治以苦熱。]

辛亥[同歲會] 辛丑歲[同歲會]

上太陰土　中少羽水運[新校正云：詳此至七月丙申月水運正羽]　下太陽水　雨化風化勝復同，所謂邪氣化日也。災一宮[新校正云：詳一宮北室坎位天玄司]　雨化五，寒化一[新校正云：詳此以運與在泉俱水，故只言寒化一。寒化一者，少羽之化氣也。若大陽在泉之化，則辛未寒化一，辛丑寒化六。]所謂正化日也。其化上苦熱，中苦和，下苦熱，所謂藥食宜也。[新校正云：按玄珠云：上酸和，下甘溫。又按至眞要大論云：濕淫所勝，平以苦熱。寒淫于內，治以甘熱。]

壬申[同天符]　壬寅歲[同天符]

上少陽相火　中太角木運　下厥陰木　火化二

□正云詳壬申□化七壬寅熱火二風化八新校正云詳此□在泉俱木故只言□八風化八乃太角之運化也若厥陰在泉之化則壬申風化三壬寅風化八所謂正化日也其化上鹹寒中酸和下辛涼所謂藥食宜也

酉同歲會癸卯歲同歲會

上陽明金中少徵火運新校正云詳此五月遇戊午月大還正徵下少陰火寒化雨化勝復同所謂邪氣化日也災七宮新校正云詳九宮離位南室天英司燥化九新校正云詳癸酉燥化四癸卯燥化九熱化二新校正云詳此以運與在泉俱火故只言熱化二熱化二若少徵之運化也若少陰在泉之化則癸酉熱化七癸卯熱化二所謂正化日也其化上苦小溫中鹹溫下鹹寒所謂藥食宜也新校正云按玄珠云上苦熱

甲戌歲會同天符甲辰歲歲會同天符

上太陽水中太宮土運下太陰土寒化六新校

正云詳甲戌寒化一甲辰寒化六濕化五新校正云詳此以運與在泉俱土故只言濕化五所謂正化日也其化上苦熱中苦溫下苦溫所謂藥食宜也新校正云按玄珠云上甘溫下酸平又按至真要大論云寒淫所勝平以辛熱濕淫于內治以苦熱

乙亥　乙巳歲

上厥陰木　中少商金運新校正云詳乙亥年三月得庚辰月是干德符即氣還正商火未得王而先平火不勝則水不復又交是水得力年故火不勝也乙巳年火來小勝已爲火佐於勝也即於二月中氣君火作化日火來行勝下得水復遺三月庚辰月乙是庚西氣自金金還正商　下少陽相火　熱化　寒化勝復同　所謂邪氣化日也　災七宮　風化八新校正云詳乙亥風化三乙巳風化八　清化四　火化二新校正云詳乙亥熱化一乙巳熱化七　正化度也度謂日也　其化上辛涼中酸和下鹹寒藥食宜也

丙子歲會丙午歲

上少陰火　中大羽水運　下陽明金　熱化二新校正云詳丙子歲熱化七金之災得其半以運水大過勝於天令天令減半丙午熱化二午為火少陰君火同天運雖水一水不能勝二火故異於丙子歲　寒化六　清化四新校正云詳丙子燥化九丙午燥化四　正化度也　其化上鹹寒　中鹹熱　下酸溫　藥食宜也新校正云按玄珠云下苦熱又按至真要大論云燥淫于內治以苦溫

丁丑　丁未歲

上太陰土新校正云詳此木運平氣上刑天令減半　中少角木運新校正云詳丁年正月壬寅為干德符為正角　下大陽水　清化　熱化勝復同　邪氣化度也　災三宮　雨化五　風化三　寒化一新校正云詳丁丑寒化六丁未寒化一　正化度也　其化上苦溫　中辛溫　下甘熱　藥食宜也新校正云按玄珠云上酸平下甘溫又按至真要大論云

溫涼所勝平以苦熱寒溫干內治以甘熱

戊寅天符戊申歲天符○新校正云詳戊申年與戊寅年小異申為金佐於肺肺受火刑其氣稍實民病得半上少陽火中大徵火運下厥陰木火化二新校正云詳天符司天與運合故只言火化二火化二者大徵之運氣也若少陽司天之氣則戊寅火化二戊申火化七風化三新校正云詳戊寅風化八戊申風化三正化度也

其化上鹹寒中甘和下辛涼藥食宜也

己卯新校正云詳己卯金與運上相得子臨父位為逆己酉歲

上陽明金中少宮土運新校正云詳復罷土氣未正後九月甲戌月土還正宮己酉之年木勝小徵下少陰火風化清化勝復同

邪氣化度也災五宮清化九新校正云詳己卯四化九己酉歲化雨化五熱化七新校正云詳己卯熱化二己酉熱化七正化度也

其化上苦小溫中甘和下鹹寒藥食宜也

庚辰　庚戌歲

上太陽水　中太商金運　下太陰土　寒化一新校正云詳庚辰寒化六庚戌寒化一　清化九　雨化五　正化度也

其化上苦熱，中辛溫，下甘熱，藥食宜也。新校正云詳玄珠云上甘溫下酸平又按至真要大論云寒淫所勝平以辛熱濕淫于內治以苦熱

辛巳　辛亥歲

上厥陰木　中少羽水運新校正云詳辛巳年木歲上罷至七月丙申月水運正羽辛亥年為水平氣以交再水相佐為正羽與辛巳年小異　下少陽相火　雨化風化勝復同，邪氣化度也。災一宮。風化三新校正云詳辛巳風化八辛亥風化三　寒化一　火化七新校正云詳辛巳熱化七辛亥熱化二　正化度也

壬午　壬子歲

上少陰火　中大角木運　下陽明金　熱化二新校正云詳壬午熱化二壬子熱化七　風化八　清化四新校正云詳壬午燥化四壬子燥化九　正化度也　其化上鹹寒，中酸涼，下酸溫，藥食宜也新校正云按玄珠云下苦熱又按至真要大論云燥淫于內治以苦熱

癸未　癸丑歲

上大陰土　□　中少徵火運新校正云詳癸未癸丑左右二火為間相佐又五月戊午干德符癸見戊而氣全水來行勝為正徵　下大陽水　寒化雨化勝復同　邪氣化度也　災九宮　雨化五　火化二　寒化一新校正云詳癸未寒化一癸丑寒化六　正化度也　其化上苦溫，中鹹溫，下甘熱，藥食宜也新校正云按玄珠云上酸和下甘溫又按至真要大論云濕淫所勝平以苦熱寒淫于內治以甘熱

甲申　甲寅歲

上少陽相火　中大宮土運新校正云詳甲寅之歲小異於甲申以寅木可剋土氣之平也　下厥陰木　火化二新校正云詳甲申火化七甲寅火化二　雨化五　風化八新校正云詳甲申風化三甲寅風化八　正化度也　其化上鹹寒中鹹和下辛涼藥食宜也

乙酉太一天符　乙卯歲天符

上陽明金　中少商金運新校正云按乙酉商正商以酉金相佐故得平氣乙卯之年二之氣君火分中火來行勝水未行復其氣以平以三月庚辰乙得庚合金化正商其氣乃平　下少陰火熱化　寒化勝復同　邪氣化度也　災七宮　燥化四新校正云詳乙酉燥化四乙卯燥化九　清化四　熱化二新校正云詳乙酉熱化七乙卯熱化二　正化度也　其化上苦小溫中苦和下鹹寒藥食宜也

丙戌天符　丙辰歲天符

上大陽水　中大羽水運　下大陰土　寒化六新校正云詳此以運與司天俱水運故只言寒化六寒化六者大羽之運化也若大陽司天之化則丙戌寒化一丙辰寒化六雨化五　正化度也　其化止苦熱中鹹溫下甘熱藥食宜也新校正云按玄珠云上苦溫下酸平又按至真要大論云寒淫所勝平以辛熱鹹瀉于內治以苦熱

丁亥天符　丁巳歲天符

上厥陰木　中少角木運新校正云詳丁年正月壬寅丁得壬合為干德符為正角平氣　下少陽相火　清化　熱化勝復同邪氣化度也　災三宮　風化三新校正云詳此運與司天俱木故只言風化三風化三者少角之運化也若厥陰司天之化則丁亥風化三丁巳風化八火化七新校正云詳丁亥熱化二丁巳熱化七　正化度也　其化上辛涼中辛和下鹹宜藥食宜也

戊子天符一戊午歲太一天符

上少陰火　中大徵火運　下陽明金　熱化七新校正云詳此運與司天俱火故只言熱化七熱化七首大徵之運化也若少陰司天之化則戊子熱化七民午熱化二　清化九新校正云詳戊子清化九戊午清化四　正化度也　其化上鹹寒中甘寒下酸溫藥食宜也新校正云按玄珠云下苦熱又按至真要大論云燥淫于內治以苦溫

己丑太一天符己未歲太一天符

上太陰土　中少宮土運新校正云詳是歲木得初氣而來勝脾乃病久土至危金乃來復至九月甲戌月已得甲合土還正宮　下太陽水　風化清化勝復同　邪氣化度也　災五宮　雨化五新校正云詳此運與司天俱土故只言雨化五　寒化一新校正云詳己丑寒化六己未寒化一　正化度也　其化上苦熱中甘和下甘熱藥食宜[illegible]校正云按[illegible]云上酸

平又按至眞要大論云燥淫所勝平以苦熱

庚寅　庚申歲

上少陽相火　中太商金運新校正云詳庚寅歲為正商得平氣以上見少陽相火下見於金運不能大過庚申之歲中金佐之乃齊大商　下厥陰木　火化七新校正云詳庚寅熱化二庚申熱化七　清化九　風化三新校正云詳庚寅風化八庚申風化三　正化度也　其化上鹹寒　中辛溫　下辛涼　藥食宜也

辛卯　辛酉歲

上陽明金　中少羽水運新校正云詳此歲七月丙申水還正羽　下少陰火　雨化　風化勝復同　邪氣化度也　災一宮　清化九新校正云詳辛卯燥化九辛酉燥化四　寒化一　熱化七新校正云詳辛卯熱化二辛酉熱化七　正化度也　其化上苦小溫　中苦

和下鹹寒藥食宜也

壬辰　壬戌歲

上太陽水　中太角木運　下太陰土　寒化六新校正云詳壬辰寒化六壬戌寒化一　風化八　雨化五　正化度也

其化上苦温中酸和下甘温藥食宜也新校正云按玄珠云上甘温下酸平又按至真要大論云寒淫所勝平以辛熱濕淫于内治以苦熱

癸巳同歲會　癸亥同歲會

上厥陰木　中少徵火運新校正云詳癸巳正徵火氣平一謂巳亥火亦名歲會二謂水未得化三謂天月戊午癸得戊合故得下癸亥之歲亥為水水得年力便來行勝至五月戊午月還正徵其正氣始平　下少陽相火　寒化　雨化勝復同

邪氣化度也　災九宮　風化八新校正云詳癸巳風化八癸亥風化三　火化二新校正云詳此運與在泉與火故只言火化二火化二者少陽火[illegible]之化[illegible]若少陽

在泉之化則癸巳熱化七癸亥熱化二正化度也其化上辛涼中鹹和下鹹寒藥食宜也

凡此定期之紀勝復正化皆有常數不可不察故知其要者一言而終不知其要流散無窮此之謂也帝曰善五運之氣亦復歲乎復報也先有勝制則必復也歧伯曰鬱極乃發待時而作也待謂五及差分位也六溫發於辰巳大熱發於未中大宗發於戌亥大寒發於丑寅上件所謂臨之亦待間氣而發故曰待時也○新校正云詳注中及字疑作氣帝曰請問其所謂也歧伯曰五常之氣大過不及其發異也歲大過其發早歲不及其發晚帝曰願卒聞之歧伯曰大過者暴不及者徐暴者為病甚徐者為病持持謂相執持也帝曰大過不及其數何如歧伯曰大過者其數成不及者其數生土常以生也謂之五行化行之數也水數一火數二木數三金數四土數[illegible]五成數謂水數六火數七木數八金數九土數[illegible]

日主司以生也熱主者各取其生紀多少以占[illegible]之也心膝復之法作日及尺寸分毫並以準之此善部明詳用孑也

帝曰：其發也何如？岐伯曰：土鬱之發，巖谷震驚，雷殷氣交，埃昏黃黑，化為白氣，飄驟高深，鬱謂鬱折天氣之甚也哉雖天氣亦有涯也終則吞怯雖鬱者怒發出土化不行究亢熱雨木寒遇從故鬱怒發焉土性靜定至動生雷雨大作動木土刑待之氣及休雌出易日雷雨作解此之謂也土歸獨怒不尚制之故但震驚於氣交之中而聲尚不能高遠也故日雷殷氣交氣交謂土之上盡山之高也詩云殷其雷也所謂雷雨生於北中者土既神鬱天岡制之平川土薄氣常乾燥故下能先發也山原土厚深化豐深土原氣深故先怒發也擊石飛空，洪水延從，川流漫衍，田牧土駒。霖氣驟雨岸崩山化大水橫流不勢迸急高山空谷擊石先飛而洪水隨至也洪大也巨川衍溢流漫平陸原蕩塵沒於渠盛大太去已石土危然岩群駒散牧於日野凡言土若步石同也化氣延敷，善為時雨，始生始長，始化始成。化土化也之被制化氣不敢否極則泰昌拯則伸遠歸之時化氣區之乃能敷布於序羅以時而雨溉澤草木而成也善謂應時也化氣[illegible]長氣已[illegible]發萬物萬生始長始化始成言是四於言明萬動化成之[illegible][illegible]

故民病心腹脹腸鳴而為數後甚則心痛脇䐜嘔吐霍亂飲發注下胕腫身重脾熱之生雲奔雨府霞擁朝陽山澤埃昏其乃發也以其四氣雨亦太陰之所在也埃白氣似雲而雨者也埃因有從甚微若烟紗穀之騰起者如薄雲霧也甚者亦近遠皆發速四氣謂夏至後三十一日起盡至秋分日也雲横天山浮游生滅怫之先兆天際雲横山猶冠帶岩谷叢薄乍滅乍生有土之見怫兆已彰皆平明占之浮游以午前候望也金鬱之發天潔地明氣清氣切大涼乃舉草樹浮烟燥氣以行霜霧數起殺氣來至草木蒼乾金乃有聲大涼次寒也舉用事也浮烟燥氣也殺氣霜霧正殺氣者以丑時至長者亦卯時候時也其氣之來色黃赤黑雜而至也物不勝殺故草木蒼乾蒼青薄色也故民病欬逆心脇痛引少腹善暴痛不可反側嗌乾面陳色惡金勝而木病也山澤焦枯土凝霜鹵怫乃發也其氣五夏火炎亢時雨既然故山澤焦枯土上凝白鹹鹵狀如霜也五氣謂秋分後至立冬後五十日□日也夜零白露林莽聲

悽怫之兆也（夜濡白露曉聽風悽有是乃為金發徵也）水鬱之發陽氣迺辟陰氣暴舉大寒迺至川澤嚴凝寒雰結為霜雪（寒雰白氣也其狀如霧而不流行墜地如霜雪得日晞也）甚則黃黑昏翳流行氣交迺為霜殺水迺見祥（黃黑亦濁惡氣水氣也祥大祥亦謂泉出平地）故民病寒客心痛腰脽痛太關節不利屈伸不便善厥逆痞堅腹滿陽光不治空積沉陰白埃昏暝而迺發也其氣二火前後（陰精與水皆上承火故其發也在君相二火之前後亦猶辰星迎隨日也）大虛深玄氣猶麻散微見而隱色黑微黃怫之先兆也（深玄言高遠而黑色也氣似麻散薄微可見之空黃發外形候之見月然辰旬之時亦可候也）木鬱之發大虛埃昏雲物以擾大風迺至屋發折木木有變（屋發謂發鳴多折木謂大樹摧拔落塵竿中拉地變謂土生野木奇狀也）故民病胃脘當心而痛上支兩脇鬲咽不通食飲不下甚則耳鳴眩轉目不識人善暴僵

※

仆筋骨強直而不用卒倒而無所知也大虛蒼埃天山一色或為濁色黃黑鬱若橫雲不起雨而迺發也其氣無常氣如塵如雲或黃黑鬱然猶在天際之間而特異於常乃其候也長川草偃柔葉呈陰松吟高山虎嘯巖岫怫之先兆也草偃謂無風而自低柔葉謂白楊葉也無風而葉皆背見是謂呈陰知是著音道故甚甚著發速微者發徐也山行之候與次亦虎鳴之宗行亦以麻黃毒候秋冬則以春桐揮葉候之火鬱之發大虛腫翳大明不彰腫翳謂赤氣也大明日也○新校正云詳經註中隨字疑誤炎火行大暑至山澤燔燎材木流津廣廈騰煙土浮霜鹵止水迺減蔓草焦黃風行惑言濕化迺後太陰大陽在上寒濕流於天虛心火應天鬱抑而莫能彰顯寒濕盛已火迺與行陽氣火光故小澤[illegible]宛少妄作詔言雨已熱潮出溼化迺後詳骨尤主皆衆不爭長故先早而後百忘故民病少氣瘡瘍癰腫脅腹胸背面首四支䐜憤臚脹瘍痱嘔逆瘛瘲骨痛節迺有動注下溫瘧腹中暴痛血溢流注精液

※

宋正脈本作

液少目赤心熱甚則瞀悶懊憹善暴死火發而格爲士水祀持夲主皆
熱甚無深祀則悉許也但熱已寒則病搆而熱從心起是神氣孤危不速救之天真將竭故死火之用速
故善暴死憹音囊刻中大温汗濡玄府其廼發也其氣四刻終謂晝
刻水刻終尽之時也大温次熱也玄府謂汗空也汗濡玄府謂早行而身蒸熱也氣尽之時陰盛發此反無凉
氣是陰乎陽熱既已萌故當怒發也一其發正云許土火濕發四氣者何是火盛二位多大發至所又六熱
發於申未故火鬱之發在四氣也動復則靜陽極反陰濕令廼化廼成
火怒爍金陽極過亢畏火來救土中土救熱金堅寄闇聚然爲霽雨氣迺和平故萬物由是迺生長化成非極
則反盛方何長也華發水凝山川冰雪焰陽午澤怫之先兆也
謂君火王時有寒至也故與君冰黃亦符暑也有怫之應而從報也皆觀其極
而廼發也木發無時水隨火也應爲先兆發必後至故先有應而後發也報不可
以終非觀其甚極明怫氣作乎有發則發氣之常也謹候其時病可與期失時反
歲三氣不行生化收藏政無恒也人失其時則病然期年也帝曰水

發而雹雪，土發而飄驟，木發而毀折，金發而清明，火發而曛昧，何氣使然？岐伯曰：氣有多少，發有微甚，微者當其氣，甚者兼其下，徵其下氣而見可知也。六氣之下，各有承氣也。則如火位之下，水氣承之；水位之下，土氣承之；土位之下，木氣承之；木位之下，金氣承之；金位之下，火氣承之；君位之下，陰精承之。各徵其下，則象可見矣。故發兼其下，則與本氣殊異。

帝曰：善。五氣之發，不當位者何也？言不當其正月也。岐伯曰：命其差。謂差四時之正月位也。○新校正云：詳至真要大論云：勝復之作，動不當位，或後時而至，其故何也？岐伯曰：夫氣之生化，與其衰盛異也。寒暑溫涼盛衰之用，其在四維。故陽之動，始於溫，盛於暑；陰之動，始於清，盛於寒。春夏秋冬，各差其分。故大要曰：彼春之暖，為夏之暑；彼秋之忿，為冬之怒。謹按四維，斥候皆歸，其終可見，其始可知。彼論勝復之不當位，此論五氣之發不當位，所論勝復五發之事則異，而命其差之義則同。

帝曰：差有數乎？言月數也。岐伯曰：後皆三十度而有奇也。後，謂四時之後也。差三十日餘八十七刻半，氣猶未去而甚盛也。度，日也。四時之後，今當余。○新校正云：詳注云八十七刻半，當作四十三刻又四十分刻之

病膀胱足太陽病又少腹腫痛不得小便求在三焦益太陰在泉之歲土王尅水六陽故病如是也圓弋足也

歲少陽在泉，火淫所勝，則焰明郊野，寒熱更至。民病注泄赤白，少腹痛溺赤，甚則血便，少陰同候。謂乙巳丁巳己巳辛巳癸巳乙亥丁亥己亥辛亥癸亥歲也寒熱之氣更其氣熱氣既往癸亥歲交故云少陽少陰候與少陰在泉同

歲陽明在泉，燥淫所勝，則霿霧清瞑。民病喜嘔，嘔有苦，善大息，心脇痛不能反側，甚則嗌乾面塵，身無膏澤，足外反熱。謂甲子丙子戊子庚子壬子甲午丙午戊午庚午壬午歲也霿霧謂霧暗不分似霧也之也言霿霧清暝不辨物形而清暝也心脇痛善乃謂面上如有埃塵土之色也能反側云按甲乙經病苦嘔嘔有苦善大息心脇痛不能反側甚則面塵身無膏澤足外反熱是為陽厥又甚則嗌前面塵為所病義陽明在泉之歲金王乘木故病如是又補註云少陽所謂心脅病者言少陽盛也盛者也之反也九月陽氣盡而陰氣盛故心脅痛不可以反側陰氣藏物也物藏不得動故不可反側也

歲太陽在泉，寒淫所勝，則凝肅慘慄。民病少腹控睪，引腰脊

上衝心痛血見嗌痛頷腫謂乙丑丁丑己丑辛丑癸丑乙未丁未己未辛未癸未歲也寒肅寒氣[illegible]空[illegible]而不動[illegible]甚也控引也睾陰丸也頷頰前牙之下也○新校正云按甲乙經云嗌痛頷腫為小腸病又少腹控睾引腰脊上衝心痛邪在小腸也蓋太陽在泉之歲水[illegible]見哉寒者之帝曰善治之奈何岐伯曰諸氣在泉風淫于內治以辛涼佐以苦以甘緩之以辛散之風性喜溫而惡清故治之涼是以勝氣治之也佐以苦隨其所利也木苦急則以甘緩之苦抑則以辛散之藏氣法時論曰肝苦急急食甘以緩之肝欲散急食辛以散之此之謂也食亦音飼己曰食他曰飼也大法正味如此諸為方者不必盡用之但一佐二佐病已則止餘氣皆然熱淫于內治以鹹寒佐以甘苦以酸收之以苦發之熱性惡寒故治以寒也熱之大盛甚於表者以苦發之不盡復寒制之寒制不盡復苦發之以酸收之甚者再方微者一方可使必已時發時止亦以酸收之濕淫于內治以苦熱佐以酸淡以苦燥之以淡泄之濕與燥反故治以苦熱佐以酸淡也燥除濕故以苦燥其濕也淡利竅故以淡滲泄也藏氣法時論曰脾苦濕急食苦以燥之靈樞經曰淡利竅也生氣通天

[illegible]日[illegible]濕[illegible]苦[illegible]氣不流三[illegible]明苦濕泄○新校正按天元正紀大論曰下太陰其化下甘溫火淫于內治以鹹冷佐以苦辛以酸收之以苦發之火氣大行心怒(?)心怒(?)之所生以酸性求更以治之以酸收之文淡(?)矣須汗者以辛佐之不必要食苦味令汗汗(?)色(?)淡(?)矣苦以鹹治之藏氣法時論曰心欲耎急食鹹以耎之心苦緩急食酸以收之此之謂也燥淫于內治以苦溫佐以甘辛以苦下之溫利涼性故以苦治之下謂利之使不得抱(?)之新校正云詳燥氣流序(?)當曰勝者氣上逆之志(?)食苦以泄之以辛寫(?)之陰補(?)之又苦下文司天燥淫所勝佐以酸辛氣(?)云苦甘苦字疑當作鹹天(?)元正紀大論云下[illegible]熱(?)矣苦溫之治又乘又云以酸收之而安其下甚則以苦光(?)之寒淫于內治以甘熱佐以苦辛以鹹寫之以辛潤之以苦堅之以熱治寒是為摧勝折其氣用令不滋繁(?)也苦辛之佐通事(?)行之○新校正云(?)藏氣法時論腎苦燥急食辛以潤之腎欲堅急食苦以堅之用苦補之鹹寫之蓋注引(?)此在濕淫于內之下蓋誤矣發明(?)云(?)帝曰善天氣之變何如岐伯曰厥陰司天風淫所勝則太虛埃昏雲物以擾寒生春氣流水不冰民病胃

脘當心而痛上支兩脇鬲咽不通飲食不下舌本強食則嘔冷泄腹脹溏泄瘕水閉蟄蟲不出病本于脾謂乙巳丁巳己巳辛巳癸巳乙亥丁亥己亥辛亥癸亥歲也是歲民病甚於中也風自天行故太虛埃起風動擾搖故雲物擾也埃青塵也不分遠物是爲埃昏七之告病其甚泄利若病水則小便不閉而不下若大泄則經水不多疾發也○新校正云按甲乙經舌本強食則下腹脹溏泄表太閉爲脾病又胃病者腹脹胃脘當心而痛上支兩脇鬲咽不通食飲不下蓋厥陰司天之歲木勝土故病如是衝陽絶死不治衝陽在足跗上動脈應手胃之氣也衝陽脈微則食飲減少逆則衰食不入亦下發逆出也攻之不入養之不生邪氣日害真氣內絕故必死不可復也其少陰司天熱淫所勝怫熱至火行其政民病胸中煩熱嗌乾右胠滿皮膚痛寒熱欬喘大雨且至唾血血泄鼽衄嚏嘔溺色變甚則瘡瘍胕腫肩背臂臑及缺盆中痛心痛肺䐜腹大滿膨膨而喘欬病本于肺謂甲子丙子戊子庚子壬子甲午丙午戊午庚午壬午歲也怫熱至是火行其政乃令是歲民病甚

所至為堅化涼化也太陽所至為藏化寒化也布政之常也

厥陰所至為飄怒大涼飄怒木也大涼下承之金氣也少陰所至為大暄寒大暄君火也寒下承之陰精也太陰所至為雷霆驟注烈風雷霆驟注土也烈風下承之木氣也少陽所至為飄風燔燎霜凝飄風旋轉氣也霜凝下承之水氣也陽明所至為散落溫散落金也溫下承之火氣也太陽所至為寒雪冰雹白埃霜雪冰雹水也白埃下承之土氣也氣變之常也變謂變常下之氣所為甚用也用甚天已則下承之氣不行故皆非本氣也

厥陰所至為撓動為迎隨風之作也少陰所至為高明焰為曛焰陽焰也曛赤黃色也太陰所至為沉陰為白埃為晦暝暗藏不明也少陽所至為光顯為彤雲為曛光顯電也流光由明也彤赤色也彤雲氣同陽明所至為煙埃為霜為勁切為淒鳴殺氣也太陽所至為剛固為堅芒為立寒化也令行之常也令行則變物無違

厥陰所至為裏急筋緩縮故急

少陰所至爲瘍胗身熱（火氣生也） 太陰所至爲積飲否隔（土氣

也） 少陽所至爲嚏嘔爲瘡瘍（火氣生也） 陽明所至爲浮虛（浮虛，

薄腫按之復起也） 太陽所至爲屈伸不利病之常也 厥陰所至

爲支痛 少陰所至爲驚惑惡寒戰慄譫妄（譫，亂言也。今詳慄字當作

慄） 太陰所至爲稸滿 少陽所至爲驚躁瞀昧暴病 陽明

所至爲鼽尻陰股膝髀腨䯒足病 太陽所至爲腰痛病

之常也 厥陰所至爲緛戾 少陰所至爲悲妄衄衊（衊，汚血，亦

脂也） 太陰所至爲中滿霍亂吐下 少陽所至爲喉痺耳鳴

嘔涌（涌謂溢食不下也） 陽明所至爲脅痛皴揭（身皮麩象） 太陽所至

爲寢汗痙（寢汗謂睡中汗發於胸嗌頸掖之間也，俗誤呼爲盜汗。痙，巨郢切） 病之常也

厥陰所至爲脅痛嘔泄（泄謂利也） 少陰所至爲語笑 太陰所

至爲重胕腫（胕腫謂肉泥按之不起也） 少陽所至爲暴注瞤瘛暴死

※

※

陽明所至為皴揭大陽所至為流泄禁止病之常也凡此十二變者報德以德報化以化報政以政報令以令氣高則高氣下則下氣後則後氣前則前氣中則中氣外則外位之常也氣報德報化謂天地氣也高下前後中外謂生病所也手之陰陽其氣高足之陰陽其氣下足大陽氣在身後足陽明氣在身前足少陰大陰厥陰氣在身中足少陽氣在身側各隨所在言氣變生病象也故風勝則動不寧也○新校正云詳風勝則動至濕勝則濡泄五句與陰陽應象大論文重兩注不同熱勝則腫熱勝氣則為丹熛勝血則為癰膿勝骨肉則為胕腫按之不起燥勝則乾乾於外則皮膚皴揭乾於內則精血枯涸乾於氣及津液則肉乾而皮著於骨寒勝則浮浮謂浮起按之處見也濕勝則濡泄甚則水閉胕腫濡泄水利也胕腫肉泥按之陷而不起也水閉則溢於皮中也隨氣所在以言其變耳帝曰願聞其用也岐伯曰夫六氣之用各歸不勝而為化用謂施其化氣故大陰雨化施於大陽大陽寒化施於少陰新校正云詳此

當云少陰陽少陰熱化施於陽明陽明燥化施於厥陰厥陰風化施於太陰各命其所在以徵之也帝曰自得其位何如岐伯曰自得其位常化也帝曰願聞所在也岐伯曰命其位而方月可知也隨氣所在以定其方六分占之則日及地分無差也帝曰六位之氣盈虛何如岐伯曰太少異也太者之至徐而常少者暴而亡力強而作不能久長故暴而無也亡無也帝曰天地之氣盈虛何如岐伯曰天氣不足地氣隨之地氣不足天氣從之運居其中而常先也運謂木火土金水各主歲者也地氣勝則歲運上升天氣勝則歲運下降上升下降運氣常先遷降也惡所不勝歸所同和隨運歸從而生其病也非其位則變生變生則病作故上勝則天氣降而下下勝則地氣遷而上勝謂多也上多則自降下多則自遷多少相移氣之常也○新校正云詳六微旨大論云升已而降降者謂天降已而升升者謂地天氣下降氣流于地地氣上升氣騰于天故高下相

□升降相因而變作矣此亦升降之氣也勝多少而差其分多則遲少則速甚之有甚之矣有微微者小差甚者大差甚則位易氣交易則大變生而病作矣大要曰甚紀五分微紀七分其差可見此之謂也以其五分七分之所以知天地陰陽過差矣帝曰善論言熱無犯熱寒無犯寒余欲不遠寒不遠熱奈何岐伯曰悉乎哉問也發表不遠熱攻裏不遠寒汗泄故用熱不遠熱下利故用寒不遠寒皆以其不住於中也如是則夏可用熱冬可用寒不以發不然者是謂妄遠法所禁也皆謂不獲已而用之也秋冬亦同法○新校正云按至真要大論云發不遠熱無犯溫涼帝曰不發不攻而犯寒犯熱何如岐伯曰寒熱內賊其病益甚以水濟水以火濟火適足以更生病豈唯本病之益甚乎帝曰願聞無病者何如岐伯曰無者生之有者甚之無病者犯禁猶能生病況有病者而求輕減不亦難乎帝曰生者何如岐伯曰不遠熱則熱至不遠寒則寒至寒至則堅

否腹滿痛急下利之病生矣食已不飢吐利腥穢亦寒之疾也熱至則身熱吐下霍亂癰疽瘡瘍瞀鬱注下瞤瘛腫脹嘔鼽衄頭痛骨節變肉痛血溢血泄淋閟之病生矣暴瘖冒昧目不識人躁擾狂越妄見妄聞罵詈驚癇亦熱之病帝曰治之奈何岐伯曰時必順之犯者治以勝也春宜涼夏宜寒秋宜溫冬宜熱此時之宜不可不順然犯熱治以寒犯寒治以熱犯春宜用涼犯秋宜用溫是以勝也犯熱治以鹹寒犯寒治以甘熱犯濕治以苦燥犯風治以辛涼亦以勝治之是

黄帝問曰婦人重身毒之何如岐伯曰有故無殞亦無殞也故謂有大堅癥瘕痛甚不堪則治以破積愈癥之藥是謂不救必乃盡死救之蓋存其大也雖服毒不死也上無殞言母必全亦無殞言子亦不死也帝曰願聞其故何謂也岐伯曰大積大聚其可犯也衰其大半而止過者死衰其大半不足以害生故衰大半則止其藥若過禁待盡毒氣內餘無病可攻以當毒藥毒攻不已則敗損中和故過則死[illegible]詳此婦人重身[illegible]與上下文義不接疑他卷脫簡於此帝曰善鬱之甚

者治之奈何天此五行鬱運者鬱折求抑之甚者岐伯曰木鬱達之火鬱發之土鬱奪之金鬱泄之水鬱折之然調其氣達謂吐之令其條達也發謂汗之令其疏散也奪謂下之令無擁礙也泄謂滲泄之解表利小便也折謂抑之制其衝逆也通是五法乃氣可平調後乃觀其虛盛而調理之也過者折之以其畏也所謂寫之過太過也太過者以其味寫之以鹹寫腎酸寫肝辛寫肺甘寫脾苦寫心過者畏寫故謂寫為畏也帝曰假者何如岐伯曰有假其氣則無禁也正氣不足臨氣勝之假寒熱溫涼以資四正之氣則可以熱犯熱以寒犯寒以溫犯溫以涼犯涼也所謂主氣不足客氣勝也客氣謂六氣更臨之氣主氣謂五藏應四時正王春夏秋冬也帝曰至哉聖人之道天地大化運行之節臨御之紀陰陽之政寒暑之令非夫子孰能通之請藏之靈蘭之室署曰六元正紀非齋戒不敢示慎傳也新校正云詳此並序文與大論末文重

刺法論篇第七十二　亡

○本病論篇第七十三亡 新校正云詳此二篇亡在王注之前按病能論篇末王冰注云世本既闕第七二篇謂此二篇也而今世有素問亡篇及昭明隱旨論以謂此三篇仍託名王冰為注辭理鄙陋無足取者舊本此篇名在六元正紀篇後列之為後人移於此若以尚書亡篇之名皆在前篇之末則舊本為得

○至真要大論篇第七十四

黃帝問曰五氣交合盈虛更作余知之矣六氣分治司天地者其至何如五行主歲歲有少多故曰盈虛更作也天元紀大論曰其始也有餘而往不足隨之不足而往有餘從之則其義也天分六氣散主太虛三之氣司天四之氣司地天地之化是為大氣設言司天地者餘四可知矣岐伯再拜對曰明乎哉問也天地之大紀人神之通應也天地變化人神運為中外雖殊然其通應則一也帝曰願聞上合昭昭下合冥冥奈何岐伯曰此道之所主工之所疑也不知其要流散無窮帝曰願聞其道也岐伯曰厥陰司天其

化以風飛揚鼓坼和氣發生萬物榮枯皆因而化變成敗也少陰司天其化以熱炎蒸鬱燠故庶類蕃茂太陰司天其化以濕雲雨潤澤津液生成少陽司天其化以火炎熾赫烈以爍寒災陽明司天其化以燥乾化以行物無濕敗太陽司天其化以寒對陽之化也○新校正云詳註云對陽之化陽字疑誤以所臨藏位命其病者也肝木位東方心火位南方脾土位西南方及四維肺金位西方腎水位北方是五藏定位然六氣御五運所至氣不相得則病相得則和故先以六氣所臨後言五藏之病帝曰地化奈何岐伯曰司天同候間氣皆然六氣之本自有常性故雖位易而化治皆同帝曰間氣何謂岐伯曰司左右者是謂間氣也六氣分化常以二氣司天地為上下吉凶勝復客主之事歲中悔吝從而明之餘四氣散居左右也故陰陽應象大論曰天地者萬物之上下左右者陰陽之道路此之謂也帝曰何以異之岐伯曰主歲者紀歲間氣者紀步也歲三百六十五日四分日之一步六十日餘八十七刻半也積步之日而成歲也帝曰善歲主奈何岐伯曰厥陰司天為

風化（己亥之歲風高氣遠雲飛物搖風之化也）在泉為酸化（寅申之歲木司地氣故物化從酸）司氣為蒼化（木運之氣丁壬之歲化者也）間氣為動化（[illegible]）七禁[illegible]〇新校正云詳[illegible]之歲[illegible]為初之氣子午之[illegible]為二之氣辰戌之歲為四之氣卯酉之歲為五之氣少陰司天為熱化（子午之歲[illegible]）在泉為苦化（卯酉之歲[illegible]司地氣[illegible]）不司氣化（君不主運[illegible]）居氣為灼化（[illegible]〇新校正云詳[illegible]居不當間之位[illegible]不居不當間之[illegible]）[illegible]之初之氣丑未之歲為二之氣巳亥之歲為[illegible]之[illegible]辰戌之歲為五之氣太陰司天為濕化（丑未之歲埃昏蒙昧雲雨潤澤之化也）在泉為甘化（辰戌之歲也土司泉氣故甘化先焉）司氣為黅化（土運之氣甲乙[illegible]黃也）間氣為柔化（濕化行則庶物柔〇新校正云詳[illegible]卯酉之歲為初之氣寅申之歲為二之氣）子午之歲為四之氣巳亥之歲為五之氣少陽司天為火化（寅申之歲火炎光赫烈燔灼焦[illegible]）

之化也在泉為苦化巳亥之歲地氣說苦化先長司司氣為丹化焦
之氣冬歲也間氣為明化明行熇也亦謂霞燒○新校正云詳少陽厥戊之歲為初之氣卯酉
之歲為三之氣寅申之歲為四之氣巳未之歲為五之氣陽明司天為燥化卯酉之歲清切
旦剛霧露庚悲若之化也在泉為辛化子午之歲也金司地氣故辛化先為司氣為素
化金主之氣乙庚歲也間氣為清化風生高勁草木清冷清之化也○新校正云詳陽明切巳亥
之歲為初之氣辰戌之歲為二之氣寅申之歲為四之氣丑未之歲為五之氣太陽司天為寒
化辰戌之歲嚴霜凝堅陰凜凝堅寒之化也在泉為鹹化丑未之歲水司地氣故化從司
氣為玄化水運之氣丙辛歲也間氣為藏化藏凝而冬庚論改云歲之化也○新校正
云詳子午之歲太陽為初之氣巳亥之歲為二之氣卯酉之歲為四之氣寅申之歲為五之氣故治病
者必明六化分治五味五色所生五藏所宜迺可以言
盈虛病生之緒也孚下厥備習也帝曰厥陰在泉而酸化先余
知之矣風化之行也何如岐伯曰風行于地所謂本也

餘氣同法厥陰在泉風行于地少陰在泉熱行于地太陰在泉濕行于地少陽在泉火行于地陽明
在泉燥行于地太陽在泉寒行于地故曰餘氣同法也主謂六氣之上元氣也本乎天者天之
氣也本乎地者地之氣也決於天者為天氣化於地者為地氣○新校正云按易曰
本乎天者親上本乎地者親下此之謂也天地合氣六節分而萬物化生矣
萬物居天地之間悉為六氣所生化陰陽之用未嘗有逃生化出陰陽也故曰謹候氣宜無
失病機此之謂也病機下文具之帝曰其主病何如言采藥之歲也岐
伯曰司歲備物則無遺主矣謹候司天地所生化者則其味正當其歲也故彼藥
工專司歲氣所收藥物則一歲二歲其所主用無遺略也○今詳則字當作用帝曰先歲物何
也岐伯曰天地之專精也專精之氣藥物肥濃又於使用當其正氣味也○新校正
云詳先歲疑作司歲帝曰司氣者何如司運氣也岐伯曰司氣者主歲
同然有餘不足也五運主歲者有餘不足比之歲物恐有薄有餘之歲藥專精也帝曰
非司歲物何謂也岐伯曰散也非專精則散氣散氣則物不純故質同

而異等也形質雖同力用則異故不等之氣味有薄厚性用有躁靜治保有多少力化有淺深此之謂也物與歲不同者何以此尒帝曰歲主藏害何謂岐伯曰以所不勝命之則其要也木不勝金金不勝火之類是也帝曰治之奈何岐伯曰上淫于下所勝平之外淫于內所勝治之淫謂行所不勝己者也上淫于下天之氣也外淫于內地之氣也隨所制勝而以平治之也制勝謂五味寒熱溫涼隨勝用之下文備矣新校正云詳天氣主歲雖有淫勝但言平調之故不曰治而曰平也帝曰善平氣何如平謂診平和之氣岐伯曰謹察陰陽所在而調之以平為期正者正治反者反治知陰陽所在則知尺寸應與不應不知陰陽所在則以得為失以逆為從故謹察之也陰病陽不病陽病陰不病是為正病者正治之謂以寒治熱以熱治寒也陰位已見陽脈陽位又見陰脈是謂反病反治之謂以寒治寒以熱治熱也諸方之制咸悉不然故曰反者反治也帝曰夫子言察陰陽所在而調之論言人迎與寸口相應若引繩小大齊等命曰平新故

正云詳論言至曰平本靈樞之文今出甲乙經云寸口主中人迎主外兩者相應俱往俱來若引繩小大齊等春夏人迎微大秋冬寸口微大者名曰平也陰之所在寸口何如陰之所在脉沉不應引繩齊等其候頸手故同法明之岐伯曰視歲南北可知之矣帝曰願卒聞之岐伯曰北政之歲少陰在泉則寸口不應木火金水運面北受氣凡氣之在泉者脉悉不見唯其左右之氣脉可見之在泉之氣善則不見惡者可見病以氣及字主治勝名之在之氣異赤然矣天厥陰在泉則右不應少陰右故在太陰在泉則左不應少陰在右故南政之歲少陰司天則寸口不應土運之歲面南方令故少陰言天則二手寸口不應也厥陰司天則右不應太陰司天則左不應亦左右義也諸不應者反其診則見矣不應皆為脉沉脉沉下者仰手而沉覆其手則沉為浮細為大也帝曰尺候何如岐伯曰北政之歲三陰在下則寸不應三陰在上則尺不應司天曰上在泉曰下南政之歲三陰在天則寸不應三陰在泉則尺不

應之古同（尺不應寸反右者與寸不應反義同）故曰知其要者一言而終
不知其要流散無窮此之謂也（要謂知陰陽所在也知則用之不惑不知則尺
寸之氣沉浮小大常三歲一差是欲求其意猶繞樹問枝雖白首區區尚未知所詣況其旬月而可知乎）
曰善天地之氣內淫而病何如岐伯曰歲厥陰在泉風
淫所勝則地氣不明平野昧草迺早秀民病洒洒振寒
善伸數欠心痛支滿兩脅裏急飲食不下鬲咽不通食
則嘔腹脹善噫得後與氣則快然如衰身體皆重（謂甲寅丙
寅戊寅庚寅壬寅甲申丙申戊申庚申壬申歲也[illegible]不明謂天圍之際氣色昏暗風行地上故平野皆然[illegible]
[illegible]新校正云按甲乙經洒洒[illegible]
[illegible]）
歲少陰在泉熱淫所

焰浮川澤陰處反明民病腹中常鳴氣上衝胸喘不能久立寒熱皮膚痛目瞑齒痛䪼腫惡寒發熱如瘧少腹中痛腹大蟄蟲不藏謂乙卯丁卯己卯辛卯癸卯乙酉丁酉己酉辛酉癸酉歲也陰處反明也下[illegible]之立元須了也服之言心氣不至[illegible]金火相薄而炎甚也〇新校正云按甲乙經[illegible]寒[illegible]上衝[illegible]不能久立寒熱[illegible]少腹在裏之陰[illegible]太陰[illegible]歲[illegible]此[illegible]字[illegible]云[illegible]歲太

陰在泉草乃早榮濕淫所勝則埃昏巖谷黃反見黑至陰之交民病飲積心痛耳聾渾渾焞焞嗌腫喉痹陰病血見少腹痛腫不得小便病衝頭痛目似脫項似拔腰似折髀不可以回膕如結腨如別謂甲辰丙辰戊辰庚辰壬辰甲戌丙戌戊戌庚戌壬戌歲也[illegible]之見應黃於天中而反見於北方黑處也水土同見故曰至陰之交合其氣色也衝頭痛謂腦後眉間痛也膕謂膝後曲腳之中也腨謂胻後軟肉處也〇新校正云按甲乙經耳聾渾渾焞焞嗌腫喉痹為三焦病[illegible]又曰衝頭痛目似脫項似拔腰似折髀不可以回膕如結腨如別[illegible]

十三

帝曰：氣至而先後者何（[illegible]）岐伯曰：運太過則其至先，運不及則其至後，此候之常也（[illegible]）帝曰：當時而至者何也？岐伯曰：非太過，非不及，則至當時，非是者眚也（當時謂應日之期也非應先後至而有先後至者皆為災眚[illegible]）帝曰：善。氣有非時而化者何也？岐伯曰：太過者當其時，不及者歸其己勝也（冬雨春涼秋熱夏寒之類皆為歸己勝也）帝曰：四時之氣，至有早晏高下左右，其候何如？岐伯曰：行有逆順，至有遲速，故太過者化先天，不及者化後天（[illegible]）帝曰：願聞其行何謂也？岐伯曰：春氣西行，夏氣北行，秋氣東行，冬氣南行（觀萬物生長[illegible]如斯言）故春氣始於下，秋氣始於上，夏氣始於中，冬氣始於標；春氣始於左，秋氣始於右，冬氣始於後，夏氣始於前。此四時正化之常（[illegible]）

以明之可知也故至高之地冬氣常在至下之地春氣常在高山之巔盛夏冰雪汙下川澤嚴冬草生常在之義足明矣○新校正按五常政大論云地有高下氣有溫涼高者氣寒下者氣熱必謹察之帝曰善天地陰陽視而可見何必思諸冥昧演法推求智極心勞而無所得邪黃帝問曰五運六氣之應見六化之正六變之紀何如岐伯對曰夫六氣正紀有化有變有勝有復有用有病不同其候帝欲何乎帝曰願盡聞之岐伯曰請遂言之遂悉也夫氣之所至也厥陰所至為和平初之氣木之化少陰所至為暄二之氣君火也太陰所至為埃溽四之氣土之化少陽所至為炎暑三之氣相火也陽明所至為清勁五之氣金之化太陽所至為寒雰終之氣水之化時化之常也四時氣正化之常候厥陰所至為風府為璺啓璺微裂也啓開拆也少陰所至為大火府為舒榮太陰所至為雨府為員盈物承土化質皆圓滿又雨界地綏文見如環為員化明矣少

陽所至為熱府為行出[illegible]陽明所至為司殺府為实蒼（实更也更易也代也）太陽所至為寒府為歸藏（[illegible]）司化之常也厥陰所至為生為風搖（木化）之少陰所至為榮為形見（火化）之太陰所至為化為雲雨（土化）之少陽所至為長為蕃鮮（火化）之陽明所至為收為霧露（金化）之太陽所至為藏為周密（水化）之氣化之常也厥陰所至為風生終為肅（風化以生則風生也肅靜也○新校正云按六微旨大論云風位之下金氣承之故厥陰為風生而終為肅也）少陰所至為熱生中為寒（熱化以生則熱生也陰精承上故中為寒也○新校正云按六微旨大論云少陰之上熱氣治之中見太陽故為熱生而中為寒也又云君位之下陰精承之亦為寒之義也）太陰所至為濕生終為注雨（濕化以生則濕生也大陰在上故終為注雨○新校正云按六微旨大論云土位之下風氣承之王注云疾風之發雨不零濕為風吹化而為雨故太陰為濕生而終為注雨也）少陽所至為火生終為蒸溽（火化以生則火生也陽在上故

蒸溽蒸溽○新校正云按六微旨大論云相火之下水氣承之故少陽為火生而終為蒸溽也陽明所至為燥生終為涼燥化以生對承生也在左化喜為涼○新校正云詳此六氣由問吉本化言而反之氣而貪陽明之化言溽生蔡母多未見涼反之氣再事上下文義當云陽明所至為涼燥未海方與諸氣之義同其並以金位之下大氣承之故陽明為清生而終為燥也太陽所至為寒生中為溫寒化以主則寒生也陽在內故中為溫○新校正云詳五運行大論云太陽之上寒氣治之中見少陰故寒生而中為溫德化之常也風生毛形熱生翮形濕生倮形火生羽形燥生介形寒生鱗形六化皆為主歲及間氣所在而各化生常無替也非德化則無能化生也翮胡革反厥陰所至為毛化形之有毛者少陰所至為羽化有羽翮飛行之類太陰所至為倮化無毛羽鱗甲之類少陽所至為羽化薄明羽翼蜂之類非翮羽之羽也陽明所至為介化有甲之類太陽所至為鱗化身有鱗也德化之常也厥陰所至為生化溫化少陰所至為榮化暄化太陰所至為濡化濕化少陽所至為茂化熱化陽明

[illegible]以[illegible]通也病由肺生故曰病本于肺[illegible]

腹[illegible]

[illegible]尺澤絕死

不治尺澤在肘內廉大文中動脈應手肺之氣也火勝金[illegible]天之命金氣內絕故死也[illegible]不至

[illegible]太陰司天濕淫所勝則沉陰

且布雨變枯槁胕腫骨痛陰痺陰痺者按之不得腰脊

頭項痛時眩大便難陰氣不用饑不欲食咳唾則有血

心如懸病本于腎謂乙丑丁丑己丑[illegible]丑乙未己未辛未癸未歲也[illegible]

陰邪水氣無能潤下故枯槁則有血故大便難也○新校正云按甲乙經[illegible]

邪在腎則病骨痛陰痺陰痺者按之而不得腹脹腰痛大便難肩背頸項痛時眩[illegible]太陰司天之[illegible]故大

[illegible]大谿絕死不治大谿在足內踝後跟骨上動脈手[illegible]之氣也土邪勝水而腎氣內[illegible]

[illegible]故少陽司天火淫所勝則溫氣流行金政

不平民病頭痛發熱惡寒而瘧熱上皮膚痛色變黃赤
傳而為水身面胕腫腹滿仰息泄注赤白瘡瘍欬唾血
煩心胸中熱甚則鼽衄病本于肺謂甲寅丙寅戊寅庚寅壬寅甲申丙申戊
申庚申壬申歲也火來居事則金氣受邪故曰金政不平氣炎炎甚上金勝衰部孛熱內鬱衣無能救故化生
諸病也州火之害則已矣○新校正云按甲乙經邪在肺則皮膚痛發寒熱盡少陽司天之歲火勝金故病肺
是天府絕死不治天府在肘後內側上掖下同身寸之三寸動脈應手肺之氣也火勝而金
脈絕故死陽明司天燥淫所勝則木迺晚榮草迺晚生筋骨
內變民病左胠脇痛寒清于中感而瘧大涼革候欬腹
中鳴注泄鶩溏名木斂生菀于下草焦上首心脇暴痛
不可反側嗌乾面塵腰痛丈夫㿗疝婦人少腹痛目昧
眥瘍瘡痤癰蟄蟲來見病本于肝謂乙卯丁卯己卯辛卯癸卯乙酉丁酉己
酉辛酉癸酉歲也金候草木花生榮也配於人身則筋骨內應而不用也大涼之氣變易時候則人寒清發

佐以苦辛以鹹平之少陽在泉則火司于地謂五巳五亥歲也燥司于地熱反勝之治以平寒佐以苦甘以酸平之以和為利陽明在泉則燥司于地謂五子五午歲也燥之性惡熱而反寒故以冷熱和平為方制也寒司于地熱反勝之治以鹹冷佐以甘辛以苦平之太陽在泉則寒司于地謂五丑五未歲也此六氣方治與前資勝法殊則其云治者皆寫邪之勝氣也云佐者皆所利所宜也云平者補已弱之正氣也帝曰其司天邪勝何如岐伯曰風化於天清反勝之治以酸溫佐以甘苦巳亥歲也熱化於天寒反勝之治以甘溫佐以苦酸辛子午歲也濕化於天熱反勝之治以苦寒佐以苦酸丑未歲也火化於天寒反勝之治以甘熱佐以苦辛寅申歲也燥化於天熱反勝之治以辛寒佐以苦甘卯酉歲也寒化於天熱反勝之治以鹹冷佐以苦辛辰戌歲也帝曰六氣相勝奈何先舉其同爲勝岐伯曰厥陰之勝耳鳴頭眩憒憒欲

吐胃鬲如寒大風數舉倮蟲不滋胠脇氣并化而爲熱
小便黃赤胃脘當心而痛上支兩脇腸鳴飧泄少腹痛
注下赤白甚則嘔吐鬲咽不通王巳五支厥也心下諸上肥之少胃脘管
之上及大鬲之下風寒寒齊生嗌氣并諸痛若下舉咽頭食欲入而復出也○新校正云詳于了經胃
胃脘當心而痛上支兩脇咽不通少陰之勝心下熱善飢齊下反動氣
遊三焦炎暑至木廼津草廼萎嘔逆躁煩腹滿痛溏泄
傳爲赤沃五子五肝也沃沐也勳大陰之勝火氣內鬱瘡瘍於中
流散於外病在胠脇甚則心痛熱格頭痛喉痺項強獨
勝則濕氣內鬱寒迫下焦痛留頂互引眉間胃滿雨數
至燥化廼見少腹滿腰脽重強內不便善注泄足下溫
頭重之脛胕腫飲發於中胕腫於上五丑五未出蕩脈於上則火氣
曾發於中則寒迫下焦木從河濕則鮮赤遲水進雁諸禾因也不便而腹重內滿直足胎下折也觧腸胃不春

[illegible]（[illegible]所勝平之外于內所[illegible]主氣曰治司天曰平也）熱淫所勝平以鹹寒[illegible]以酸收之（熱氣已退時發動者是為心虛氣散不斂以酸收之雖以酸收亦兼[illegible]殄除其源本矣熱見大甚則以苦發之汗已[illegible]氣盡勿寒之汗已猶熱是邪氣未盡則以[illegible]又熱則復汗之已汗復熱是藏虛也則補其[illegible]合諸治熱者亦未必得再三發三治[illegible]）濕淫所勝平以苦熱佐以酸辛以苦燥之以[illegible]（濕氣所淫皆為腫滿但除其濕腫滿自衰因濕生病不腫不滿者亦爾治之濕氣在上以苦吐之[illegible]下以苦泄之以淡滲之則皆燥也泄謂滲泄[illegible]之下小便為[illegible]熱以用利小便去伏水[illegible]病不下小便非其法也○新校正云[illegible]以數淡且云酸辛者辛疑當作淡）濕上[illegible]熱治以苦溫佐以甘辛以汗為故而止（[illegible]）火淫所勝[illegible]酸冷佐以苦甘以酸收之以苦發之以酸復之熱[illegible]（[illegible]熱淫義熱亦如此法以酸復其[illegible]也不復其氣則[illegible]氣空虛招其本[illegible]）燥淫所勝平

[illegible]熱佐以酸辛以苦下之（制寒之勝必以苦濕是火之氣味宜下也以苦宜[illegible]以辛[illegible]甚寒甚兩不去則以苦[illegible]酸除潤以辛潤之氣同○新校正云按上文[illegible]于內治以苦溫此云苦濕[illegible]文中[illegible]作[illegible]又按六元正紀大論亦作苦小溫）寒淫所勝平以辛熱佐以苦甘以鹹寫之（寒勝止之不可[illegible]出○新校正云上文寒淫于內治以甘熱佐以苦辛此云平以辛熱佐以苦甘[illegible]又按六元正紀大論云[illegible]）

帝曰善邪氣反勝治之奈何（不能[illegible]氣反為[illegible]）岐伯曰風司于地清反勝之治以酸溫佐以苦甘以辛平之（厥陰在泉則風司于地謂五寅五申歲邪氣乃盛故先以酸寫佐以苦甘邪氣乃退[illegible]正氣虛故以補養而平之）熱司于地寒反勝之治以甘熱佐以苦辛以鹹平之（少陰在泉則熱司于地謂五卯五酉歲也先寫其邪而後平其正氣也）濕司于地熱反勝之治以苦冷佐以鹹甘以苦平之（太陰在泉[illegible]司于地謂五辰五戌歲[illegible]苦之義除濕氣[illegible]）火司于地寒反勝之治以甘熱

注[illegible]內戒寒表則為瘧瘠也七旁[illegible]有腑云遥之今弦氣宗考[illegible]居于主故主異胃其安制制出異歲民可證

湯其焉治凝之英近大涼次寒也大涼且甚陽氣不行故木容收斂[illegible]悉晚生氣已升陽不布令故閉積生

亦而發於下也在入之應則少腹之內痛氣居之矣去於[illegible]夏[illegible][illegible]之[illegible]着及欽中[illegible][illegible]之[illegible]主於上癰[illegible]之

警[illegible]於下[illegible]色[illegible]宗中心[illegible]日多氣之寄也〇新[illegible]正云於早乙經[illegible]痛不可以從御丈夫[illegible]疝婦入少腹[illegible]

亡刺[illegible][illegible]面塵為[illegible]病又[illegible][illegible]洞泄為[illegible]痢又心[illegible]痛[illegible][illegible]反側目[illegible]眥瘍[illegible]盆中[illegible][illegible][illegible]下[illegible][illegible]刀[illegible][illegible][illegible]

[illegible]發寒瘧為瘡瘍[illegible]陽明司天之歲金[illegible][illegible]故[illegible][illegible]是[illegible]發[illegible][illegible]云厥[illegible][illegible]謂[illegible]病婦[illegible]步腹[illegible]首厥臨[illegible][illegible]

主三月陽中之陰[illegible]在中故日寅於少腹陰近[illegible]近承切太衝絕死不治太衝在足大指本節

後二寸脈動應手肝之氣也金來伐木肝氣內絕真不勝邪其死宜矣太陽司天寒淫所

勝則寒氣反至水且冰血變于中發為癰瘍民病厥心

痛嘔血血泄鼽衄善悲時眩仆運火炎烈雨暴乃雹

胸腹滿手熱肘攣掖腫心澹澹大動胸脇胃脘不安面赤

目黃善噫嗌乾甚則色炲渴而欲飲病本于心謂甲辰丙辰戊

辰庚辰壬辰甲戌丙戌戊戌庚戌壬戌歲也太陽司天寒氣布化政故水且冰而血變攻膚之腐瘍氣癃聚發急雜也若乘火運而乏寒烈炎水交政暴雨乃寒中瘍聚發雹色心氣焉悲故善噫是歲民病冀于心覆之中也陽氣門美濕氣下蒸故心厥痛嘔血血泄鼽衂面赤目黃音急手熱肘攣掖腫胸乾甚則色炲氣嗌陽於行之也氣內鬱故滿而民鬱也痛治心主多寒變熱故六病本云心也○新校正云按甲乙經手熱時攣掖腫是則胸實文澹心澹澹大動而不月黃為手心主病乃邪在心而病心痛善悲時眩仆盛大陽司天之歲冬寬也故病知是

神門絕死不治神門在手之掌後銳骨之端動脈應手真心氣也水行勝火而心氣內絕邪氣已亡不死何待言亦六診故不治也

所謂動氣知其藏也所以診視而知死者何以皆是藏之經脈動氣知神藏之存亡耳

帝曰善治之奈何謂可攻治者

岐伯曰司天之氣風淫所勝平以辛涼佐以苦甘以甘緩之以酸寫之厥陰之氣未為盛熱故以涼藥平之夫氣之用也積涼為寒積溫為熱以熱少之其則溫也以寒少之其則涼也以溫多之其則熱也以涼多之其則寒也各當其分則寒寒也溫溫也熱熱也涼涼也方書之用可不務乎故寒熱溫涼遞降多少善為方者意必汗逆涼熱寒熱溫其制也○新校正云按本論上文二

蔡火出燥生於上謂而也是經原是之甑所生出注新校正云詳注云火盈河渠明離決離之也土作出注於經文無所辭乃失之甚之復云大兩行鮮見於陰則此文後兩故至下覽少鮮見於堅四字不然則工注宗因為評也

少陽之勝，熱客於胃，煩心心痛，目赤欲嘔，嘔酸善飢，耳痛溺赤，善驚譫妄，暴熱消爍，草萎水涸，介蟲乃屈，少腹痛，下沃赤白。五寅五申歲也熱暴甚故草萎水涸沃沫陽氣消爍介蟲金化也屈氣伏也熱故介蟲屈伏殺陰氣也

陽明之勝，清發於中，左胠脇痛，溏泄，內為嗌塞，外發癩疝，大涼肅殺，華英改容，毛蟲乃殃，胸中不便，嗌塞而咳。五卯五酉歲也大涼肅殺金氣勝木故草華英為殺氣損削改易形容而焦其上首也毛蟲木化氣不宜金故毛蟲死也肝木之氣下主於陰故大涼行而癩疝發也胃中不和謂呼吸不利咽塞或痛或欬故不利也謂噎塞而欬也嗌謂喉之下接連胸中肺兩葉之間也

太陽之勝，凝溧且至，非時水冰，羽乃後化，痔瘧發，寒厥入胃，則內生心痛，陰中乃瘍，隱曲不利，互引陰股，筋肉拘

苛血脉凝泣絡滿色變或爲血泄皮膚否腫腹滿食減熱反上行頭項囟頂腦戶中痛目如脫寒入下焦傳爲濡寫丙辰丙戌歲也寒氣凌逼陽不勝之故非寒時而止水冰凝也水寒之寒陽之下行故諸羽蟲生化而痎也爲急也苛重也絡絡然也太陽之氣標在於巔故熱反上行於頭也以其脉起於目內眥上額交巔上入絡腦還出別下項故囟頂及腦戶中痛目如欲脫也濡寫謂洩利也○新校正云按甲乙經痔瘧頭囟頂反腦戶中痛目如脫爲太陽經病帝曰治之奈何岐伯曰厥陰之勝治以甘清佐以苦辛以酸寫之少陰之勝治以辛寒佐以苦鹹以甘寫之太陰之勝治以鹹熱佐以辛甘以苦寫之少陽之勝治以辛寒佐以甘鹹以甘寫之陽明之勝治以酸溫佐以辛甘以苦泄之太陽之勝治以甘熱佐以辛酸以鹹寫之六勝之至皆先歸其不勝己者故不勝者當先寫之以通其道次寫所勝之氣令其退釋也治諸勝而不寫遣之則勝氣浸盛內生諸病也○新校正云詳此注治非先寫其不勝而後寫

云亦詳論太陽之勝治以甘熱義異疑苦字之誤也若云今以苦熱則六勝之治當一貫也帝曰六
氣之復何如復謂報復報其勝也凡先有勝後必有復○新校正云按玄珠云六氣分正化對化厥
陰正司於亥對化於巳少陰正司於午對化於子太陰正司於未對化於丑少陽正司於寅對化於申陽明正
司於酉對化於卯太陽正司於戌對化於辰正司化令之實對司化令之虛對化勝而有復正化勝而不復也
詳云凡先有勝發也後以亦然岐伯曰悉乎哉問也厥陰之復少腹堅
滿裏急暴痛偃木飛沙倮蟲不榮厥心痛汗發嘔吐飲
食不入入而復出筋骨掉眩清厥甚則入脾食痺而吐
裏腹脅之中也亦偃沙飛風之大也風爲木勝故土不榮氣厥謂氣衝胸脅而痛及心也胃受逆氣而上攻心
痛也汗流則汗發從掉謂肉中動也清厥足冷逆食痺謂食已心下痛陰陰然不可名也不可忍也吐出乃
止此爲胃氣逆而不下流坐食飲下入入而復出射熱胃說令木也衝陽絕死不治衝陽
胃脈氣也少陰之復燠熱內作煩躁鼽嚏少腹絞痛火見燔
焫嗌燥分注時止氣動於左上行於右欬皮膚痛暴瘖

心痛鬱冒不知人迺洒淅惡寒振慄譫妄寒已而熱渴而欲飲少氣骨萎隔腸不便外為浮腫噦噫赤氣後化流水不冰熱氣大行介蟲不復病疿胗瘡瘍癰疽痤痔甚則入肺欬而鼻淵火熱之氣自小腸從臍下之左入大腸上行至左脅甚則上行於右而入肺故動發之上行於右皮膚痛也子注謂之小長下也腸畧言暑弱溢在也稀陽諸陽而陽羔而不便寒之甚熱甚則諸陽胕先寒設赤氣後化流水不冰冬陰之文司於泛迫在人之應則冬則不熱若直之寒谷下是至高之受火不害決平不川流則經至大氣內蒸金氣外注陰然下諸故為痺於瘡瘍於茲交痔瘡流熱分則外生於然熱則內於堅疱瘍肩背熱戶尿屬時其復熱之變皆疿肯之後及外然泄瘡痔熱診坐於上癃瘲痙疼生於下又其竈皆皆爲逆也天府絕死不治天府肺脉氣所出○新校正云詳上文少陰司天熱淫所勝尺澤絕死不治少陽司天火淫所勝天府絕死不治此云少陽之後天府絕死不治下文少陽之復尺澤絕死不治又皆並不澤天府矣不大陰損之所我動故此互文也太陰之復濕變迺舉體重中滿食飲不化陰氣上厥胸中不便飲

發於中欬喘有聲大雨時行鱗見於陸頭頂痛重而掉
瘛尤甚嘔而密默唾吐清液甚則入腎竅瀉無度濕氣內逆
寒氣不行太陽上流故爲是病頭頂痛重則胸中掉瘛
甚逆膀胃寒濕所行熏爲[illegible]胸不便處感
不化嘔而密默[illegible]也[illegible]心[illegible]令承也
氣易從上入脾竅則息逆不利設故[illegible]而[illegible]口肯舉也
之[illegible]溼[illegible]見新校正云詳注云頭頂痛重
祀[illegible]新校正云詳注云於市文頭[illegible]陰[illegible]
司天云頭頂痛
頂發當作頭頂
太谿絕死不治太谿腎脈氣也少陽之復大熱
將至枯燥燔爇介蟲乃耗驚瘛欬衄心熱煩躁便數憎
風厥氣上行面如浮埃目乃瞤瘛火氣內發上爲口糜
嘔逆血溢血泄發而爲瘧惡寒鼓慄寒極反熱嗌絡焦
槁渴引水漿色變黃赤少氣脈萎化而爲水傳爲胕腫
甚則入肺欬而血泄火氣專暴枯燥草木燔爇自然[illegible]設
諸[illegible]發生火內熾故驚[illegible]欬衄心熱
恆於[illegible]肺[illegible]也火炎於上則庶物失色[illegible]如塵[illegible]淺
非[illegible]而[illegible]閒[illegible]也火燥於內則口舌糜爛[illegible]嘔逆及為血[illegible]

皆血從風穴汗濟則寒溫赤氣蒸熱化則為水病傳為胕腫閉膚腠謂皮肉俱隨熱之間下從而下起也如是之證
皆火氣所生也尺澤絕死不治尺澤穴肺氣也陽明之復清氣大舉森
木蒼乾毛蟲乃厲病生胠脇氣歸於左善太息甚則心
痛否滿腹脹而泄嘔苦欬噦煩心病在鬲中頭痛甚則
入肝驚駭筋攣殺氣大舉木不勝之故蒼青之葉不反青而乾焦也毛謂虎狼之屬也清甚
於內熱鬱於外故也太衝絕死不治太衝肝脈氣也太陽之復厥氣上行
水凝雨冰羽蟲乃死心胃生寒胸膈不利心痛否滿頭
痛善悲時眩仆食減腰脽反痛屈伸不便地裂冰堅陽
光不治少腹控睾引腰脊上衝心唾出清水及為噦噫
甚則入心善忘善悲雨冰謂雹也寒而遇雹死亦宜寒化於地其上凍土故地體分裂
水積冰堅久而不釋是陽光之氣不治寒凝之物也大寒之復與不利於上滿下寒也絕所化心氣內鬱熱由
是生火熱內鬱故生焉○新校正云詳注云與不利許不字疑作止神門絕死不治神門

與心勝氣帝曰善治之奈何復氣治勝談先問以治之岐伯曰厥陰之復治以酸寒佐以甘辛以酸瀉之以甘緩之不大緩之夏猶不已復重以厥故治以辛寒也○新校正云按別本治以酸寒作治以辛寒也少陰之復治以鹹寒佐以苦辛以甘瀉之以酸收之以苦發之以鹹耎之不大發汗以寒攻之時至沖秋熱內伏結而為心熱少氣少力而不能起坐熱伏不散歸於骨也太陰之復治以苦熱佐以酸辛以苦瀉之燥之泄之不燥泄之久而為身重腹滿關節不利隔及伏兔腫內作膝腰脛肉則胕腫痛泄少陽之復治以鹹冷佐以苦辛以鹹耎之以酸收之辛苦發之發不遠熱無犯溫涼少陰同法不發汗以奪盛陽則熱內淫於四支而為解㑊不可名也謂熱不甚謂寒不甚謂強不甚謂弱不甚不可以名言故謂之解㑊粗醫等為云氣惡病也久久不已則骨熱髓涸齒乾乃為骨熱病生發汗奪陽故無留熱故發汗者發熱生病夏月又差亦用熱藥以發之當象抜時幾人熱發亦不得以熱采差汗汗不發而藥熱內甚助氣年瘧逆犯時盡故曰無死足京小陰氣熱瘧疾則同疑云與少陰同法也數

劇其汗劇慮淚竭涸故也驗以鹹泄也新校正云按六元正紀大論云發表不遠熱○陽明之復治以辛溫佐以苦甘以苦泄之以苦下之以酸補之泄謂滲泄汗及小便湯浴皆是也秋分前後則亦發之春有勝則依勝法或不已亦湯漬和其中外也怒復之後其氣皆虛故補之以安全其氣餘復治同大陽之復治以鹹熱佐以甘辛以苦堅之不堅則寒氣內變止而復發發而復止緜歷年歲生大寒疾治諸勝復寒者熱之熱者寒之溫者清之清者溫之散者收之抑者散之燥者潤之急者緩之堅者耎之脆者堅之衰者補之強者寫之各安其氣必清必靜則病氣衰去歸其所宗此治之大體也大陽氣寒少陰少陽氣熱厥陰氣溫陽明氣清大陰氣濕有勝復則各倍其氣以調之故可使平也宗屬也調不失理則餘之氣自歸其所屬少之氣自安其所居勝復衰已則各補養而平定之也清己靜安撫之則六氣循環五神安泰者運氣之寒熱治之平之亦各歸司天地氣也帝曰善氣之上下何謂也岐伯曰身半以上其氣三矣天之

分也天氣主之身半以下其氣三矣地之分也地氣主之
之以名命氣以氣命處而言其病半所謂天樞也半身正
謂齊中也成以證爲身半是以居中爲義過天中也中
原之八患於光廷當伸臂指天舒足指地以繩量之中
正當齊也故又曰半所謂天樞也天樞正當齊兩傍同
身寸之二寸也其氣三者假如少陰司天則上有熱中有
前七陰隷之三也六氣皆然司天者其氣三司地者其
氣三安身半以上三氣身半以下三氣也以名言其氣
以氣言其處以氣處之經而言其病之形證也明足
覆陰氣至足及股脛之方漸上行於心腹胃脅足陽明
氣在足之上府之本股之前上行腹脅之膺循胸乳上
而足太陽氣起於目上額絡頭下項背過腰貫臀過膝起
股衰下行入腘貫臏出外踝之後從足小指外側同之足陰
室循足反跗腦之穴測上行腹齊之膺足少陰同之足
少陽氣瀆脛外間上行與脇之側循頰耳至目銳眥止
首之測此足六氣之上尚主也手厥陰少陰之陰氣從也
腸內有肉內間至中指小指大指之端手陽明少陽
大陽氣並起手表循背外側上肩及甲之上頭此手六氣
之謂三也欲知病診當隨氣所在以言之當陰之分診
病處之當陽之分熱病歸之故勝復之作先言病生寒
熱皆從後氣動理也○新校正云按六微旨大論云天
樞之上天氣主之天樞之下地氣主之氣交之分人氣

從之故上勝而下俱病者以地名之下勝而上俱病者以
天名之彼氣既勝此未能復抑鬱不暢而無所行進則困於讎嫌退則窮於迫迮故上勝至則下與俱
病下勝至則上與俱病上勝下病地氣鬱也故從地謂以名也病下勝上病天氣塞也故從天謂以名天稱之
以天名者方順天氣為制逆地氣而攻之以地名者方從天氣為司可假[illegible]陽明司天少陰在泉上勝而下
俱病者是拂於下而生也天氣正勝天可[illegible][illegible]故順天之氣方同清也少陰[illegible]司天上下勝司去〇新校正云
按六元正紀大論云上勝則天氣降而下下勝則地氣遷而上此之謂也所謂勝至報氣屈
伏而未發也復至則不以天地異名皆如復氣為法也
勝至未復而病生以天地異名為式復氣已發則所生無問上勝下勝悉皆依復氣為病寒熱之主也帝
曰勝復之動時有常乎氣有必乎岐伯曰時有常位而
氣無必也雖位有常而發動有無不必定之也帝曰願聞其道也岐伯曰
初氣終三氣天氣主之勝之常也四氣盡終氣地氣主
之復之常也有勝則復無勝則否帝曰善復已而勝何

如岐伯曰勝至則復無常數也衰乃止耳勝微則復微故復已而又勝勝甚則復甚故復已則少有再勝者也假有勝者亦隨微甚而復之爾然勝復之道雖無常數至其衰謝則勝復皆自止也復已而勝不復則害此傷生也有勝無復是復氣已衰衰不能復是天真之氣已傷敗甚而生意盡帝曰復而反病何也岐伯曰居非其位不相得也大復其勝則主勝之故反病也舍己宮觀適於他邦己力已衰主不相得怨隨其後惟便是求故力極而復主反襲之反自病者也所謂火燥熱也少陽火也陽明燥也少陰熱也少陰少陽在泉為火居水位陽明司天為金居火位金復其勝則火主勝之火復其勝則水主勝之勝氣勝復則無主勝之病氣也故只曰所謂火燥熱也帝曰治之奈何岐伯曰夫氣之勝也微者隨之甚者制之氣之復也和者平之暴者奪之皆隨勝氣安其屈伏無問其數以平為期此其道也隨謂隨之安謂順勝氣以和之也制謂制止平謂平調奪謂奪其勝氣也治此者不以數之多少但以氣平和為準度爾帝曰善客主之勝復奈何客謂天之六氣

主謂三行之位也氣有定位客各有歸復之者岐伯曰客主之氣勝而無復也客主自有多少以其耆勝與常勝勝帝曰其逆從何如岐伯曰主勝逆客勝從天之道也客承天命部其方主為之下固宜奉天命下順而病者天命不行故為逆也客勝於主承天而行理之道故為順也帝曰其生病何如岐伯曰厥陰司天客勝則耳鳴掉眩甚則欬主勝則胸脅痛舌難以言五巳五亥歲也少陰司天客勝則鼽嚏頸項強肩背瞀熱頭痛少氣發熱耳聾目瞑甚則胕腫血溢瘡瘍欬喘主勝則心熱煩躁甚則脅痛支滿五子五午歲也太陰司天客勝則首面胕腫呼吸氣喘主勝則胸腹滿食已而瞀五丑五未歲也少陽司天客勝則丹胗外發及為丹熛瘡瘍嘔逆喉痺頭痛嗌腫耳聾血溢內為瘛瘲主勝則胸滿欬仰息甚而有血手熱五寅五申歲也陽明司天清復內餘則欬衄嗌塞心

鬲中熱欬不止而白血出者死[illegible]也白血謂欬出淺紅色血似肉似肺者五卯五酉歲也○新校正云詳此不言客主勝者以金居火位無客勝之理故不言也太陽司天客勝則胸中不利出清涕感寒則欬主勝則喉嗌中鳴五辰五戌歲也厥陰在泉客勝則大關節不利內為痙強拘瘈外為不便主勝則筋骨繇併腰腹時痛五寅五申歲也大關節腰[illegible]也少陰在泉客勝則腰痛尻股膝髀腨䯒足病瞀熱以酸胕腫不能久立溲便變主勝則厥氣上行心痛發熱鬲中眾痺皆作發於胠脇魄汗不藏四逆而起五卯五酉歲也太陰在泉客勝則足痿下重便溲不時濕客下焦發而濡瀉及為腫隱曲之疾主勝則寒氣逆滿食飲不下甚則為疝五辰五戌歲也隱曲之疾謂隱蔽委曲之處病也少陽在泉客勝則腰腹痛而反惡寒甚則下白溺白主勝則熱反上行而客

於心心痛發熱格中而嘔少陰同候王[illegible]熱也陽明在泉客勝則清氣動下少腹堅滿而數便寫主勝則腰重腹痛少腹生寒下為騖溏則寒厥於腸上衝胸中甚則喘不能久立王[illegible]五七歲[illegible]也言[illegible]之[illegible]也太陽在泉寒復內餘則腰尻痛屈伸不利股脛足膝中痛王[illegible]也○新校正云詳此不言[illegible]主勝者蓋太陽以水居水故不言也帝曰善治之奈何岐伯曰高者抑之下者舉之有餘者折之不足者補之佐以所利和以所宜必安其主客適其寒溫同者逆之異者從之高者抑之制其勝也下者舉之濟其弱也有餘者折之屈其銳也不足者補之全其氣也雖制勝扶弱而客主須安一氣失所則矛楯更作榛棘互興各伺其便不相得志內淫外并而危敗之由作矣[illegible]

[illegible]帝曰治寒以

治熱以寒氣相得者逆之不相得者從之余已知之
矣其於正味何如岐伯曰木位之主其寫以酸其補以
辛木位春分前六十一日初之氣也火位之主其寫以甘其補以鹹君火
之位春分之後六十一日二之氣也相火之位夏至前後各三十日三之氣也二火之氣則殊然其氣用則一
矣土位之主其寫以苦其補以甘土之位秋分前六十一日四之氣也金
位之主其寫以辛其補以酸金之位秋分後六十一日五之氣也水位之
主其寫以鹹其補以苦水之位冬至前後各三十日終之氣也厥陰之客
以辛補之以酸寫之以甘緩之少陰之客以鹹補之以
甘寫之以鹹收之新校正云按藏氣法時論云心苦緩急食酸以收之心欲耎急食鹹以耎
之此云以鹹收之者誤也太陰之客以甘補之以苦寫之以甘緩之
少陽之客以鹹補之以甘寫之以鹹耎之陽明之客以
酸補之以辛寫之以苦泄之太陽之客以苦補之以鹹

寫之以苦，堅之以辛，潤之開發腠理，致津液通氣也。客之此主各六十一日居其所運遷客勝則寫客而補主主勝則寫主而補客應隨當緩當急以治之宗

曰：善。願聞陰陽之三也，何謂？岐伯曰：氣有多少，異用也。太陰為正陰太陽為正陽次少者為少陰次少者為少陽又次為陽明又次為厥陰厥陰為盡義具靈樞繫日月論中○新校正云按天元紀大論云何謂氣有多少鬼臾區曰陰陽之氣各有多少故曰三陰三陽也

帝曰：陽明何謂也？岐伯曰：兩陽合明也。靈樞繫日月論曰辰者三月主左足之陽明巳者四月主右足之陽明兩陽合於前故曰陽明也

帝曰：厥陰何也？岐伯曰：兩陰交盡也。靈樞繫日月論曰戌者九月主右足之厥陰亥者十月主左足之厥陰兩陰交盡故曰厥陰也

帝曰：氣有多少，病有盛衰，新校正云按天元紀大論云形有盛衰治有緩急，方有大小，願聞其約奈何？岐伯曰：氣有高下，病有遠近，證有中外，治有輕重，適其至所為故也。藏位有高下府氣有遠近病證有表裏藥用有輕重調其多少和其緊慢令藥氣至病所為故勿太過與不及也

大要

曰君一臣二奇之制也君一臣四偶之制也君二臣三奇之制也君三臣六偶之制也奇謂古之單方偶謂古之複方也單複一制皆有小大故奇方云君一臣二君二臣三偶方云君二臣四君三臣六也病有小大氣有遠近治有輕重所宜故云制也故曰近者奇之遠者偶之汗者不以奇下者不以偶補上治上制以緩補下治下制以急急則氣味厚緩則氣味薄適其至所此之謂也汗藥不以偶方氣不可以外發泄下藥不以奇制藥毒攻而致過治上補上方迅急則上不任而迫下治下補下方緩慢則滯遲路而力又微制急方而氣味薄則力與緩等制緩方而氣味厚則勢與急同如是為緩不能緩急不能急厚而不厚薄而不薄則大小非制輕重無度則虛實寒熱藏府紛撓无由致理豈神靈而可望安哉病所遠而中道氣味之者食而過之無越其制度也假如病在腎而心之氣味飼而冷足仍急過之不飼以氣味腎藥凌心心復益衰餘上下遠近例同是故平氣之道近而奇偶制小其服也遠而奇偶制大其服也大則數少小則數多

多則九之，少則二之。湯名多少凡如此也近遠謂所藏之位也心肺為近肝腎為遠脾胃居中三陽胞膻膽亦有遠近身三分之上為近下為遠也或識見高遠權以合宜方奇而分兩偶方偶而分兩奇如是者近而偶制多數服之遠而奇制少數服之則肺服九心服七脾服五肝服三腎服一為常制矣故曰小則數多大則數少○新校正云詳注云三陽胞膻膽一本作三腸膻膽臍再詳三陽無義三腸亦未為得腸有太小焦膻陽焦三今已云胞膻不得云三腸三焦作二膻之力切則

奇之不去則偶之，是謂重方。偶之不去則反佐以取之，所謂寒熱溫涼反從其病也。方與其重也寧輕與其毒也寧善與其大也寧小是以奇方不去偶方主之偶方病在則反其一佐以同病之氣而取之也夫熱與寒背寒與熱違微小之熱為寒所折微小之冷為熱所消甚大寒熱則必能與違性者爭雄能與異氣者相格聲不同不相應氣不同不相合如是則且憚而不敢攻之攻之則病氣與藥氣抗衡而自為寒熱以閉關固守矣是以聖人反其佐以同其氣令聲氣應合復令其熱參合使其終異始同燥潤而敗堅剛[illegible]必折柔脆同消爾脆須歲切

帝曰：善。病生於本，余知之矣。生於標者，治之奈何？岐伯曰：病反其本，得標之病，治

文其本得標之方（言少陰太陽之二[illegible][illegible][illegible]氣標本同）帝曰善六氣之勝

何以候之岐伯曰乘其至也清氣大來燥之勝也風木

受邪肝病生焉（流於膽）熱氣大來火之勝也金燥受邪肺

病生焉（流於迴腸大腸○新校正云詳注云是腸大腸接胃也經迴腸即大腸也）寒氣大來

水之勝也火熱受邪心病生焉（流於三焦小腸）濕氣大來土之

勝也寒水受邪腎病生焉（流於膀胱）風氣大來木之勝也土

濕受邪脾病生焉（流於胃）所謂感邪而生病也（外有其氣而內惡之

中外不喜因而遂病是謂感也）乘年之虛則邪甚也（年木不足外有清邪年火不足外有

寒邪年土不足外有風邪年金不足外有熱邪年水不足外有濕邪是年之虛也歲氣不足外邪湊甚也）失

時之和亦邪甚也（六氣臨統與位氣相[illegible][illegible]而病亦謂所不勝而內氣相[illegible][illegible]變甚也）

遇月之空亦邪甚也（謂上弦前下弦後月輪中空也）重感於邪則病危

矣（年已不足邪氣大至是一感也年已不足天氣剋之此時感邪是重感也內氣召邪天氣不祐故病之不）

內經十一

危業可有勝之氣其必來復也天地之氣不能相勝故有勝之氣其必來復也帝曰其脈至何如岐伯曰厥陰之至其脈弦耎虛而滑端直以長是謂弦實而強則病不實而微亦病不端直長亦病不當其位亦病位不能弦亦病少陰之至其脈鈎來盛去衰如偃帶鈎是謂鈎來不盛去反盛則病來盛去盛亦病來不盛去不盛亦病不當其位亦病位不能鈎亦病太陰之至其脈沉沉下也按之乃得下諸位脈也沉甚則病不沉亦病不當其位亦病位不能沉亦病少陽之至大而浮浮高也大謂稍大諸位脈也大浮甚則病浮而不大亦病大而不浮亦病不大不浮亦病不當其位亦病位不能大浮亦病陽明之至短而濇往來不利是謂濇也往來不遠是謂短也短甚則病濇甚則病不短不濇亦病不當其位亦病位不能短濇亦病太陽之至大而長往來速是謂長大甚則病長甚則病長而不大亦病大而不長亦病不當其位亦病位不能長大亦病至而和則平不大甚則病平調不弱不強是爲和也至而甚則病弦似張弓弦滑如連珠沉而附骨浮高於皮濇而止住短如麻黍大如帽簪長如引繩皆謂至而太甚也至而反者病應弦反濇應大反細應沉[illegible][illegible]應浮反沉應短濇反長滑濇[illegible]

虛反強實應細反大是皆爲氣反常平之候有病乃如此見也至而不至者病氣[illegible][illegible]至而脈
氣不應也未至而至者病按曆句之凡得節氣當年六位之分當如南北之歲脈象改易而應
之氣序未發而脈先變易是先天而至故病陰陽易者危不應大常氣見交錯失其常位更易
見之陰位見陽脈陽位見陰脈是易位而見也二氣錯亂故氣危○新校正云按六微旨大論云帝曰其有至
而至有至而不至有至而大過何也岐伯曰至而至者和至而不至來氣不及也未至而至來氣有餘也帝曰
至而不至未至而至何如岐伯曰應則順否則逆逆則變生變生則病帝曰請言其應岐伯曰物生其應也氣
脈其應也所謂脈應即此脈應也帝曰六氣標本所從不同奈何岐伯
曰氣有從本者有從標本者有不從標本者也帝曰願
卒聞之岐伯曰少陽大陰從本少陰大陽從本從標陽
明厥陰不從標本從乎中也少陽之本火大陰之本濕本末同故從本也少陰之
本熱其標陰大陽之本寒其標陽本末異故從本從標陽明之中大陰厥陰之中少陽本末與中不同故不從
標本從乎中也從本從標從中皆以其爲化生之用也故從本者化生於本從標

本者有標本之化從中者以中氣爲化也化謂氣化之元主也有病以元主氣用寒熱治之新校正云按大儀旨大論云少陽之上火氣治之中陽明厥陰之上燥氣治之中見太陰太陽之上寒氣治之中見少陰厥陰之上風氣治之中見少陽少陰之上熱氣治之中見大陽大陰之上溼氣治之中見陽明所謂本也本之下中之見也見之下氣之標也本標不同氣應異象此之謂也

帝曰脉從而病反者其診何如岐伯曰脉至而從按之不鼓諸陽皆然言病熱而脉數按之不動乃寒盛格陽而致之非熱也

帝曰諸陰之反其脉何如岐伯曰脉至而從按之鼓甚而盛也形證是寒按之而脉氣鼓擊於手下盛者此爲熱盛拒陰而生病非寒也

是故百病之起有生於本者有生於標者有生於中氣者有取本而得者有取標而得者有取中氣而得者有取標本而得者有逆取而得者有從取而得者反佐取之是爲逆取奇偶取之是爲從取寒病治以寒熱病治以熱是爲逆取逆順也

逆正順也若順逆也寒盛格陽治熱以熱熱盛拒陰治寒以寒

之類皆時謂之逆外雖用逆中乃順也此逆乃正順也若寒格陽而治以寒熱拒寒而治以熱外則雖順中氣乃逆故方若順是逆也故曰知標與本用之不殆明知逆順正行無問此之謂也不知是者不是以言診是以亂經故大要曰粗工嘻嘻以為可知言熱未已寒病復始同氣異形迷診亂經此之謂也嘻嘻悅也言心意怡悅以為知道終盡也六氣之用粗之與工得其半也厥陰之化粗以為寒其乃是溫大陽之化粗以為熱其乃是寒由此差互用失其道故其學問識用不達工之道半矣夫大陽少陰各有寒化熱量其標本應用則正反矣何以言之大陽本為寒標為熱少陰本為熱標為寒方之用亦如是也厥陰陽明中氣亦尒厥陰之中氣為熱陽明之中氣為濕此二氣亦反其類大陽少陰也然大陽與少陰有標本用與諸氣不同故曰同氣異形也夫一經之標本寒熱既殊言本當究其標論標合尋其本言氣不窮其標本論病未辨其陰陽雖同一氣而生且阻寒溫之候故心迷正理治益亂經呼曰粗工允膺其稱夫標本之道要而博小而大可以言一而知百病之害言標與本易而勿損察本與標氣可令調明

知勝復爲萬民式天之道畢矣天地變化尚可盡知况一人之診而云冥昧得經之要持法之宗爲天下師尚卑其道萬民之式豈曰大哉◯新校正云按標本病傳論云有其在標而求之於標有其在本而求之於本有其在本而求之於標有其在標而求之於本故治有取標而得者有取本而得者有逆取而得者有從取而得者故知逆與從正行無問知標本者萬舉萬當不知標本是爲妄行夫陰陽逆從標本之爲道也小而大言一而知百病之害少而多淺而博可以言一而知百也以淺而知深察近而知遠言標與本易而勿及治反爲逆治得爲從先病而後逆者治其本先逆而後病者治其本先寒而後生病者治其本先熱而後生病者治其本先熱而後生中滿者治其標先病而後泄者治其本先泄而後生他病者治其本必且調之乃治其他病先病而後生中滿者治其標先中滿而後煩心者治其本人有客氣有同氣小大不利治其標小大利治其本病發而有餘本而標之先治其標後治其本病發而不足標而本之先治其標後治其本謹察間甚以意調之間者并行甚者獨行先小大不利而後生病者治其本此經論標本尤詳帝曰勝復之變早晏何如岐伯曰夫所勝者勝至已病病已慍慍而復已萌也復鬱之慍不遠而有天所復者勝盡而起得位

而甚勝有微甚復有少多勝和而和勝虛而虛天之常也帝曰勝復之作動不當位或後時而至其故何也言盛於夏陰盛於冬清盛於秋溫盛於春天之常候然其勝復氣用四序不同其何由哉陽岐伯曰夫氣之生與其化衰盛異也寒暑溫涼盛衰之用其在四維故陽之動始於溫盛於暑陰之動始於清盛於寒春夏秋冬各差其分言春夏秋冬四正之氣在於四維之也即事驗之春之溫正在辰巳之月夏之暑正在未申之月秋之涼正在戌亥之月冬之寒正在丑寅之月春始於仲春夏始於仲夏秋始於仲秋冬始於仲冬故丑之月陰結層冰於厚地未之月陽焰電掣於天垂戌之月霜清肅殺而庶物堅辰之月風扇和舒而陳柯榮秀此則氣差其分昭然而不可蔽也然陰陽之氣生發收藏與常法相會徵其氣化及在人之應則四時每差其日數與常法相違從差法乃正當之也故大要曰彼春之暖為夏之暑彼秋之忿為冬之怒謹按四維斥候皆歸其終可見其始可知此之謂也氣之少壯也陽之少為暖其壯也為暑陰之少為壯其

非也為怒此悲謂少壯之異氣證用之盛衰但立盛衰於四維之位則陰陽終始應用皆可知矣帝曰
差有數乎岐伯曰又凡三十度也度日也〇新校正云按六元正紀大論云
差有數乎且後皆三十度而有奇也此云三十度也者此文為略帝曰其脈應皆何如
岐伯曰差同正法待時而去也脈亦差以隨氣應也待差日足應王氣至而乃
去以脈要曰春不沉夏不弦冬不濇秋不數是謂四塞天地
四時之氣閉塞而無所運行也沉甚曰病弦甚曰病濇甚曰病數甚曰
病但憙天和氣是則為平形見大甚則為力致以力而致安能久乎故甚皆病參見曰病復
見曰病未去而去曰病去而不去曰病參謂參和諸氣來見復見謂再
見巳衰巳死之氣也去謂王巳而去者也日行之度未出於差是為天氣未出日度過差是為天氣巳去而脉
尚在既非得[illegible]故曰病反者死夏見沈秋見數冬見緩春見濇是謂反也犯違天命生其能久乎〇
新校正云詳上文秋不數是謂四塞此注云[illegible]見數是[illegible]反差以脈差只在仲月差之變盡而數不云謂到之
[illegible][illegible]而脈尚[illegible][illegible][illegible]反也故曰氣之相守司也如權衡之不得相失

也權衡秤也天地之氣寒暑相對溫清相望如持秤也高者否下者否兩者齊等無相奪倫則清靜而生也各得其分也夫陰陽之氣清靜則生化治動則苛疾起此之謂也動謂變動常平之候而為災害也苛重也○新挍正云按六微旨大論云成敗倚伏生乎動動而不已則變作矣帝曰幽明何如岐伯曰兩陰交盡故曰幽兩陽合明故曰明幽明之配寒暑之異也兩陰交盡於戌亥兩陽合明於辰巳靈樞繫日月論云亥十月左足之厥陰戌九月右足之厥陰此兩陰交盡故曰厥陰辰三月左足之陽明巳四月右足之陽明此兩陽合於前故曰陽明然陰交則幽陽合則明幽明之象當由是也寒暑位西南東北幽明位西北東南幽明之配寒暑之位誠斯異也○新挍正云按大始天元冊文云幽明既位寒暑弛張帝曰分至何如岐伯曰氣至之謂至氣分之謂分至則氣同分則氣異所謂天地之正紀也因幽明之問而形義也言冬夏二至是天地氣主歲至其所在也春秋二分是間氣初二四五四氣各分其政於主歲左右也故曰至則氣同分則氣異也所言二至二分之氣配者此所謂是天地氣之正紀也帝曰夫子言春秋氣始于

前冬夏氣始于後余已知之矣然六氣往復主歲不常也其補寫奈何以分至明六氣分位則初氣四氣始於立春立秋前各一十五日為紀法三氣六氣始於立夏立冬後各一十五日為紀法由是四氣前後之紀則三氣六氣之中正當二至日也故曰春秋氣始于前冬夏氣始于後也然以三百六十五日易一氣一歲已往氣則改新新氣既來舊氣復去所宜之味天地不同補寫之方應知先後故復以問之也岐伯曰上下所主隨其攸利正其味則其要也左右同法大要曰少陽之主先甘後鹹陽明之主先辛後酸大陽之主先鹹後苦厥陰之主先酸後辛少陰之主先甘後鹹太陰之主先苦後甘佐以所利資以所生是謂得氣主謂主歲得謂得其性用也得其性用則舒卷由人不得性用則動生乖忤豈祛邪之可望乎適足以伐天真之妙氣尒如是先後之味皆得有病先寫之而後補之也帝曰善夫百病之生也皆生於風寒暑濕燥火以之化之變也風寒暑濕燥火天之六氣也靜而順者為化動而變者為變故曰之化之變也經言盛

者寫之虛者補之余錫以方士而方士用之尚未能十
全余欲令要道必行桴鼓相應由拔刺雪汙工巧神聖
可得聞乎鍼曰工巧藥曰神聖○新校正云按難經云望而知之謂之神聞而知之謂之聖問而知
之謂之工切脉而知之謂之巧以外知之曰聖以內知之曰神岐伯曰審察病機無失
氣宜此之謂也得其機要則動小而功大用淺而功深也帝曰願聞病機何
如岐伯曰諸風掉眩皆屬於肝風性動木氣同之諸寒收引皆
屬於腎收謂斂也引謂急也寒物收縮水氣同也諸氣膹鬱皆屬於肺高秋氣凉
霧氣烟集凉至則氣熱復甚則氣殫徵其物象屬可知矣膹謂膹滿鬱謂奔迫也氣之為用金氣同之諸
濕腫滿皆屬於脾土薄則水淺土厚則水深土平則乾土高則濕濕氣之有土氣同之諸
熱瞀瘛皆屬於火火象徵諸痛癢瘡皆屬於心心寂則痛微心躁則
甚百端之起皆自心生痛癢瘡瘍生於心也諸厥固泄皆屬於下下謂下焦肝腎氣也
夫守司於下腎之氣也門戶束要肝之氣也故諸厥固泄皆屬下也厥謂氣逆固謂禁固諸有氣逆上行及固

本禁出入無度燥濕不恒皆由下焦之主守也諸痿喘嘔皆屬於上上謂上焦心肺氣也
炎熱薄爍心之氣也承熱分化肺之害也熱薄化上故病屬上焦○新校正云詳痿之為病似非上病王注不
解所以屬上之由使後人疑議今按痿論云五藏使人痿者因肺熱葉焦發為痿躄故云屬於上也痿又謂肺
痿也諸禁鼓慄如喪神守皆屬於火熱之內作諸痙項強皆屬
於濕太陽傷濕諸逆衝上皆屬於火炎上之性用也諸脹腹大皆屬
於熱熱鬱於內肺脹所生諸躁狂越皆屬於火熱盛於胃及四末也諸暴強
直皆屬於風陽內鬱而陰行於外諸病有聲鼓之如鼓皆屬於熱
謂有聲也諸病胕腫疼酸驚駭皆屬於火諸氣多也諸轉反戾水
液渾濁皆屬於熱反戾筋轉也水液小便也諸病水液澄澈清冷皆
屬於寒上下所出及吐出溺出也諸嘔吐酸暴注下迫皆屬於熱酸酸
水及沫也故大要曰謹守病機各司其屬有者求之無者求
之盛者責之虛者責之必先五勝疏其血氣令其調達

而致和平，此之謂也。深乎聖人之言理宜然也有無求之虛盛責之言悉由也夫如大寒而甚熱之不熱是無火也熱來復去晝見夜伏夜發晝止時節而動是無火也當助其心又如火熱而甚寒之不寒是無水也熱動復止倏忽往來時動時止是無水也當助其腎內格嘔逆食不得入是有火也病嘔而吐食入反出是無火也暴速注下食不及化是無水也溏泄而久止發無恒是無水也故心盛則生熱腎盛則生寒腎虛則寒動於中心虛則熱收於內又熱不得寒是無火也寒不得熱是無水也夫寒之不寒責其無水熱之不熱責其無火熱之不久責心之虛寒之不久責腎之少有者寫之無者補之虛者補之盛者寫之居其中間踈者壅塞令上下無礙氣血通調則寒熱自和陰陽調達矣是以方有治熱以寒寒之而火食不入攻寒以熱熱之而昏躁以生此則氣不踈通壅而為是也紀於水火餘氣可知故曰有者求之無者求之盛者責之虛者責之令氣通調妙之道也五勝謂五行更勝也先以五行寒暑溫涼濕酸鹹甘辛苦相勝為法也

帝曰：善。五味陰陽之用何如？岐伯曰：辛甘發散為陽，酸苦涌泄為陰，鹹味涌泄為陰，淡味滲泄為陽。六者或收或散，或緩或急，或燥或潤，或耎或堅，以所利而行之，調其氣

使其平也涌吐也泄利也滲泄小便也言水液自廻腸泌別汁滲入膀胱之中胞氣化之而為溺以泄出也○新校正云按藏氣法時論云辛散酸收甘緩苦堅鹹耎又云辛酸甘苦鹹各有所利或散或收或緩或急或堅或耎四時五藏病隨五味所宜也

帝曰非調氣而得者治之奈何有毒無毒何先何後願聞其道夫病生之類其有四焉一者始因氣動而內有所成二者因氣動而外有所成三者不因氣動而病生於內四者不因氣動而病生於外夫因氣動而內成者謂積聚癥瘕瘤氣癭起結核癲癇之類也外成者謂癰腫瘡瘍疥痂疽痔掉瘛浮腫目赤瘭胗胕腫痛痒之類也不因氣動而病生於內者謂留飲癖食飢飽勞損宿食霍亂悲恐喜怒想慕憂結之類也生於外者謂瘴氣賊魅蟲蛇蠱毒蜚尸鬼擊衝薄墜墮風寒暑濕斫射刺割捶仆之類也如是四類有獨治內而愈者有兼治內而愈者有獨治外而愈者有兼治外而愈者有先治內而後治外而愈者有先治外後治內而愈者有須齊毒而攻擊者有須無毒而調引者凡此之類方法所施或重或輕或緩或急或收或散或潤或燥或耎或堅方士之用見解不同各擅己心好丹非素故復問之

岐伯曰有毒無毒所治為主適大小為制也言但能破積愈疾解急脫死則為良方非必要言以先毒為是後毒為非無毒為非

有毒爲是必量病輕重大小制之也帝曰請言其制岐伯曰君一臣二制之小也君一臣三佐五制之中也君一臣三佐九制之大也寒者熱之熱者寒之微者逆之甚者從之夫病之微小者猶人火也遇草而病得木而燔可以濕伏可以水滅故逆其性氣以折之攻之病之大甚者猶龍火也得濕而焰遇水而燔不知其性以水濕折之適足以光焰詣天物窮方止矣識其性者反常之理以火逐之則燔灼自消焰火撲滅然逆之謂以寒攻熱以熱攻寒從之謂攻以寒熱雖從其性用不必皆同是以下文曰逆者正治從者反治從少從多觀其事也此之謂乎○新校正云按神農云藥有君臣佐使以相宣攝合和宜用一君二臣三佐五使又可一君三臣九佐使也堅者削之客者除之勞者溫之結者散之留者攻之燥者濡之急者緩之散者收之損者益之逸者行之驚者平之上之下之摩之浴之薄之劫之開之發之適事為故量病證候適事用之帝曰何謂逆從岐伯曰逆者正治從者反治從少從多觀其事也言逆者正治也從者

反治也逆病氣而正治則以寒攻熱以熱攻寒雖從順病氣乃反治法也從少謂一同而二異從多謂二同而三異也言盡同者是奇制也帝曰反治何謂岐伯曰熱因寒用寒因熱用塞因塞用通因通用必伏其所主而先其所因其始則同其終則異可使破積可使潰堅可使氣和可使必已夫大寒內結稸聚疝瘕以熱攻除寒格熱反縱反縱之則痛發尤甚攻之則熱不得前方以蜜煎烏頭佐之以熱蜜多其藥服已便消是則張公從此而以熱因寒用也有火氣動服冷已過熱為寒格而身冷嘔噦嗌乾口苦惡熱好寒衆議攸同咸呼為熱冷治則甚其止之何逆其好則拒治其心則加病若調寒熱逆冷熱必行則熱物冷服下嗌之後冷體既消熱性便發由是病氣隨愈嘔噦皆除情且不違而致大益醇酒冷飲則其類矣是則熱因寒用也所謂惡熱者凡諸食餘氣主於生者○新校正云詳主字疑誤上見之已嘔也又病熱者寒攻不入惡其寒勝熱乃消除從其氣則熱增寒攻之則不入以豉豆諸冷藥酒漬或溫而服之酒熱氣同固無違汗酒熱既盡寒藥已行從其服食熱便隨散此則寒因熱用也或以諸冷物熱齊和之服之食之然食同解是亦寒因熱用也又熱食猪肉及粉葵乳以熱痿滑熱劑和之亦其類也又熱在下焦治亦然假

[illegible]散滿則恐虛其下補下則滿甚於中散氣則下焦轉虛補虛則中滿滋甚醫病參議言意皆同不救其虛且攻其滿藥入則減藥過依然故中滿下虛其病常在乃不知疏啓其中峻補於下少服則資壅多服則宣通由是而療中滿自除下虛斯實此則塞因塞用也又大熱內結注泄不止熱宜寒療結復須除以寒下之結散利止此則通因通用也又大寒凝內久利溏泄愈而復發綿歷歲年以熱下之寒去利止亦其類也投寒以熱涼而行之投熱以寒溫而行之始同終異斯之謂也諸如此等其徒實繁略舉宗兆猶是反治之道斯其類也○新校正云按五常政大論云治熱以寒溫而行之治寒以熱涼而行之亦因寒用寒因熱用之義也

帝曰善氣調而得者何如岐伯曰逆之從之逆而從之從而逆之疏氣令調則其道也逆謂逆病氣以正治從謂從病氣而反療逆其氣以正治使其從順從其病以反取令彼和調故曰逆從也不疏其氣令道路開通則氣感寒熱而爲變始生化多端也帝曰善病之中外何如岐伯曰從內之外者調其內從外之內者治其外各絕其源從內之外而盛於外者先調其內而後治其外從外

之內而盛於內者先治其外而後調其內皆謂先除其根屬後削其枝條中外不相及則治主病中外不相及自各一病也帝曰善火熱復惡寒發熱有如瘧狀或一日發或間數日發其故何也岐伯曰勝復之氣會遇之時有多少也陰氣多而陽氣少則其發日遠陽氣多而陰氣少則其發日近此勝復相薄盛衰之節瘧亦同法陰陽齊等則一日之中寒熱相半陽多陰少則一日一發而但熱不寒陽少陰多則隔日發而先寒後熱雖勝復之氣若氣微則一發後六七日乃發時謂之愈而復發或頻三日發而五六日止或隔十日發而四五日止者皆由氣之多少會遇與不會遇也俗見不遠乃謂鬼神暴疾而祈禱避匿病勢已過旋至其斃病者殞殁自謂其分致令冤魂塞於廣路夭死盈於曠野仁愛鑒茲能不傷楚習俗既久難卒厘革非復可改未如之何悲哉悲哉帝曰論言治寒以熱治熱以寒而方士不能廢繩墨而更其道也有病熱者寒之而熱有病寒者熱之而寒二者皆在新病復起奈何

治謂治之而病不衰退反因藥寒熱而隨生寒熱病之新者也亦有止而復發者亦有藥在而除藥去而發者亦有全不息者方士若廢此繩墨則無更新之法欲依標格則病熱不除捨之則阻彼凡情治之則藥無能驗心迹意或無由通悟不知其道何恃而為因藥病生新舊相對欲求其愈安可奈何岐伯曰諸寒之而熱者取之陰熱之而寒者取之陽所謂求其屬也言益火之源以消陰翳壯水之主以制陽光故曰求其屬也夫粗工褊淺學未精深以熱攻寒以寒療熱治熱未已而冷疾已生攻寒日深而熱病更起熱起而中寒尚在寒生而外熱不除欲攻寒則懼熱不前欲療熱則思寒又止進退交戰危亟已臻豈知藏府之源有寒熱溫涼之主哉夫取心者不必齊以熱取腎者不必齊以寒但益心之陽寒亦通行強腎之陰熱之猶可觀斯之故或治熱以熱治寒以寒萬舉萬生孰知其意思方智極理尽辭窮鳴呼人之死者豈謂命不謂方士愚昧而殺之耶帝曰善服寒而反熱服熱而反寒其故何也岐伯曰治其王氣是以反也物體有寒熱氣性有陰陽觸王之氣則強其用也夫肝氣溫和心氣暑熱肺氣清涼腎氣寒冽脾氣兼并之故也春以清治肝而反溫夏以冷治心而反熱秋以溫治肺而反清冬以熱治腎而反寒蓋由補益王氣太甚也補王

大甚則藏之寒熱氣自多矣帝曰不治王而然者何也岐伯曰悉乎哉問也不味王味屬也夫五味入胃各歸所喜攻酸先入肝苦先入心甘先入脾辛先入肺鹹先入腎新校正云按宣明五氣篇云五味所入酸入肝辛入肺苦入心鹹入腎甘入脾是謂五入久而增氣物化之常也氣增而久夭之由也夫入肝為溫入心為熱入肺為清入腎為寒入脾為至陰而四氣兼之皆為增其味而益其氣故各從本藏之氣用爾故久服黃連苦參而反熱者此其類也余味皆然但人意疎忽不能精候耳故曰久而增氣物化之常也氣增不已益歲年則藏氣偏勝氣有偏勝則有偏絕藏有偏絕則有暴夭者故曰氣增而久夭之由也是以正理觀化藥集商較服餌曰藥不具五味不備四氣而久服之雖且獲勝益久必致暴夭此之謂也絕粒服餌則不暴亡斯何由哉無五谷味資助故也復令食谷其亦夭駭帝曰善方制君臣何謂也岐伯曰主病之謂君佐君之謂臣應臣之謂使非上下三品之謂也上藥為君中藥為臣下藥為佐使所以異善惡之名位服餌之道當從此為法治病之道不必皆然以主病者為君佐君者為臣[illegible]

用者為使皆所以贊成方用也

帝曰：三品何謂？岐伯曰：所以明善惡之殊貫也。

三品上中下三品此明藥善惡不同性用也○新校正云按神農云上藥為君主養命以應天中藥為臣主養性以應人下藥為佐使主治病以應地

帝曰：善。病之中外何如？

前問病之中外謂調氣之法今此未盡故復問之此下對當次前求其屬也之下應古之錯簡也

岐伯曰：調氣之方，必別陰陽，定其中外，各守其鄉，內者內治，外者外治，微者調之，其次平之，盛者奪之，汗之下之，寒熱溫涼，衰之以屬，隨其攸利。

病有中外治有表裏在內者以內治法和之在外者以外治法和之其次大者以平氣法平之盛甚不已則奪其氣令其衰也假如小寒之氣溫以和之大寒之氣熱以取之甚寒之氣則下奪之奪之不已則逆折之折之不盡則求其屬以衰之小熱之氣涼以和之大熱之氣寒以取之甚熱之氣則汗發之發之不已則逆制之制之不盡則求其屬以衰之故曰汗之下之寒熱溫涼衰之以屬隨其攸利攸所也

謹道如法，萬舉萬全，氣血正平，長有天命。

守道以行舉無不中故能驅役草石召遣神靈調御陰陽蠲除衆疾血氣保平和之候天真無耗竭之由夫如

[illegible]奇卷在心去留發[illegible]並衰帝曰善

新刊補註釋文黃帝內經素問卷之十一

新刊補註釋文黄帝内經素問卷之十二

○著至教論篇第七十五 新校正云按全元起本在四時病類論之本末

黄帝坐明堂召雷公而問之曰子知醫之道乎 明堂布政之宮也八窻四闥上圓下方在國之南故稱明堂夫求民之瘼恤民之隱大聖之用心故召雷公問拯濟生靈之道 雷公對曰誦而頗能解解而未能別別而未能明明而未能彰 言所知解但得法守數而已猶未能深盡精微之妙用也○新校正云按楊上善云習道有五一誦二解三別四明五彰 是以治羣僚不足至侯王 公不敢自高其道然則布衣與血食主療亦殊矣 願得受樹天之度四時陰陽合之別星辰與日月光以彰經術後世益明 謂天之度言高遠不盈四時陰陽合之言順氣序也別星辰與日月光言別學者二明大小異也○新校正云按太素別作列字 上通神農著至教疑於二皇 公欲其經法明著通於神農使後世見之疑是二皇並行之教○新校正云按全元起本及太素疑作擬 帝曰善無失之此皆陰陽表裏上下雌雄

相輸應也而道上知天文下知地理中知人事可以長久以教衆庶亦不疑殆醫道論篇可傳後世可以爲寶以明著故雷公曰請受道諷誦用解諭亦論也諷諭者所以比切近而令解也帝曰子不聞陰陽傳乎曰不知曰夫三陽天爲業天爲業言三陽之氣在人身形所行居上也陰陽傳上古書名也者○新校正云按大素天作大上下無常合而病至偏害陰陽上下無常言氣乖通不定在上下也合而病至謂手足三陽氣相合而爲病至也陽并至則精氣微故偏損害陰陽之用也雷公曰三陽莫當請聞其解莫當言氣并至而不可當帝曰三陽獨至者是三陽并至并至如風雨上爲巔疾下爲漏病并至謂手三陽足三陽氣并合而至也足大陽脉起於目內眥上額交巔上其支別者從巔至耳上角其直行者從巔入絡腦還出別下項從肩髆內俠脊抵腰中入循膂絡腎屬膀胱手大陽脉起於手循臂上行交肩上入缺盆絡心循咽下鬲抵胃屬小腸故上爲巔疾下爲漏病也渴血膿出所謂并至如風雨者言無常準也故下文曰○新校正云按楊上善云漏病謂膀胱漏泄大小[illegible]

守也外無期內無正不中經紀診無上下以書別言三陽并至上下無常外無色氣可期內無正經常尒所至之時皆不中經脈綱紀所病之證又復上下無常以書記銓量乃應分別尒雷公曰臣治疏愈說意而已雷公言臣之所治稀得痊愈請言深意而已疑心乃止也謂得說則疑心乃止也帝曰三陽者至陽也六陽并合故日至盛之陽積并則為驚病起疾風至如礔礰九竅皆塞陽氣滂溢乾嗌喉塞積謂重也言六陽重并洪盛莫當陽憤鬱惟盛是為滂溢無涯故九竅塞也并於陰則上下無常薄為腸澼陰謂藏也然陽薄於藏為病亦上下無常定之診者在下為病佷數赤白此謂三陽直心坐不得起臥者便身全三陽之病足六陽脈循肩至腰故坐不得起臥便身全也所以然者起則陽盛鼓故常欲得臥臥則經氣均故身安全〇新校正云按甲乙經便身全作身重且以知天下何以別陰陽應四時合之五行言知未信也雷公曰新校正云按自此至篇末全元起本別為一篇名方盛衰也陽言不別陰言不理請起受解以為至道帝未許為

深知此重請也帝曰子若受傳不知合至道以惑師教語子至

道之要不知其要流於無窮智去聖久遠而學者各自是其法則亂師氏之教旨矣病

傷五藏筋骨以消于言不明不別是世主學盡矣言病之深

重問不明別然經發者有開宣合通賢且形然猶是不知明當主張之道從盡矣

惋日暮從容不出人事不殷暮發之易知者也故腎脈且絕則心神內擊肺骨脈

內日暗殷亡也暮說已若以此之類諸義素但少不出者當人事疲弱不復敬多所以合者是則賢不足非傷

損故也〇新校正云按大素作腎且絕死死旦暮惋烏貫切

〇示從容論篇第七十六新校正云按全元起本在第八卷名從容別白黑

黃帝燕坐召雷公而問之曰汝受術誦書者若能覽觀

雜學及於比類通合道理為余言子所長五藏六府膽

胃大小腸脾胞膀胱腦髓涕唾哭泣悲哀水所從行此

皆人之所生治之過失五藏別論黃帝問曰余聞方士或以腦髓為藏或以腸胃為藏

或以為府敢問更相反皆自謂是不知其道願聞其說岐伯曰腦髓骨脈膽女子胞此六者地氣之所生也皆藏於陰而象於地故藏而不寫名曰奇恒之府夫胃大腸小腸三焦膀胱此五者天氣之所生也其氣象天故寫而不藏此受五藏濁氣故名曰傳化之府是以古之治病者以為過失也

子務明之可以十全即不能知為世所怨不能知之動傷生者故人聞議論多有怨咎之心焉雷公曰臣請誦脈經上下篇甚眾多矣別異比類猶未能以十全又安足以明之言臣所請誦脈經兩篇眾多別異比類例猶未能以義而會見十全又何足以心明至乎安猶何也帝曰子別試通五藏之過六府之所不和鍼石之敗毒藥所宜湯液滋味具言其狀悉言以對請問不知過謂過失所謂不率常候而生病者也毒藥攻邪滋味充養試公之問知與不知爾○新校正云按太素別試作誠別之雷公曰肝虛腎虛脾虛皆令人體重煩冤當投毒藥刺灸砭石湯液或已或不已願聞其解公以亟問便言五藏之過毒藥湯液滋味故問此病也帝曰公何年之長而問之

少余真問以自謬也言問之不相應也以問不相應故言余真發問以自招謬誤之對也吾問子窈冥子言上下篇以對何也窈冥謂不可見者則形氣營衛也八正神明論岐伯對黃帝曰觀其冥冥者言形氣榮衛之不形於外而工獨知之以日之寒溫月之虛盛四時氣之浮沉參伍相合而調之工常先見之當而不形於外故曰觀於冥冥焉自此帝故曰吾問子窈冥也然肝虛腎虛脾虛、上下篇之文帝故曰子言上下篇以對何也夫脾虛浮似肺腎小浮似脾肝急沉散似腎此皆工之所時亂也然從容得之脾虛脈浮候則似肺腎小浮上候則似脾肝急沉散候則似腎者何以然以三藏相近故脈象參差而相類也是以工惑亂之為治之過失矣雖爾乎無宜從容安緩審比類之而得二藏之形候矣何以取之然浮而短曰脾浮而緩曰肺小浮而濇曰心急緊而散曰肝搏沉而滑曰腎不能比類則疑亂彌甚若夫三藏土木水參居此童子之所知問之何也脾合土肝合木腎合水三藏皆在鬲下居止相近也雷公曰於此有人頭痛筋攣骨重怯然少氣噦噫腹滿時驚不嗜臥此何藏之發也脈浮而弦切之石巠不知其解復問所以三藏者以知其比類也脉有浮弦石堅故云問所以三藏者以知其比類也帝曰夫從容之謂也言比類也夫年長則求之於府年少則求之於經年壯則求之於藏年之長者甚於味年之少者勞於使年之壯者過於內過於內則耗傷精氣勞於使則經中風邪恣於宗則傷於府故求之異也今子所言皆失八風菀熟五藏消爍傳邪相受夫浮而弦者是腎不足也脉浮爲虛弦爲肝氣以腎氣不足故脉浮弦也[illegible]胡虎切沉而石者是腎氣內著也石之言堅也著謂腎氣內薄著而不行也怯然少氣者是水道不行形氣消索也腎氣不足故水道不行肺藏被衝故形氣消散索盡也欬嗽煩寃者是腎氣之逆也腎氣內著上關於母也一人之氣病在一藏也若言三藏俱行不在法也經不然也雷公曰於此有人四支解墯喘欬血泄而愚診之以爲傷肺切脉浮大而緊愚不敢治粗工下砭石病愈多出血血止身經

此何物也帝曰子所能治知亦衆多與此病失矣以爲傷肺而不敢治是乃狂見法所失矣■方念切譬以鴻飛亦沖於天鴻飛沖天偶然而得豈其羽翮之所能哉粗工下砭石亦尤是矣夫聖人之治病循法守度援物比類化之冥冥循上及下何必守經經謂經脉飛經法也今夫脉浮大虛者是脾氣之外絕去胃外歸陽明也足太陰絡支別者入絡腸胃是以脾氣外絕至胃外歸陽明也夫二火不勝三水是以脉亂而無常也二火謂二陽藏三水謂三陰藏三陽藏者心肺也以在高上故三陰藏者肝脾腎也以在高下故然三陰之氣上勝二陽二陽不勝陰故脉亂而無常也四支解墮此脾精之不行也土主四支故四支解墮脾精不化故使之然喘欬者是水氣并陽明也腎氣逆入於胃故水氣并於陽明血泄者脉急血無所行也泄謂泄出也然脉氣數急血溢於中血不入經故爲血泄以脉奔急而血溢故曰血無所行也若夫以爲傷肺者由失以狂也不引比類是知不明也言所識不明不能比類以爲傷肺由失狂言耳

夫傷肺者，脾氣不守，胃氣不清，經氣不爲使，真藏壞決，經脈傍絶，五藏漏泄，不衄則嘔，此二者不相類也。肺氣傷則脾外救故云脾氣不守肺藏損則氣不行氣不行則胃滿故云胃氣不清肺者主行榮衛陰陽故肺傷則經脈不能爲之行使真藏謂肺藏也若肺藏損壞皮膜決破經脈傍絶而不流行五藏之氣上溢而漏泄者不衄血則嘔血也何者肺主鼻胃應口也然口鼻者氣之門戶也今肺藏已損胃氣不清不上衄則血下流於胃中故不衄出則嘔出也然傷肺傷脾衄血泄血標出且異本歸亦殊故此二者不相類也譬如天之無形，地之無理，白與黑相去遠矣。言傷肺傷脾形證懸別譬天地之相遠如黑白之異象也是失吾過矣，以子知之，故不告子。是猶此也言雷公子之此君病讀書是吾不教子比類之道故自謂過也明引比類從容，是以名曰診輕，新校正云按大素作經是謂至道也。明引形證比量類例今從容之旨則輕微之者亦不失矣所以然者何哉以道之至妙而能分也從容上古經篇名也何以合之陰陽類論雷公曰臣悉盡意受傳經脈頌得從容之道以合從容明古文有從容矣

○疏五過論篇第七十七新校正云按全元起本在第八卷名論過失黃帝

曰嗚呼遠哉閔閔乎若視深淵若迎浮雲視深淵尚可

測迎浮雲莫知其際嗚呼遠哉歎至道之不極也閔閔乎言妙用之不窮也深淵清澄見之必定故可測浮雲漂寓際不守常故莫知○新校正云詳此文與六微旨論文重聖人之術為

萬民式論裁志意必有法則循經守數按循醫事為萬

民副故事有五過四德汝知之乎謨五過則廢順四時之德氣矣然德者道之用生之主故不可不敬順之也上古天真論曰所以能年皆度百歲而動作不衰者以其德全不危也靈樞經曰天之在我者德也由此則天降德氣人類而生生氣抱神上通於天生氣通天論曰夫自古通天者生之本此之謂也○新校正云按為萬民副務上書云副助也雷公避席再拜曰臣年幼

小蒙愚以惑不聞五過與四德比類形名虛引其經心

無所對經未師授必匪生知功業發等故早解也帝曰凡未診病者必問嘗

貴後賤雖不中邪病從內生名曰脫營神屈故也貴之尊榮賤之屈辱

心懷眷慕志結憂惶故雖不中邪而病從內生血脉虛減故曰脫營嘗富後貧名曰失精

五氣留連病有所并富而從欲貧奪豐財內結憂煎外悲過物然則心從想慕神隨往計

榮衛之道閉以迴留氣血不行積并為病醫工診之不在藏府不變軀形診

之而疑不知病名言病之初也病由想戀所為故未居藏府事因情慕所起故不變軀形醫

不悉之故診而疑也身體日減氣虛無精言病之次也氣血相迫形肉消爍故身体日減

陰陽應象大論曰氣歸精精食氣今氣虛不化精無所滋故也病深無氣洒洒然時驚

言病之深也病氣深穀氣盡陽氣內薄故惡寒而驚洒洒寒皃病深者以其外耗於衛

內奪於榮血為憂煎氣隨悲減故外耗於衛內奪於榮病深者何以此耗奪故尔新校正云按大素

病深者作有深以其良工所失不知病情此亦治之一過也失謂

失問其所出也凡欲診病者必問飲食居處飲食居處五方不同故問之也異法

方宜論曰東方之域天地之所始生魚鹽之地海濱傍

水其民食魚而嗜鹹安其處美其食西方金玉之域沙

石之處天地之所收引其民陵居而多風水土剛強其

民不衣而褐薦其民華食而脂肥北方者天地所閉藏

之域其地高陵居風寒氷冽其民樂野處而乳食南方者天地所長養陽之所盛處其地下水土弱霧露之所聚其民嗜酸而食胕中央者其地平以濕天地所以生萬物也衆其民食雜而不勞由此則診病之道當先問壽故聖人雜合以法各得其所宜此之謂矣暴樂暴苦始樂後苦精枝王吾按七書作治苦皆傷精氣精氣竭絕形體毀沮喜則氣緩悲則氣消然悲哀動中者竭絕而失生失精氣竭絕形体殘毀心神沮喪矣暴怒傷陰暴喜傷陽怒則氣逆故傷陰喜則氣緩故傷陽厥氣上行滿脈去形厥氣逆也逆氣上行滿於經絡則神氣浮散去離形骸矣愚醫治之不知補寫不知病精精華日脫邪氣廼并此治之二過也不知喜怒哀樂之殊情槩為補寫而同貫則五藏精華之氣日脫邪氣薄蝕而乃并於正真之氣矣

善為脉者必以比類奇恒從容知之為工而奇恒謂氣候奇異於恒常之候不知道此診之不足貴此治之三過也也從容謂分別藏氣虛實脈見高下幾相似也示從容論曰脾虛浮似肺腎小浮似脾肝急沉散似腎此皆工之所時亂然從容分別而得之矣

診有三常必問貴賤封君敗傷及欲

侯王貴則形樂志樂賤則形苦志苦苦樂殊貫故先問也豈封君敗傷降君之位封公卿也及欲侯王謂情
慕尊貴而妄為不已也○新校正云按大素欲作公故貴脫勢雖不中邪精神內
傷身必敗亡憂惶煎迫怫結所為始富後貧雖不傷邪皮焦筋屈
痿躄為攣以五藏氣留連病有所并而為是也醫不能嚴不能動神外為
柔弱亂至失常病不能移則醫事不行此治之四過也
嚴謂戒所以禁非也所以令從命也外為柔弱言委隨而順從也然戒不足以禁非動不足以能令委隨任物
亂失天常病且不移何醫之有也凡診者必知終始有知餘緒切脈問
名嘗合男女始終謂氣色也脈要精微論曰知外者終而始之明知五色氣象終而復始也餘緒
謂病發端之餘緒也切謂以指按脈也問名謂問病證之名也男子陽氣多而左脈大為順女子陰氣多而右
脈大為順故宜以候常先合之也離絕菀結憂恐喜怒五藏空虛血氣
離守工不能知何術之語離謂離間親愛絕謂絕念所懷菀謂菀積思慮結謂結固
餘怨夫間親愛者魂遊絕所懷者意喪積所慮者神勞結餘怨者志苦憂愁者閉塞而不行恐懼者蕩憚而失

守惑者迷惑而不治喜樂者憚散而不藏由是八者故五藏空虛血氣離守工不思曉又何言哉○新校正云按嘗悍而失守甲乙經作不訊悍音但嘗富大傷斬筋絕脈身體復行令澤不息斬筋絕脈言非分之過損也身体雖已復舊而行且令津液不爲滋息也何者精氣耗竭也澤液也故傷敗結留薄歸陽膿積寒炅陽謂諸陽脈及六府也炅謂熱也言非分傷敗筋脈之氣血氣內結留而去薄於陽脈則化爲膿久積腹中而外爲寒熱也粗工治之亟刺陰陽身体解散四支轉筋死日有期不知寒熱爲膿積所生以爲常熱之疾棄施其法數刺陰陽經脈氣奪病甚故身体解散而不用四支廢運而轉筋如是故死日有期豈謂命不謂醫耶醫不能明不問所發唯言死日亦爲粗工此治之五過也言粗工不必謂解不備學者縱備盡三世經法診不備三常療不慎五過不求餘緒不問持身亦足爲粗略之醫尒凡此五者皆受術不通人事不明也言是五者粗略受術之徒未足以通悟精微之理人問之事尚猶憒然故曰聖人之治病也必知天地陰陽四時經紀五藏六府雌雄表裏刺灸砭石毒

藥所主從容人事以明經道貴賤貧富各異品理問年少長勇怯之理審於部分知病本始八正九候診必副矣 聖人之備識也如此工之宜勉之 治病之道氣內為寶循求其理求之不得過在表裏 工之治病必在於形氣之內求有過者是為聖人之寶也求之不得則以藏府之氣陰陽表裏而察之○新校正云按全元起本及大素作氣內為實揚上書云天地間氣為人氣人身中長為內氣外氣裁就萬物是為外實內氣營衛裁生故為內實治病能求內氣之理是治病之要也 守數據治無失俞理能行此術終身不殆 守數謂血氣多少及刺淺深之數也據治謂據穴俞所治之言而用之也但守數據治而用之則不失穴俞之理矣殆者危也 不知俞理五藏菀熟癰發六府 菀積也熟熱也五藏積熱六府受之陽熱相薄熱之所過則為癰 診病不審是謂失常 謂失常經術正用之道也 謹守此治與經相明 謂前氣內情示俞會之理也 上經下經揆度陰陽奇恒五中決以明堂審於終始可以橫行 所謂上經者言氣之通天也下經者言病之變化也言此二經

揆度陰陽之氣奇恒五中者皆決於明堂之部分也揆度者度病之深淺也奇恒者言奇病也五中者謂五藏之色也夫明堂者所以視萬物別白黑審長短故曰決以明堂也審於終始者謂審察五色囚王終而復始也夫道循如是應用不窮目牛無全萬舉萬當由斯高遠故可以橫行於世間矣

○徵四失論篇第七十八 新校正云按全元起本在第八卷名方論得失明著

黄帝在明堂雷公侍坐黄帝曰夫子所通書受事衆多矣試言得失之意所以得之所以失之雷公對曰循經受業皆言十全其時有過失者請聞其事解也 言循學經師受傳事業皆謂十全於人庶及乎施用正術宣行至道或得失之於世中故請聞其解說也 帝曰子年少智未及邪將言以雜合邪 言謂年少智未及而不得下合事爲復且以言而襍合衆人之見邪帝疑先知而反問也 夫經脈十二絡脈三百六十五此皆人之所明知工之所循用也 謂循學而用也 所以不十全者精神不專志意不理外内相失故時疑殆 外謂色内謂脉也然精神不專

扶循用志意不從於條理亦習粗略揆度失常致色脈加失而病自殺死也診不知陰陽逆
從之理此治之一失矣脈要精微論曰冬至四十五日陽氣微上陰氣微下夏至四十
五日陰氣微上陽氣微下陰陽有時與脈為期又曰微妙在脈不可不察察之有紀從陰陽始由此故診不知
陰陽逆從之理為一失矣受師不卒妄作雜術謬言為道更名自功
新校正云按太素功作巧妄用砭石後遺身咎此治之二失也不從師術
詐妄是為易古變常自功循己遺身之咎不亦宜乎故為失二也老子曰無遺身殃是謂襲常蓋嫌其妄也
不適貧富貴賤之居坐之薄厚形之寒溫不適飲食之
宜不別人之勇怯不知比類足以自亂不足以自明此
治之三失也貧賤者勞富貴者佚佚則邪不能傷易傷以勞勞則易傷以邪其於勞也則富者處
貴者之半其於邪也則貧者居賤者之半例率如此世豫之家故此殊矣夫勇者難感怯者易傷二者不同
言以其神氣有壯弱也觀其貧賤富貴之義則坐之薄厚形之寒溫飲食之宜理可知矣不知比類用必乖衰
則適足以汨亂心緒豈通明之可望乎故為失三也診病不問其始憂患飲食之

失節起居之過度或傷於毒不先言此卒持寸口何病
能中妄言作名為粗所窮此治之四失也妄謂妄作也名謂名難也
飲食失節言甚飽也起居過度言潰耗也或傷於毒謂病不可為於藏有相秉之法而為兼也卒持寸口謂不
先詳寸口之脈和平與不平也然工巧備識四時猶與診不能中病之形名言不能合經而妄作粗略醫者
尚能中六謬之違背況深明者是而不謂非乎故為失四也是以世人之語者馳千
里之外不明尺寸之論診無人事言工之得失毀譽在世人之語言皆可三
千里之外然其不明尺寸之診論當以何事知見於人耶治數之道從容之葆治三也葆
平也言診數當三之籤皆以氣壽下而為比類之原本也故下文曰■書保坐持寸口診不
中五脈百病所起始以自怨遺師其咎自不能深學道術而致診違
始上中怨誘之罰遺過學於師氏者亦孝有也是故治不能循理棄術於市妄
治時愈愚心自得不能深學至理乃衒賣於市處人不識之謂乎虛譽故云棄術於市也然
愚者百磨而一得何自功之有耶〇新校正云按全元起本作自巧大素作自功嗚呼窈窈冥冥

冥孰知其道今詳熟當作孰道之大者擬於天地配於四海汝不知道之諭受以明為晦嗚呼歎也窈窈冥冥言玄遠也至道玄遠誰得知之孰誰也擬於天地言高下之不可逾也配於四海言深廣之不可測也然不能曉諭於道則受明道而成暗昧也晦暗也

○陰陽類論篇第七十九新校正云按全元起本在第八卷

孟春始至黃帝燕坐臨觀八極正八風之氣而問雷公曰陰陽之類經脈之道五中所主何藏最貴孟月春始至謂立春之日也燕安也觀八極謂視八方遠際之色正八風謂候八方所至之風朝會於太一者也五中謂五藏○新校正云詳八風朝太一具天元玉冊中又按楊上善云夫天為陽地為陰人為和陰無其陽衰殺而已陽無其陰生長不止生長不止則傷於陰陰傷則陰灾起衰殺不已則傷於陽陽傷則陽禍生矣故須聖人在天地間和陰陽氣令萬物生也和氣之道謂先脩身為德則陰陽氣和陰陽氣和則八節風調八節風調則八虛風止於是疾癘不起嘉祥皆集此亦不知所以然而然也故黃帝問身之經脈貴賤依之調攝修德於身以正八風

之氣雷公對曰春甲乙青中主肝治七十二日是脉之主

時臣以其藏最貴東方甲乙春氣主之自然青色內通肝也金匱真言論曰東方青色入通

於肝故曰青中主肝也然五行之氣各主七十二日五七二五積而乘之則終一歲之數三百六十日故云治

七十二日也夫四時之氣以春為始五藏之應肝藏合之公故以其藏為最貴藏真為道非也帝曰却

念上下經陰陽從容子所言貴最其下也從容謂安緩比類也帝念

脉經上下篇陰陽比類形氣不以所藏為貴故謂公之所貴最其下也雷公致齋七日且

復侍坐悟非致齋以洗心願益故坐而復請帝曰三陽為經二陽為維一

陽為游部經謂經綸所以濟成務維謂維持所以繫天真游謂游行部謂身形部分也故主氣者齊

成務化谷者繫天真主色者散布精微游行諸部也○新校正云按楊上善云三陽是大陽脉也從目內眥上

頭分為四道下項并正別脉上下六道以行於背與身為經二陽足陽明脉也從鼻而起下咽分為四道并正

別脉六道上下行腹綱維於身一陽足少陽脉也起目外眥絡頭分為四道下缺盆并正別脉六道上下主經

營百節流氣三部故曰游部此知五藏終始御其經綸維繫游部之義則五藏之終始可謂

知矣三陽為表二陰為裏三陽太陽二陰少陰也少陰與太陽為表裏故曰三陽為表二陰為裏一陰至絕作朔晦卻具合以正其理一陰厥陰也厥尤盡也靈樞經曰亥為左足之厥陰戌為右足之厥陰兩陰具盡故曰厥陰夫陰盡為晦陰生為朔厥陰者以陰盡為義也微其氣王則朔適言其氣盡則晦既見其朔又當其晦故曰一陰至絕作朔晦也然徵彼俱盡之陰合此發生之木以正應五行之理而無替循環故云卻具合以正其理也○新校正云按注言陰盡為晦陰生為朔疑是陽生為朔雷公曰受業未能明言未明氣候之應見帝曰所謂三陽者大陽為經陽氣盛大故曰大陽三陽脈至手大陰而弦浮而不沉決以度察以心合之陰陽之論六陰為寸口也寸口者手大陰也脈氣之所行故脈皆至於寸口也大陽之脈洪大以長今弦浮不沉則當約以四時高下之度而斷決之察以五藏異同之候而參合之以應陰陽之論知其藏否耳所謂二陽者陽明也靈樞經曰辰為左足之陽明巳為右足之陽明兩陽合明故曰二陽者陽明也至手大陰弦而沉急不鼓炅至以病皆死鼓謂鼓動炅熱也陽明之脈浮大而短今弦而急沉不鼓者是陰氣勝陽木來

乘土也然陰氣勝陽木來乘土而反熱病至者是陽氣之衰敗也猶燈之焰欲滅反明故皆死也一陽者少陽也陽氣未大故曰少陽至手大陰上連入迎弦急懸不絕此少陽之病也人迎謂結喉兩傍同身寸之一寸五分脉動應手者也弦為少陽之脉今急懸不絕是經氣不足故曰少陽之病也懸者謂如懸物動搖者也專陰則死專獨也言其獨有陰氣而無陽氣則死三陰者六經之所主也三陰者大陰也言所以諸脉皆至手大陰者何鄣以是六經之主故也六經謂三陰三陽之經脉也所以至手大陰者何以脉朝百脉之氣皆交會於氣口也故下文曰交於大陰此正發明脉朝百脉之義也經脉別論云脉朝百脉伏鼓不浮上空志心脉伏鼓擊而不上浮者是心氣不足故上控引於心而為病也志心謂小心也刺禁論曰七節之旁中有小心此之謂也〇新校正云按楊上善云肺脉游膂此為平也今見伏鼓是腎脉也凡少陰脉貫脊屬腎上入肺中從肺出絡心肺氣下入腎志上入心神也王氏謂志心為小心義未通二陰至肺其氣歸膀胱外連脾胃二陰謂足少陰腎之脉少陰之脉別行者入跟中以上至股內後廉貫脊屬腎絡膀胱其直行者從腎上貫肝鬲入肺中故上至於肺其氣歸於膀胱外連於脾胃一陰

獨至經絕氣浮不鼓鉤而滑若一陰獨至肺經氣內絕則氣浮不鼓於手若經不
內絕則鉤而滑○新校正云按楊上善云一陰厥陰也此六脉者乍陰乍陽交屬
相并繆通五藏合於陰陽或陰見陽脉陽見陰脉故云乍陰乍陽也所以然者以氣
交會故尒當審此氣以知陰陽也先至為主後至為客脉氣乍陰見陽乍陽見陰何以
別之當以先至為主後至為客也至謂至寸口也雷公曰臣悉盡意受傳經脉
頌得從容之道以合從容不知陰陽不知雌雄頌謂今誦也公
言臣所頌誦今從容之妙道欲合上古從容而比類形名猶不知陰陽尊卑之次不知雌雄殊目之義請行其
旨以明著至教陰陽雌雄相輸應也帝曰三陽為父父所以督齊群小言高尊也二陽
為衛衛所以郛禦諸邪言扶生也一陽為紀紀所以綱紀形氣言其平也三陰為
母母所以育養諸子言滋生也二陰為雌雌者陰之月也一陰為獨使一陰之藏
外合二焦三焦主謁導諸氣名為使者故云獨使也二陽一陰陽明主病不勝一
陰脉耎而動九竅皆沉一陰厥陰肝木氣也二陽陽明胃土氣也木土相薄故陽明主

病也木伐其土土不勝木故云不勝一陰脈耎而動者耎為胃氣動謂木刑土木相持則胃氣不轉故虛竅沉
滯而不通利也三陽一陰大陽脈勝一陰不能止內亂五藏外
為驚駭三陽是大陽之氣故曰大陽勝也木生火全盛陽熇木木復受之陽氣洪盛內為狂熱故內亂
五藏也所主驚駭故外形驚駭之狀也二陰二陽病在肺少陰脈沉勝肺
傷脾外傷四支二陰謂手少陰心之脈也二陽亦胃脉也心胃合病邪上下并故內傷脾外勝
肺也所以然者胃為脾府心火勝金故尒脾主四支故脾傷則外傷於四支失少陰脈謂手掌後同身寸之五
分當小指神門之脈也○新校正云詳此二陽為手陽明大陽肺之府也少陰心火勝金之府故云病在肺王
氏以二陽為胃義未甚通況又以是胃病膂之說比乃是心病肺也又全元起本及甲乙經大素等並云二陽
一陽二陰二陽皆交至病在腎罵詈妄行巔疾為狂二陰為腎
水之脈也二陽為胃土之府也土氣形水故交至而病在腎也以腎水不勝故胃盛而顛為狂二陰一
陽病出於腎陰氣客遊於心脘下空竅堤閉塞不通四
支別離一陽謂手少陽三焦心注火之府也水上干火故火病出於腎陰氣客游於心也何者腎之脈

從腎上貫肝鬲入肺中其支別者從肺出絡心注胸中故如是也然空竅陰客上游胃不能制胃不能制是
土氣衰故脘下空竅皆不通也言堤者謂如堤堰不容泄漏胃脈循足心脈絡手故四支如別離而不用也□
新校正云按王氏云胃脈循足按此二陰一陽病出於腎胃當作腎一陰一陽代絕此陰
氣至心上下無常出入不知喉咽乾燥病在土脾一陰厥陰
脈一陽少陽脈並木之氣也代絕者動而中止也以其代絕故為病也木氣生火故病生而陰氣至心也夫肝
膽之氣上至頭首下至腰足中至腹脇故病發上下無常處也若受納不知其味竅寫不知其度而喉咽乾燥
者喉嚨之後又因屬為膽之使故病則咽喉乾燥雖病在脾土之中蓋由肝膽之所為尒二陽三陰
至陰皆在陰不過陽陽氣不能止陰陰陽並絕浮為血
瘕沉為膿胕二陽陽明三陰手大陰至陰脾也故曰至陰皆在也然陰氣不能過越於陽陽氣不
能制心令陰陽相薄故脈並絕斷而不相連續也脈浮為陽氣薄陰故為血瘕脈沉為陰氣薄陽故為膿聚而
胕爛也陰陽皆壯下至陰陽若陰陽皆壯而相薄不已者漸下至陰陽之內為大病矣
陰陽者男子為陽道女子為陰器者以其盛受故也上合昭昭下合冥冥昭昭謂陽明之

上冥冥謂至陰之內幽暗之所也診決死生之期遂合歲首謂下短期之旨雷公曰請問短期黃帝不應欲其復問而實之也雷公復問黃帝曰在經論中上古經之中也○新校正云按全元起本自雷公已下別為一篇名四時病類雷公曰請問短期黃帝曰冬三月之病病合於陽者至春正月脉有死徵皆歸出春病合於陽謂前陰合陽而為病者也雖正月脉有死徵陽已發生至王不死故出春三月而至夏初也冬三月之病在理已盡草與柳葉皆殺壞謂二陰腎之氣也然腎病而正月脉有死徵者以枯草盡青松葉生出而皆死也理裏也已以也古同用春陰陽皆絕期在孟春孟春之後而脉陰陽皆懸絕者期死不出正月○新校正云大素無春字春三月之病曰陽殺陽病不謂傷寒溫熱之病謂非時病熱脉洪盛數也然春三月中陽氣尚少未當全盛而反病熱脉應夏氣者經云脉不再見夏脉當洪數無陽外應故必死[illegible]夏至也以死於夏至陽[illegible]殺物之時故云陽殺陰陽皆絕期在草乾若不陽病但陰[illegible]之脉皆懸絕者死在[illegible]霜降草乾之時也夏三月之病至陰不過十日謂熱

病也脾熱病則五藏危熱之十故不過十日也土陰陽交期在濂水評熱病論曰溫病而汗出輒復熱而脈躁疾不為汗衰狂言不能食者病名曰陰陽交交六月病暑陰陽復交二氣相持故乃死於立秋之候已○新校正云按全元起本云濂水者七月也建申水生於申陰陽逆也楊上善云濂廉檢切水靜也七月水生時也秋三月之病三陽俱起不治自已秋陽氣衰陰氣漸出陽不勝陰故自已也陰陽交合者立不能坐坐不能起以氣不由其正用故尒三陽獨至期在石水有陽無陰故云獨至也著至教論曰三陽獨至者是三陽并至由此則但有陽而無陰也石水者謂冬月水冰如石之時故云石水也火墓於戌冬陽氣微故石水而死也○新校正云詳石水之解本全元起之說王氏取之二陰獨至期在盛水亦所謂并至而無陽也盛水謂雨雪皆解為水之時則正謂正月中氣也○新校正云按全元起本二陰作三陰

○方盛衰論篇第八十新校正云按全元起本在第八卷

雷公請問氣之多少何者為逆何者為從黃帝荅曰陽從左陰從右陽氣之多少者從左陰氣之多少者從右從者為順反者為逆陰陽應象大論曰左

右者陰陽之道路也老從上少從下老者數衰故從上為順少者欲甚故從下為順是以

春夏歸陽為生歸秋冬為死歸秋冬謂反歸陰也歸陰則順殺伐之氣故也反

之則歸秋冬為生反之謂秋冬秋冬則歸陰為生也是以氣多少逆皆

為厥陽氣之多少反從右陰氣之多少反從左是為不順故曰氣少多逆也如是從左從右之不順者皆

為厥厥謂氣逆故曰皆為厥也問曰有餘者厥耶言少之不順者為逆有餘者則成厥逆之

病乎答曰一上不下寒厥到膝少者秋冬死老者秋冬生

一經之氣厥逆上而陽氣不下者何以別之寒厥到膝是也四支者諸陽之本當溫而反寒上故曰寒厥也秋

冬謂歸陰歸陰則從右發生其病也少者以陽氣用事故秋冬死老者以陰氣用事故秋冬生○新校正云按

陽上善云虛者厥也陽氣一上於頭不下於足足脛虛故寒寒至膝氣上不下頭痛巔疾

巔謂身之上巔則頭首之疾也求陽不得求陰不審五部隔無徵若

居曠野若伏空室綿綿乎屬不滿日謂之陽乃脉似陰盛謂之陰又脉似

[illegible]盛故曰求陽不得求陰不審也五部謂五藏之部隔[illegible]隔之無徵無徵猶無可信驗也然求陽不得其熱求

言不審是寒五藏部不又隔遠無可信驗故曰求陽不得求陰不審五部隔無徵也夫如是者乃從氣久逆所
作非由陰陽寒熱之氣所為也若居曠野言心神散越若伏空室謂志意沉潛散越以氣逆而痛甚未正沉潸
以痛定而復恐再來也綿綿乎謂動息微也身雖綿綿乎且存然其心所屬望將不得終其盡日也故曰綿綿
乎屬不滿口也○新校正云按大素云若伏空室為陰陽之一有此三字疑此脫簡是以少陰之
厥令人妄夢其極至迷氣之少有厥逆則令人妄為夢寐其厥之盛極則令人夢至迷
亂三陽絕三陰微是為少氣三陽之脈懸絕三陰之診細微是為少氣之候也○
新校正云按大素云三陽絕氣是為少氣是以肺氣虛則使人夢見白物見
人斬血籍籍白物是象金之色也斬者金之用也籍籍夢死狀也得其時則夢見
兵戰得時謂秋三月也金為兵革故夢見兵戰腎氣虛則使人夢見舟船溺
人舟船溺人皆水之用腎象水故夢形之得其時則夢伏水中若有畏恐
冬三月也肝氣虛則夢見菌香生草菌香草生草木之類也肝合草木故夢見之○
新校正云按全元起本云菌香是桂[illegible]桂倫切得其時則夢伏樹下不敢起春三

月也心氣虛則夢救火陽物 心合火故夢之陽物亦火之類 得其時則夢
燔灼 夏三月也 脾氣虛則夢飲食不足 脾約水穀故夢飲食不足 得其時
則夢築垣蓋屋 得其時謂辰戌丑未之月未合十八日築垣蓋屋皆土之用 此皆五
藏氣虛陽氣有餘陰氣不足 府者陽氣藏者陰氣 合之五診調之
陰陽以在經脈 靈樞經曰備有調陰陽合五診故引之口以在經脈經脈則靈樞經之篇目也
診有十度度人脈度藏度肉度筋度俞度 度各有其二故二五為十
又量度 陰陽氣盡人病自具 診備盡陰陽虛盛之理則人病自具知之 脈動無
常散陰頹陽脈脫不具診無常行診必上下度民君卿
脈變無常數者是陰散而陽頹謂理也若脈診脫略而不具備者無以常行之診而察候之則當度量民及君
卿三者謂尊之殊異合何者貴樂苦分不同秩故也 受師不卒使術不明不察逆
從是為妄行持雌失雄棄陰附陽不知并合診故不明
宵謂學不詳備 傳之後世反論自章 章露也以不明而授與人及古之遺自然章露也

至陰虛天氣絕至陽盛地氣不足至陰虛天氣絕而不降至陽盛地氣微而
不升是所謂不交通也至謂至盛也陰陽並交至人之所行交謂交通也惟聖人乃能
調理使行也陰陽並交者陽氣先至陰氣後至陰陽之氣並行而交通於
二交者則當陽氣先至陰氣後至何者陽速而陰遲也靈樞經曰所謂交通者並行一數也由此則二氣亦交
會於交也一是以聖人持診之道先後陰陽而持之奇恒之
勢乃六十首診合微之事追陰陽之變章五中之情其
中之論取虛實之要定五度之事知此乃是以診奇恒勢六
十首今世不傳是以切陰不得陽診消亡得陽不得陰守學不
湛知左不知右知右不知左知上不知下知先不知後
故治不久知醜知善知病知不病知高知下知坐知起
知行知止用之有診診道乃具萬世不殆聖人持診之明誡基起
所有餘知所不足實命全形骸曰內外相得無以形先言起已身之有餘則當知所人足不

足也度事上下脉事因格度事上下之宜脉事因而至於微妙矣格至也是以形
弱氣虛死中外俱不足也形氣有餘脉氣不足死藏衰故脉不足也脉
氣有餘形氣不足生藏盛故脉氣有餘是以診有大方坐起有
常生起有常則息力調適故診之方法必先用之出入有行以轉神明言所以貴坐起
有常者可以出入行是皆神明隨轉也必清必靜上觀下觀司八正邪別
五中部按脉動靜上觀謂氣色下觀謂形狀也八正謂八節之正候五中謂五藏之部分然
後按寸尺之動靜而定死生矣循尺滑濇寒溫之意視其大小合之病
能逆從以得復知病名診可十全不失人情故診之或
視息視意故不失條理數息之長短候脉之至數設診之法或視喘息也知息合脉病
者必知聖人參候條理者皆合也道甚明察故能長久不知此道失經
絕理亡言妄期此謂失道謂失聖設至妙之道也

○解精微論篇第八十一新校正云按全元起本在第八卷名方論解

黃帝在明堂雷公請曰臣授業傳之行教以經論從容
形法陰陽刺灸湯藥所滋行治有賢不肖未必能十全
言所自授用可十全然傳所教習未能必爾也賢謂心明智達不肖謂擁迷不法若先言悲哀
喜怒燥濕寒暑陰陽婦女請問其所以然者卑賤富貴
人之形體所從羣下通使臨事以適道術謹聞命矣皆以
先聞聖旨尤未究其意故請問有毚愚仆漏之問不在經者欲聞其
狀言不肯救見頑問多也漏脫漏也謂經有所未解者也毚狡也愚不智見也仆頓也尤不漸也○新校
正云按全元起本仆作仆帝曰大矣人之所大要也公請問哭泣而淚不出
若若出而少涕其故何也言有戚之不為而哉是乎帝曰在經有也
靈樞經有悲哀篇泣之義復問不知水所從生涕所從出也復問盡問也發
知水涕亦生之由出帝曰若問此者無益於治也工之所知道之
所生也言涕水者皆道氣之所生問之何也夫心者五藏之專精也專任也言

五藏之精氣任心之所使以爲神明之府是故能爲目者其竅也神內守明外鑒故目其竅也華色者其榮也華色其神明之外飾是以人有德也則氣和於目有亡憂知於色德者道之用人之生也老子曰道生之德畜之氣者生之主神之舍也天布德地化氣故人因之以生也氣和則神安神安則外鑒明矣氣不和則神不守神不守則外榮減矣故曰人有德也則氣和於目有亡憂知於色也○新校正云按太素德作得是以悲哀則泣下泣下水所由生水宗者積水也新校正云按甲乙經水宗作衆精積水者至陰也至陰者腎之精也宗精之水所以不出者是精持之也輔之裹之故水不行也夫水之精爲志火之精爲神水火相感神志俱悲是以目之水生也目爲上液之道故水火相感神志俱悲水液上行乃生於目故諺言曰心悲名曰志悲志與心精共湊於目也水火相感故曰心悲名曰志悲神志俱悲故志與心神共奔湊於目[illegible]句切是以俱悲則神氣傳於心精上不傳於志而志獨悲故泣

出也泣涕者腦也腦者陰也五藏別論以腦為地氣所生皆藏於陰而象於地故言腦者陰陽上爍也爍則銷也○新校正云按全元起本及甲乙經大素陰作陽髓者骨之充也充滿也言髓填於骨充而滿也故腦滲為涕鼻竅通腦故腦滲為涕流於鼻中矣志者骨之主也是以水流而涕從之者其行類也類謂同類夫涕之與泣者譬如人之兄弟急則俱死生則俱生同源故生死俱○新校正云按大素生則俱生作出則俱亡其志以早悲是以涕泣俱出而橫行也行恐當為流夫人涕泣俱出而相從者所屬之類也所屬謂於腦也何者上文云涕泣者腦也雷公曰大矣請問人哭泣而淚不出者若出而少涕不從之何也惟其所屬腦所行出異也帝曰夫泣不出者哭不悲也不泣者神不慈也神不慈則志不悲陰陽相持泣安能獨來泣不出者謂淚也不泣者謂精實夫志也水之精為志火之精為神水為陰火為陽故曰陰陽相持泣安能獨來也夫志悲者惋惋則沖陰沖陰則

志去目志去則神不守精精神去目涕泣出也[illegible]
光并於神神志相感泣由是生故內燥則[illegible]陰國迫去目[illegible]不守目也志去於目故神亦浮游失
志去目則光無內照神失守則精不外明故曰精神去目涕泣出也且子獨不誦不念夫
經言乎厥則目無所見夫人厥則陽氣并於上陰氣并於
下并謂各并於本位也陽并於上則火獨光也陰并於下則足
寒足寒則脹也夫一水不勝五火故目眥盲[illegible]現也一水目也五
火謂五藏之厥陽也○新校正云按甲乙經無眥字是以氣衝風泣下而不止夫
風之中目也陽氣內守於精是火氣燔目故見風則泣
下也風迫陽伏不發故內燔也有以比之夫火疾風生乃能雨此之
類也故陽并則火獨光盛於上不明於下是故目者陽之所生系於藏故陰陽和則精明也陽厥則光不
上陰厥則足冷而脹也言一水不勝五火者是手足之陽為五火則下一陰者肝之氣也衝風泣下而不止者
風之中於目也是陽氣內守於精故陽氣盛而火氣燔於目風與熱交故泣下是故火疾而風生乃能雨以陽

火之熱而風生於泣以此譬之類也○新校正云按甲乙經無火字大素云天之疾風乃能雨無生字

新刊補註釋文黃帝內經素問卷之十二